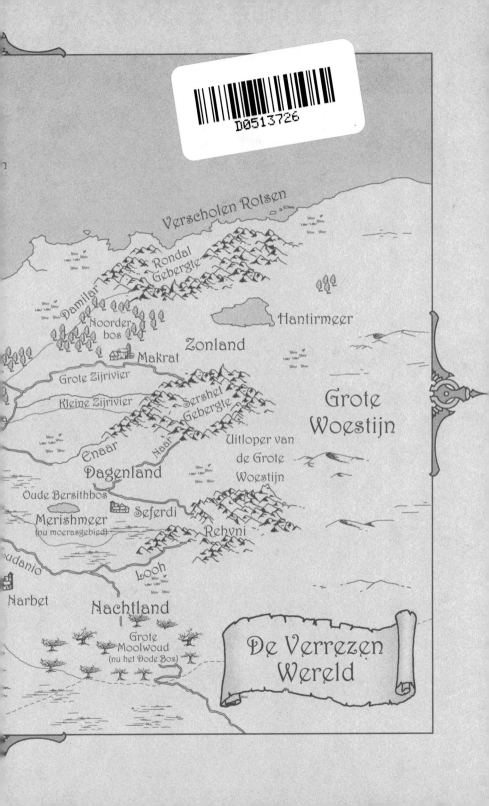

LEGENDEN

VAN DE
VERREZEN WERELD

⬡ II

DOCHTER VAN HET BLOED

LICIA TROISI

LEGENDEN
VAN DE
VERREZEN WERELD

DOCHTER VAN HET BLOED

FANTOOM

Oorspronkelijke titel: Leggende del Mondo Emerso – Figlia del Sangue
Cover en illustraties: Fernando Ambrosi
Graphics: Silvia Bovo
Coverillustratie: Paolo Barbieri
Vertaling: Boscolo Translations
Redactie: Catalina Steenkoop
Opmaak: BeCo DTP-Productions, Epe

© 2009 Arnoldo Mondadori Editore S.p.A., Milano
www.ragazzi.mondadori.it

Uitgegeven in België bij Fantoom, Mechelen
www.bakermat.be
www.liciatroisi.it

ISBN 978 90 7834 579 4
NUR 284/285
D/2012/10381/15

Enkele stappen terug in de tijd

Sinds Dohor dankzij de gemeenschappelijke inspanningen van Ido, Dubhe, Theana en Learco verslagen is, lijkt het erop dat de zaken op de Verrezen Wereld ten goede zijn gekeerd. Geleidelijk aan heeft het leven zijn gewone loop hervat en is er een nieuwe wereld ontstaan uit het puin van de oorlog. De heersers die de oorlog niet overleefd hadden of zichzelf in diskrediet hadden gebracht, zijn vervangen. Learco heeft, samen met zijn vrouw Dubhe, de teugels in handen genomen en de verschillende landen voeren zo veel mogelijk een gemeenschappelijke politiek. Het Eenheidsleger is een feit. Zelfs Enawar, de verloren stad uit de tijd van Nammen - de grootste koning van de halfelfen - is herbouwd. Theana heeft haar plek in de nieuwe wereld gevonden door de Thenaar-cultus in ere te herstellen, die was aangetast door de leugens van het Moordenaarsgilde.

Maar bovenal heeft er vrede geheerst: vijftig lange jaren van vrede. Sinds de tijd van Nammen had de Verrezen Wereld niet meer zo'n kalme periode gekend. Sommigen beginnen Learco al de "Rechtvaardige" te noemen.

Maar uitgerekend op een rustige dag in deze gouden tijd, midden op een zonnig veld, ontwaakt op een ochtend een meisje. Ze weet niet meer wie ze is. Ze is gekleed in een eenvoudige *tuniek, en om haar polsen en enkels zijn rode striemen zichtbaar.*

Onze heldin begint door het bos te dolen, op zoek naar antwoorden: Wie is ze, en hoe is ze op die plek terecht gekomen? Het enige antwoord komt van de beeltenis van het onbekende meisje dat haar aanstaart vanuit de waterplas waarin ze zich spiegelt. Ze heeft twee verschillend gekleurde ogen, en blauwe lokken tussen verder zwart haar. Aanwijzingen die haar niets zeggen.

Eenmaal in Salazar, de stad van Nihal, nemen de zaken een andere wending. Het meisje wordt gered door een jonge militair die gewapend is met een tweehandig slagzwaard. Hij heeft iets verontrustends, een vreemde razernij die hij slechts met moeite lijkt te kunnen onderdrukken. Maar hij heeft haar leven gered. Ze voelt dat ze hem kan vertrouwen.

De soldaat, een leerling Drakenridder, heet Amhal. Hij komt terug van een missie en is op weg naar Nieuw Enawar. Het meisje vraagt of ze met hem mee mag. Hij is haar enige toeverlaat. Ze herinnert zich nog steeds niets van zichzelf, heeft geen idee waar ze zich bevindt, en heeft niet eens een naam. Amhal verzint een naam voor haar: Adhara.

Onderweg naar het paleis in Laodamea in Waterland, waar Amhal langs moet om documenten op te halen, maken Amhal en Adhara een tussenstop in een dorpje op de grens met Windland. Tot hun grote schrik treffen ze daar alleen doden en stervenden aan, die schijnbaar door een onbekende ziekte zijn getroffen.

Het lukt hen op het nippertje om te ontsnappen uit het rampdorp, ze vervolgen hun reis en komen in Laodamea aan. Hier wordt een eerste, zwak licht geworpen op het mysterie van het meisje. Wanneer Amhal haar door een priester laat onderzoeken, begrijpt deze dat er één of andere vorm van magie op Adhara is toegepast. Maar dat is dan ook alles wat hij hun kan zeggen.

Vervolgens reist het tweetal verder naar Nieuw Enawar, waar Adhara Amhals leraar, Mira, leert kennen: een openhartige, nogal bruusk overkomende, drakenridder. Amhal draagt hem op handen. Hij is erg aan hem gehecht. Ondertussen blijft Adhara zich een buitenstaander voelen. Ze kan zich nog steeds niets herinneren. Het enige wat ze zeker weet, is dat ze bij Amhal wil blijven. Er is een band tussen beiden ontstaan. Bovendien heeft Amhal haar een naam gegeven, haar tot een persoon gemaakt. Dus volgt Adhara hem naar Makrat, de hoofdstad van Zonland waar hij dienst heeft.

In Makrat heeft het leven Dubhe veel goeds gebracht. Uit haar huwelijk met Learco is een zoon geboren, Neor. Deze heeft zijn ouders, ondanks zijn handicap - hij is verlamd geraakt door een lelijke val van het paard - altijd veel vreugde geschonken. Neor is een scherpzinnig man. Hij is de eerste adviseur van zijn vader, de koning van Zonland, geworden, en wordt door velen beschouwd als de feitelijke machthebber achter de schermen. Neor heeft Dubhe en Learco ook twee kleinkinderen geschonken: de tegendraadse Amina en de bedachtzame Kalth.

Adhara komt, door bemiddeling van Amhal, aan het hof terecht. Omdat ze geen verleden heeft, hoopt ze in ieder geval een toekomst op te bouwen.

Neor biedt haar een kans. Ze kan de gezelschapsdame van Amina worden. Hij hoopt zo zijn opstandige en onbegrepen dochter een vriendin te geven zodat ze zich minder eenzaam voelt.

Hoewel het geen gemakkelijke opgave is om de jonge prinses gezelschap te houden, herkent Adhara iets van zichzelf in haar, en er groeit een hechte vriendschap tussen de twee.

Als alles de goede kant op lijkt te gaan, wordt de vrede aan het hof van Makrat verstoord door een nieuw element: San, de kleinzoon van Nihal, keert naar Zonland terug na vijftig jaar *vrijwillige ballingschap. Learco, die zich altijd schuldig heeft gevoeld voor zijn verdwijning, verwelkomt hem als een held en kent hem een plek op de Academie voor Drakenridders toe. Maar San lijkt vooral geïnteresseerd in Amhal. Hij zoekt constant zijn gezelschap en begint hem persoonlijke te trainen. Ondertussen bestudeert hij Amhals tweestrijd tussen zijn moorddadige neigingen en de wens om een nobele Drakenridder te zijn.*

Terwijl Adhara en Amhal hun eerste, gekwelde, kus uitwisselen, begint Mira verdenkingen te koesteren jegens San. Hij beveelt hem zelfs openlijk om zijn leerling met rust te laten. De ontmoeting die Amhal tussen Theana en Adhara regelt, levert niets op. De priesteres neemt iets duisters in het meisje waar, maar verzwijgt haar gedachten. Ze bevestigt alleen dat er magie op Adhara is toegepast en onderwerpt haar aan een magisch ritueel om haar geheugen te doorzoeken.

Terwijl Theana met Adhara bezig is, komen er herinneringen bij de priesteres boven aan een donkere episode uit de geschiedenis van de Broederschap van de Bliksemschicht. De Verrezen Wereld heeft sinds zijn ontstaan altijd gebalanceerd op de tegenstelling tussen kwaad en goed: tussen de Marvash, de verpersoonlijking van het kwaad, een aan verwoesting toegewijd wezen, en Sheireen, voorbestemd om tegen de Marvash te vechten en hem te verslaan. Marvash en Sheireen, Verwoester en Gewijde, hebben elkaar door de eeuwen heen bestreden, waarbij nu eens de een en dan weer de ander zegevierde, in een onverbreekbare cirkel. Maar een groep afvalligen van de Broeders van de Bliksemschicht, de Wakers, heeft in het verleden geprobeerd inbreuk te maken op deze cyclus: eerst door de potentiële Marvash te zoeken en te doden voordat deze zich van zijn vermogens bewust werd, en daarna door te proberen Sheireen te creëren. Uiteindelijk zijn de Wakers op bevel van koning Learco gearresteerd, en is hun sekte verboden en opgerold. Maar dat is een oude geschiedenis, houdt Theana zich voor, een geschiedenis die niets met het heden te maken heeft.

De zaken lopen uit de hand op een speldag van Amina. Mira heeft erin toegestemd om de prinses een dag schermles te geven. Tijdens een duel tussen hem en Amina wordt hij getroffen door een gifpijl. Als bij instinct vermoordt Adhara de dader, maar het is al te laat. Mira komt niet meer bij en sterft diezelfde dag nog. Amhal is gebroken door de dood van zijn leraar, maar San staat meteen klaar om hem onder zijn hoede te nemen. Helaas beraamt Amhals nieuwe leraar iets wat nog veel rampzaliger is. Het door de ziekte getroffen dorp waar Amhal en Adhara op gestuit waren is het eerste in een lange reeks. De ongeneeslijke en dodelijke ziekte begint zich over de Verrezen Wereld te verspreiden en overal slachtoffers te maken: menselijken en gnomen, maar geen enkele nimf. Het gerucht begint de ronde te doen dat de nimfen de ziekte in omloop brengen. Langzaam raakt de Verrezen Wereld vergiftigd door wantrouwen. Quarantaines, soldaten die erop toe moeten zien dat deze nageleefd worden, paniek, gemeenschappen die onder druk van de angst uiteenvallen. Het lijkt alsof de Verrezen Wereld moet boeten voor vijftig jaar vrede ...

Samen met San verlaat Amhal de hofstad om versterking te gaan bieden aan de gebieden die onder quarantaine zijn gesteld. Adhara besluit hen te volgen. Ze vertrouwt San niet. Ze voelt dat de duisternis in Amhal toeneemt nu deze, zonder Mira, geen enkel oriëntatiepunt meer heeft.

Het plaatsje heet Damilar, een miserabel dorpje in de greep van de plaag. Hier valt Amhal beetje bij beetje ten prooi aan zijn eigen waanzin, hier wordt het laatste bedrijf afgespeeld. Wanneer hij tegenover een groep personen komt te staan die een nimf afgeslacht hebben om haar bloed te drinken, in de over-

tuiging dat dit hen immuun voor de ziekte maakt, kan Amhal zijn razernij niet beheersen. Samen met San richt hij een slachting aan.

Ook de situatie aan het hof is allesbehalve rooskleurig. Het onderzoek naar de moord op Mira lijkt naar San te leiden, en, alsof dat niet genoeg was, bereikt de ziekte de slaapkamer van koning Learco. Hij wordt ziek en sterft. Neor valt de ondankbare taak ten deel om de teugels van het Rijk in handen te nemen. Hij verplaatst het hele hof naar Nieuw Enawar en geeft zijn soldaten bevel om San te arresteren. Als ze zijn nieuwe leraar komen halen, weet Amhal niet wat te denken. Geschokt door het bloedbad en door de arrestatie van San, besluit hij deze achterna te gaan. Hij zal hem bevrijden en hij zal proberen de waarheid te achterhalen. Heeft San Mira echt vermoord? Of is het allemaal, zoals San hem toeschreeuwde terwijl hij werd weggesleurd, een groot complot van Neor om een lastige troonkandidaat uit de weg te ruimen?

Adhara besluit nogmaals om haar hart te volgen. Ze weet zeker dat Amhal zich zal laten vermoorden. Het hof moet gewaarschuwd worden. Ze haalt zich liever Amhals eeuwige haat op de hals, dan dat ze hem een wisse dood tegemoet laat gaan.

In Nieuw Enawar komt een schokkende waarheid aan het licht over Sans bedoelingen. Tegenover een verbijsterde Neor bekent hij schuld. Hij heeft inderdaad Mira's dood op zijn geweten, omdat deze een lastig obstakel vormde voor de vervulling van zijn missie. Het gaat hem enkel en alleen om Amhal. Learco heeft hij uit de weg geruimd door simpelweg een flesje met besmet bloed in de koninklijke slaapkamer te vermorzelen. Een geschenk aan de mysterieuze opdrachtgever die hem op missie naar de hoofdstad had gestuurd.

Op dit punt valt Amhal Sans cel binnen. Hij is woest.

Adhara was er niet in geslaagd om iemand te waarschuwen. Ze had alleen Amina bereikt, te laat. De meisjes zien nog net hoe San en Amhal, met de koning als gijzelaar, de kerkers verlaten. Neor doet wanhopige pogingen om Amhal tot rede te brengen. Hij vertelt hem dat San schuld heeft bekend. Hij probeert tevergeefs een beroep te doen op Amhals betere kant. Amhal kan en wil niet geloven dat San schuldig is aan al die tragedies. Maar bovenal wil hij ophouden te lijden onder zijn eeuwige inwendige strijd. Hij snijdt Neors keel door en vlucht weg met San.

Adhara is als door de bliksem getroffen. Ze beseft dat Amhals daad volstrekt onvergeeflijk is. Desondanks gelooft ze nog steeds in hem. Ze is ervan overtuigd dat ze hem nog kan redden omdat hij ook iets goeds in zijn ziel heeft.

Ze rent hen achterna, totdat ze een vreemde plek bereikt, een half verwoeste ondergrondse ruimte. Het is alsof ze de plek herkent: door de vlammen verslonden muren, de resten van een laboratorium. De herinneringen die al die maanden verborgen waren gebleven, komen nu opeens boven: een man die haar zegt dat ze op hem moet wachten, en dat hij haar zo komt ophalen.

Alles vervaagt als ze Amhal in een van de ruimtes terugziet. Hij is apathisch en lijkt zichzelf niet meer. Adhara voelt dat alle hoop nog niet verloren is. Ze probeert uit alle macht om hem tot zinnen te brengen, totdat San ingrijpt. Adhara staat op het punt het duel met San te verliezen wanneer een onbekende uit het niets verschijnt en haar het leven redt. Na een kort treffen, maken Amhal en San zich uit de voeten. Adhara blijft alleen achter met de nieuwaangekomene die haar lijkt te kennen. Chandra, noemt hij haar ...

De man, die Adrass heet, vertelt haar eindelijk de waarheid waar Adhara al die maanden naar gesmacht heeft, maar die ze achteraf nooit had willen horen.

11

Adrass behoort tot de sekte van de Wakers. Met hen heeft hij jarenlang aan de creatie van Sheireen gewerkt. Hiervoor brachten ze de lijken van jonge vrouwen tot leven met magische en priesterlijke praktijken. Een langdurig wanbedrijf waaruit zij uiteindelijk was voortgekomen. Adhara, of liever Chandra, het zesde experiment van zijn hand, is met magie uit een lijk gecreëerd. En ze is Sheireen. Na vele mislukte pogingen waren de Wakers ervan overtuigd dat ze eindelijk de Gewijde hadden gecreëerd.

Adhara weigert het te geloven. In een aanval van blinde woede slaat ze Adrass bewusteloos en vlucht blindelings weg, totdat ze op het veld aankomt waar alles begonnen is. Daar komen alle herinneringen boven: het laboratorium waar de Wakers hun experimenten uitvoerden, de plek waar ze net vandaan komt; San die daar binnenvalt om de bewoners te doden; Adrass die haar redt door haar in een geheime tunnel te verbergen.

'Wacht hier op me', zegt hij tegen haar, voordat hij haar opsluit. Urenlang, dagenlang. Totdat ze haar schuilplaats verlaat en zich tussen de lijken en het puin een weg naar buiten baant, terwijl haar herinneringen geleidelijk verdwijnen, ze vergeet wie ze is en uiteindelijk bewusteloos op het grasveld neervalt.

12

PROLOOG

Het bloed op zijn wapenrusting was nog vers. Genietend snoof hij de zoete, metaalachtige geur op. Het rook heerlijk. Hij liet zijn blik over de vijandelijke, in de moerasdelta opgestelde, troepen glijden en keek vol verlangen uit naar het nieuwe bloedbad dat komen ging.

Het had hem niet verrast dat ze zich verweerd hadden. Het waren hardnekkige wezens, de huidige bewoners van de Verrezen Wereld. Ze waren stompzinnig gehecht aan het leven. Ze moesten hun wyverns uit de verte hebben zien aankomen, en ze hadden zich opgemaakt voor de strijd. Misschien hadden ze zelfs de illusie gehad dat ze hen meteen zouden verslaan, door dat eerste offensief af te weren. De dwazen. Ze hadden geen idee hoe lang zijn volk deze aanval al aan het voorbereiden was.

Zodra de eerste vijanden aan de horizon verschenen, vulde de klank van de hoorn de vallei. Op de rug van zijn wyvern gezeten, telde de elf een handjevol draken en een tiental boten. Een lachwekkend aantal vergeleken bij zijn troepen. Hij draaide zich zelfverzekerd om naar zijn soldaten en hief zijn zwaard. Beweginloos keek hij de elfen aan, terwijl de vleugels van zijn wyvern trilden van inspanning. In hun ogen herkende hij een

13

kille vastberadenheid en een absolute zelfopoffering. Ze waren klaar om te sterven voor het grote doel.

'We wisten dat deze dag zou komen', riep hij. 'En we wisten dat we hem met ons bloed zouden moeten bekopen. Maar we zullen winnen, dat verzeker ik jullie. Te wapen!'

De troepen hieven een strijdkreet aan. De boogschutters legden hun pijlen op hun bogen, klaar om op zijn teken te reageren. Hij liet zijn zwaard zakken, waarop er een regen van dood op de vijand neerviel. Zijn tegenstanders waren klein in aantal, de factor in zijn voordeel die hij al ingecalculeerd had. Toch kon dat niet verhinderen dat er ook slachtoffers onder de zijnen vielen. Daarna was het de beurt aan de speren. Schreeuwend en moordend bestormden de troepen elkaar. De sierlijke lichamen van zijn soldaten botsten tegen de lompe lichamen van de indringers. Op de rivier probeerden de boten elkaar te enteren, waarbij het ene lichaam na het andere overboord viel. Het geluid van klotsend water vermengde zich met het kille wapengeknars. Eindelijk, de zoete klank van de oorlog.

Al zijn woede uitschreeuwend stortte de elf zich in de strijd. Een Drakenridder probeerde hem tegen te houden met een steekvlam, maar hij vloog met het volle gewicht van zijn wyvern tegen hem op. Een doffe bons. Het zwaard van zijn vijand verwondde hem aan zijn arm. Hij voelde een brandende pijn, maar sloeg er geen acht op. Hij doorboorde de borstkas van de ridder, en genoot van de stroom warm bloed die over zijn hand vloeide.

Even later ging hij de volgende drakenridder te lijf, die met een van de zijnen in gevecht was. Hij concentreerde zich op de draak, hieuw hem met een welgemikte slag zijn kop af. Met een langgerekte kreet stortte de ridder in het water, waar hij verpletterd werd door het enorme lichaam van zijn eigen draak.

Onder hem was de rivier inmiddels bezaaid met lijken. De elf wist dat deze wereld eerst met bloed gezuiverd moest worden voordat zijn volk het opnieuw als de hunne kon beschouwen. Dat was hun lotsbestemming. Het pad naar de glorie was geplaveid met bloed en dood. Hij had opdracht gegeven om geen krijgsgevangenen te maken. Het water zou hen opslokken. En zij zouden voor altijd van de walgelijke indringers van de Verrezen Wereld verlost zijn.

Na de eerste veldslag controleerden enkele soldaten of er geen overlevenden waren.

Gezeten op zijn wyvern die tot schofthoogte in het water stond, wachtte hij af.

Er kwam een soldaat op hem toegelopen: 'De weg is vrij, mijn heer'.

De elf ontdeed zich langzaam van zijn wapenrusting, overhandigde deze aan zijn oppasser, en sprong toen het water in. Er steeg een koor van protesten op.

'Sire!' riep de oppasser uit, die al klaar stond om naar hem toe te zwemmen.

De elf hield hem tegen met een handgebaar. 'Alles is in orde.' Daarna begon hij naar de oever te zwemmen. De stroom was niet sterk in dat gedeelte, en verder had hij sterke, getrainde armen.

Ik wacht al een leven lang op dit moment, *bedacht hij.*

Op het punt waar de hemel en het water elkaar raakten was de wereld een groen met bruine luchtspiegeling. Hij dook onder water, en stelde zich de uitroep van verbazing voor waarin zijn volk op dat moment losbarstte. Toen zijn voeten het slijk op de bodem raakten, zette hij zich af, en steeg hij loom weer naar de oppervlakte.

Langzaam stak hij zijn hoofd boven water uit, en daarna zijn nek, zijn romp en ten slotte zijn knieën. Hij kwam geleidelijk tevoorschijn, net als bij een geboorte. Hij hoorde het klotsen van de rivier tegen het hout van de boten, de gespannen stilte van zijn manschappen die afwachtend hun adem inhielden.

De oever was een mijlpaal. Hij had ervan gedroomd, ernaar gesmacht. Hij had hem zich duizenden keren voorgesteld. Het was alsof hij er al geweest was, want hij kende hem dankzij de geschriften die zijn voorouders hadden nagelaten. Zij hadden die wereld betreden, bezeten, liefgehad. Maar hij was nog mooier dan hij zich had voorgesteld. Het was het beloofde land, waar het groen van de bladeren feller was, het gras meer bedauwd, de lucht geuriger.

Hij haalde diep adem. De geur van thuis. De geur van vrijheid.

Hij stopte aan de rand van de rivier, tussen het riet. Nog één stap en de uitdaging zou beginnen.

Hij dacht aan zijn gelijken die eeuwen eerder die rivier waren overgestoken als vluchtelingen. Hij dacht aan zijn vader, die zijn hele leven verscholen op de kliffen van Orva had doorgebracht, tevreden met zijn kleine rijk aan zee. Hij dacht aan degenen die hem hadden uitgelachen, hem hadden dwarsgezeten, die niet in zijn immense droom hadden geloofd. Glimlachend sloeg hij zijn ogen op naar de volstrekt blauwe hemel. Een traan van ontroering en vermoeidheid trok een spoor over zijn gezicht. Eenmaal op de oever, viel hij op zijn knieën neer, met zijn handen in de vette en vruchtbare aarde, zo zoet onder zijn handpalmen. Dit was een keerpunt in de geschiedenis. Iemand hielp hem overeind. Zijn soldaten, in hun bebloede wapenrustingen, keken hem hoopvol aan.

Kryss liet zijn blik over hun vermoeide, uitgeholde gezichten glijden.

'Dank jullie wel', zei hij, 'voor alles wat jullie gedaan hebben, voor de pijn die jullie verdragen hebben.'

Hij draaide zich om naar de boten van zijn volk, van de elfen die hij zo ver van huis had gevoerd, om een droom te volgen die soms te groot voor één paar schouders, de zijne, leek.

'Jullie koning is met jullie', donderde hij. 'De tijd van bal-

lingschap is voorbij. De dagen van de Indringers zijn ten einde.
Ze zullen in hun dorpen en steden wegkwijnen, verteerd door
de ziekte die wij gebracht hebben. Niemand zal ons kunnen te-
genhouden. We zullen deze eeuwen waarin we ver van ons va-
derland geleefd hebben uitwissen. We zullen het zout van onze
tranen met hun bloed wegwassen. De Erak Maar zal weer van
ons zijn. Begroet de dageraad van een nieuwe dag!'

Hij hief een vuist vol met aarde in de lucht. Zijn volk juichte
als uit een keel.

Erak Maar, de Verrezen Wereld.

Kryss sloot zijn ogen, in vervoering. Daarna sperde hij ze
open, en tuurde naar het binnenland, zoals een jager naar zijn
prooi.

Eerste deel

Op de vlucht

I
VERRAADSTER

Adhara trok haar dolk.

In eerste instantie had ze hen niet gehoord. Het geluid had zich vermengd met de wind in de duisternis, en zij was te moe om de ritmische cadans van de voetstappen te horen die haar volgden.

Ze keek achterom, in de richting waar ze een donkerder schaduw gezien dacht te hebben. Er voegde zich een tweede schaduw bij, en nog een, en een vierde. Hoewel het praktisch aardedonker was, herkende ze hen ten slotte. Soldaten. Ze droegen hetzelfde onderscheidingsteken dat Amhal droeg wanneer hij in Makrat aan het werk was.

Amhal!

Heel even geloofde ze dat hij het was. Tegen iedere logica en iedere hoop in, maakte ze zichzelf wijs dat alles wat er die laatste, vreselijke dagen gebeurd was enkel een nachtmerrie was geweest. Maar de illusie werd verbroken.

'Wees niet bang. We doen je niets', zei een van de soldaten, op haar toestappend. 'We zijn hier op bevel van de Hoofdpriesteres.'

21

Adhara gaf geen antwoord. Ze keek schichtig om zich heen, op zoek naar een vluchtweg.

'Theana wil je spreken', voegde een ander toe. Theana. Alleen de gedachte al aan die kille vrouw maakte haar woest. Nog een duistere protagonist in het verhaal van haar leven, nog iemand die haar de waarheid verzwegen had en haar gebruikt had.

'Ik heb haar niets te zeggen', verklaarde ze, achteruitwijkend.

'Dit betreft een bevel, geen uitnodiging!'

Adhara begreep het. De tijd dat ze kon kiezen of ze wilde vechten of niet, dat ze kon zweren dat ze niet meer zou moorden was voorbij. Vanuit de gewatteerde wereld waarin ze drie maanden geleefd had, was ze plotseling in een oorlog terechtgekomen, een verlaten oord waar de enige manier om te overleven de vlucht was, het staal haar enige redding. Het leek een leven geleden dat ze Mira's moordenaar gedood had.

Het lemmet van haar dolk flikkerde dreigend. De vier mannen verstijfden.

'De Hoofdpriesteres wil je geen kwaad doen. Dwing ons niet om geweld te gebruiken!', zei een van hen.

Adhara ging in de aanvalshouding staan. 'Ga weg voordat er ongelukken gebeuren', siste ze.

Er werd een zwaard getrokken, en daarna nog drie.

'Ik zeg het voor de laatste keer ...' drong de soldaat aan.

Adhara liet hem niet uitspreken. Ze schoot naar voren, lenig en trefzeker. Een uitval, die werd ontweken. Ze bukte om de tegensteek te vermijden, draaide om haar as, en raakte de kniepezen van haar tegenstander. Een kreet, en hij lag op de grond. Adhara ving zijn zwaard in de lucht op en maakte zich gereed voor een nieuwe aanval.

De enige herinnering die ze had aan een duel met blanke wapens was het tweegevecht met Mira's moordenaar. Verder had ze, voor zover ze zich kon herinneren, nooit eerder echt gevochten. Maar het was alsof haar lichaam zelfstandig handelde, alsof de lessen van de Wakers de bewegingen in haar geheugen hadden geprent. Zij, die tot een levend wapen gesmeed was, wist wat ze moest doen. Ze raakte nummer twee in zijn borst, waarop deze, met zijn handen tegen een grote snijwond gedrukt, op zijn knieën stortte. Adhara draaide zich razendsnel om. Ze viel zowel met haar dolk als met het zwaard aan, onophoudelijk, onvermoeibaar. Ze vocht als een bezetene, net zolang tot het wapen van de derde soldaat door de lucht vloog. Een beweging achter haar. Ze maakte nogmaals een draai, gaf nummer vier een gerichte trap tegen zijn kaak, maakte haar draai af, en keek om zich heen. Twee soldaten lagen kermend op de grond, nummer drie lag bewusteloos op zijn rug, en nummer vier was ontwapend. Ze zette het zwaard op zijn keel.

'Zeg tegen de Hoofdpriesteres dat ik niets met haar te maken wil hebben. En dat ze ophoudt me te zoeken want ze krijgt me toch nooit te pakken.'

De man ademde hijgend, maar leek niet onder de indruk. Er trok een zweem van een grijns aan zijn mondhoek. Adhara voelde een rake klap in haar nek, en meteen daarna een brandende pijn die zich over haar rug verspreidde.

Vijf. Het waren er vijf, bedacht ze hels.

Daarna sloot het donker zich om haar heen.

Ze werd wakker van het geluid van draaiende wielen. Een onophoudelijk gerol, zo nu en dan onderbroken door een schok. Langzaam opende ze haar ogen, terwijl de misselijkheid opkwam. Nog voordat ze kon zien waar ze zich bevond braakte ze op de vloer. Er lag wat stro op de houten bodem.

Haar hoofd barstte. Maar zodra ze probeerde het te masseren verstijfde ze van een helse pijnscheut in haar nek.

Ze keek om zich heen. Ze lag in een ruwhouten, nauwe wagen, op een strobed met een lage, metalen bak ernaast. Nieuwsgierig leunde ze opzij om erin te kijken. Water. Ze stortte zich er begerig op en schepte een paar handenvol van het heerlijke vocht in haar mond. Ze voelde zich meteen stukken beter.

Pas toen realiseerde ze zich dat ze niet vastgebonden was. Adhara probeerde tegen de deur te duwen, maar kwam tot de ontdekking dat hij vergrendeld was. Ze zat opgesloten.

Ze ging in een hoekje van de wagen zitten en dwong zichzelf om na te denken.

Ze hadden haar te pakken. En nu?

Toen ze weer een helse pijnscheut door haar hoofd voelde trekken, bedacht ze met een schok dat, hoe concreet de pijn ook was, dat hoofd niet haar eigen hoofd was.

Adrass had de waarheid gesproken. Ze was gecreëerd. Haar handen hadden, *eerder,* aan een ander meisje behoord. Haar lichaam had zijn aardse boog beschreven. Het had liefgehad, geleden, vreugde beleefd, sensaties gekend die het zich nu niet meer kon herinneren. Toen waren de Wakers gekomen, en was haar lichaam tot het leven teruggekeerd met als enig doel om een wapen te worden.

Het enige echte van de afgelopen maanden waren haar gevoelens voor Amhal. Haar liefde voor hem was levend en kloppend, en maakte dat zij zich ook levend voelde.

Daarom had het haar vanzelfsprekend geleken hem te gaan zoeken. Want hij had haar het leven gegeven, hij had haar een naam en een identiteit gegeven, en haar gemaakt tot het meisje dat ze was. Het was haar plicht om hem te redden.

Nadat ze van Adrass was weggevlucht, was ze meteen naar een plaatsje gerend dat ze kende, even buiten Nieuw Enawar. Ze had voedsel nodig en, vooral, informatie. Ze had geen idee waar San Amhal mee naartoe had genomen.

In de herberg, waar ze de weinige Karolen uitgaf die ze bij zich had, waren enkele stamgasten aanwezig en een serveerster. Nadat ze een sobere maaltijd naar binnen had gewerkt, had ze de vrouw gevraagd of zij toevallig een wyvern in de lucht had opgemerkt. 'Twee dagen geleden om precies te zijn.'

'Ik heb 'm gezien', had een dronken man aan een andere tafel, met een dikke stem gezegd.

De serveerster had hem in zijn gezicht uitgelachen. 'Natuurlijk heb jij hem gezien, net als die eenhoorn twee maanden geleden, en die vrouwelijke centaur de maand daarvoor.' En tegen Adhara: 'Let maar niet op hem. Hij zuipt als een spons.'

'En ik zeg dat ik hem gezien heb!' had de man koppig volgehouden, terwijl hij schommelend opstond. 'Het beest stootte een ijselijke kreet uit, een soort gekrijs. Mijn haren gingen recht overeind staan. Ik dacht er zelfs even over om nooit meer te drinken. Toen heb ik maar een pint genomen, en verdween al mijn angst', besloot hij met een dronkenmanslach.

Adhara wist dat de man het verhaal niet verzon. Ook zij had de wyvern horen krijsen. Ze wist hoe afgrijselijk dat klonk. 'Weet je nog in welke richting hij vloog?'

'Naar het westen,' had hij geantwoord, 'alsof de duivel hem op de hielen zat.' In de richting van Windland dus. 'Naar het oorlogsgebied.' Dat maakte haar niet uit. Ze zou overal heen gaan. Ze zou ieder gevaar trotseren, als ze Amhal maar weer tot zinnen kon brengen.

Dus was ze in westelijke richting vertrokken, en had ze er voor de zekerheid voor gekozen om dwars door het bos te trekken.

Maar ze hadden haar gevolgd, en nu was haar reis hier geëindigd, in een nauwe wagen.

Ze hield haar hoofd tussen haar handen.

Ik wil weg, dacht ze. Maar ze had geen enkele plek waar ze naartoe kon.

Op dat moment stopte de wagen. Adhara hoorde een slot openspringen en een grendel verschuiven. Langzaam ging de deur open. Het felle daglicht stroomde naar binnen. Ze handelde zonder na te denken, gehoor gevend aan haar instinct en haar drang naar vrijheid. Ze schoot naar voren, stortte zich op de man die de deur had opengedaan, duwde hem tegen de grond, en zette het op een lopen. Maar ze werd vrijwel onmiddellijk bij haar enkel gegrepen. Door de terugslag viel ze met haar volle gewicht op haar onderkaak. Een paar lange seconden bestond er niets anders dan pijn.

'Je bent wel erg halsstarrig, meisje!'

Het was een soldaat. Hij hield zijn gezicht vlak bij het hare.

'Waar dacht je naartoe te gaan? Er wacht je niets dan dood daarbuiten! Wij brengen je naar de enige persoon die ons van deze ziekte kan redden. Er zijn mensen die een moord zouden plegen voor zo'n kans.'

Adhara knarsetandde. 'Ik ben toch al immuun', beet ze hun toe.

De man keek haar vol haat aan, terwijl hij haar omhoog hees en haar polsen aan elkaar vastbond. 'Je hebt me hiertoe gedwongen', mompelde hij. Hij gooide haar weer in de wagen, en bond vervolgens ook haar enkels aan elkaar. 'Het is niet ver meer. Hou je gemak en maak het ons verder niet lastig!'

De deur werd dichtgesmeten en Adhara was weer alleen met zichzelf.

Toen ze Nieuw Enawar bereikten, bevrijdden twee soldaten haar enkels, lieten haar uitstappen, en voerden haar tussen zich in door de straten van de stad.

De herfst had de boombladeren geel en rood gekleurd. Een intense geur van loof en mos hing in de lucht. Het enige wat het natuurlijke schouwspel verstoorde, was de huiveringwekkende stilte waarin de stad gehuld was. Hoewel er nog maar een week verstreken was sinds de laatste keer dat Adhara er geweest was, zag alles er anders uit. De wegen waren praktisch verlaten. De enkeling die door de stegen liep, hield een in geurstof gedrenkte lap voor zijn neus en mond. Zo nu en dan waren er magiërs met puntige snavelmaskers voor hun gezicht te zien. Overal postten gewapende wachters en soldaten, en in de meest verborgen stegen kwam ze degenen tegen die de pestepidemie overleefd hadden: sommigen met een nauwelijks aangetast uiterlijk, anderen bijna onherkenbaar.

Voor het eerst kreeg Adhara het gevoel dat ze er niet bij hoorde. Ze bevond zich tussen de *anderen*. De bange wezens die hun gezicht afwendden als ze voorbijkwamen waren de levenden. Ze waren uit een moederschoot geboren, en waren opgegroeid. Ze hadden een kindertijd achter zich, en aan het einde van hun levenswandel wachtte hun een graf. Maar zij, zij was dood vlees. Zij had noch een moeder noch een vader. Geen enkele herinnering kon haar vertellen wie ze was en waar ze vandaan kwam. Geboren uit het niets, kon ze hen opeens niet meer in hun gezicht kijken, omdat ze uit hun blikken duidelijk begreep dat ze niet bij hun wereld hoorde.

Ze staarde naar de grond en concentreerde zich op het wisselende ritme van de voetstappen op het plaveisel. Haar hart bonkte. Ze dacht aan Amhal. Terwijl zij hier in Nieuw Enawar tijd verloor, reisde hij steeds verder naar het westen, naar die mysterieuze oorlog waar ze het in die herberg over hadden gehad.

Ze stopten voor een breed, indrukwekkend gebouw. De voorgevel was versierd met afwisselend witmarmeren en zwartkristallen platen waardoor het er nog massiever uitzag. Adhara rilde. Ze stonden voor het Raadspaleis, waar het hof gevestigd was, of wat er nog van over was.

De wachters moesten gevoeld hebben dat haar spieren zich aanspanden, want ze versterkten hun greep.

'Vooruit', spoorde een van hen haar aan.

Adhara liep aarzelend naar binnen, zonder op te kijken. Ze kwamen door gangen vol soldaten. Sommigen staarden haar aan, herkenden haar misschien. Wie weet wat ze nu van haar dachten. Misschien zouden ze haar veroordelen voor verraad. Het was iedereen in elk geval bekend waarom ze was weggegaan en het was overduidelijk dat ze had meegewerkt aan de moord op de koning.

Ze liepen de trap af. De ondergrondse ruimtes roken naar dood. Ze stopten voor een vertrekje met een gesloten, houten deur. Er stond een magiër voor. Haar masker hing op haar borst. Adhara herkende haar. Het was Dalia, Theana's oppasster. Ze was doodsbleek.

'Mijne vrouwe ...' zei een van de soldaten, naar voren komend.

Dalia knikte als groet. Daarna keek ze naar Adhara's polsen. 'Het touw?'

'Ze heeft geprobeerd te ontsnappen. We hadden geen keuze.'

'De Hoofdpriester heeft duidelijke bevelen gegeven.'

'Ze heeft ook duidelijk te kennen gegeven dat we het meisje koste wat kost moesten vinden en hier afleveren.'

De oppasster wierp hem een veelzeggende blik toe. 'Nu is ze bij mij. Jullie kunnen dus gaan.'

De twee vertrokken. Dalia nam Adhara bij haar arm. 'Het spijt me dat ze je zo slecht behandeld hebben. Dat was absoluut niet de bedoeling.'

Adhara verstijfde, maar ze liet zich gedwee de kleine, schemerige ruimte binnenvoeren. De wanden waren van onder tot boven behangen met planken vol boeken, flessen en potten. Achterin stond een tafel vol paperassen, en daarachter zat Theana. Ze leek nog ouder dan de laatste keer dat Adhara haar gezien had. Over haar manuscripten gebogen, ging ze volledig op in haar werk. Haar witte haren zaten in de war en haar voorhoofd was diep gegroefd.

De oppasster maakte een diepe buiging. 'Mijne vrouwe, het meisje is er.'

Adhara bleef bewegingloos staan, met haar, nog steeds gebonden, vuisten tegen haar borst gedrukt.

Theana keek op en legde haar ganzenveer neer. Ze stond langzaam op, alsof de beweging haar enorm veel moeite kostte. 'Welkom', zei ze.

Adhara antwoordde niet.

'Laat ons alleen, Dalia', voegde ze toe.

Na nog een buiging, verdween het meisje achter de deur.

Theana liep op haar toe om haar polsen te bevrijden. Adhara rilde bij het voelen van haar vingers op haar huid.

'Laat me gaan', prevelde ze.

'Je bent geen gevangene', zei Theana, haar aankijkend.

'Maar uw soldaten hebben me wel opgepakt en in een wagen opgesloten. Wat wilt u van me?'

Theana's blik wankelde.

'De situatie is uit de hand gelopen', legde ze uit, terwijl ze weer ging zitten. 'De laatste ontwikkelingen hebben ons op de rand van de ondergang gebracht.'

In een flits zag Adhara het beeld voor zich van Amhal die Neor de keel doorsneed. Ze dwong zichzelf om die gedachte uit haar geest te verbannen.

'Terwijl jouw vriend onze koning afslachtte, werden wij op de grens door de elfen aangevallen.'

Die onthulling kwam aan als een klap in haar gezicht. De elfen?

Theana glimlachte bij het zien van de verbijsterde uitdrukking op haar gezicht. 'De oorlog is begonnen. Zij hebben de ziekte verspreid, en nu ze ons uitgedund hebben, beginnen ze met de verovering. Ze willen de Verrezen Wereld terug, dat is een ding dat zeker is.'

Adhara deed haar best om haar trillende handen in bedwang te houden. 'Ik snap niet wat ik daarmee te maken heb.'

'Ik ben ziende blind geweest. Ik heb geweigerd de waarheid onder ogen te zien. Ik heb de aanwijzingen onderschat. Maar nu geloof ik dat Marvash zich weer onder ons bevindt' zei Theana. 'En dat jij Sheireen bent, de Gewijde die voorbeschikt is om hem te verslaan. Ik heb mijn basis in Waterland verlaten om me daar persoonlijk van te vergewissen.'

Weer die woorden, dezelfde die Adrass had gebruikt. 'Er bestaat helemaal geen Marvash, net zo min als een Gewijde. Dat zijn allemaal stomme legenden.' Adhara schoot naar voren, terwijl ze haar vuisten zo stevig balde dat haar knokkels wit werden.

'Meteen aan het begin van de jacht op Amhal, stuitte het leger op de restanten van het hol van de Wakers. Een voor jou welbekende plek ...'

Er trok een rilling over Adhara's rug.

'Ik weet alles', fluisterde de magiër. 'Adhara, ik moet weten of jij echt Sheireen bent. Er bestaan pijnloze manieren om dat vast te stellen.'

'Hou je mond!' schreeuwde ze. 'Jullie willen allemaal iets van mij. Jullie willen me allemaal een lotsbestemming opleggen die ik niet wil. Ik ... ik heb mijn weg al gekozen!'

'En welke weg is dat, als ik vragen mag?' vroeg Theana. 'Alles waarvoor je leefde, is verdwenen. Learco is gestorven, Dubhe bevindt zich op het slagveld, Amina komt al dagen haar kamer niet meer uit. Het hof bestaat niet meer. De persoon die je het meest vertrouwde heeft het vernietigd.'

'Alleen ik weet wat zich in Amhals hart verbergt', prevelde Adhara.

'We hebben te laat begrepen dat Amhal en San samen het kwaadaardige gezwel vormen dat Zonland heeft verwoest. Maar we zijn nog op tijd om het te bestrijden.'

'Niet met mijn hulp.'

'Je begrijpt het niet ...'

31

'Er valt niets te begrijpen.'

Ze keken elkaar strak aan, aan weerszijden van de grote tafel, als gescheiden door een onoverbrugbare kloof.

'Jij blijft hier', zei Theana ten slotte.

Adhara liet een glimlachje ontsnappen. 'Eindelijk laat u uw ware gezicht zien. U wilt mij gewoon gebruiken, net als de Wakers.'

Theana vertrok haar gezicht, diep gekrenkt.

'Kunt u goedpraten wat ze met me gedaan hebben? Kunt u goedpraten dat ze mij uit een lijk hebben gecreëerd? Dat ze me hebben gemarteld en gesmeed tot een soort dodelijk wapen?' Adhara was dreigend om de tafel heen gelopen. Haar gezicht bevond zich nu vlakbij dat van Theana.

'Als dat ons kan redden … misschien wel', antwoordde de Hoofdpriesteres onaangedaan.

'Verraadster!' riep Adhara uit.

Theana liet een bel rinkelen. In een oogwenk verschenen er twee wachten in de deuropening. 'Neem haar mee.'

Adhara probeerde de priesteres te lijf te gaan, maar de mannen wierpen haar tegen de grond, en maakten haar onschadelijk door haar arm op haar rug te draaien. Haar borst drukte tegen de vloer, waardoor ze het benauwd kreeg.

'Sluit haar op', beval Theana. De wachten keken elkaar ongelovig aan. 'Hebben jullie me gehoord? Schiet op!'

Adhara werd gillend door de gangen van het paleis weggesleept.

'U bent niets beter dan zij! U bent een verraadster!' gilde ze.

De echo van haar stem vermenigvuldigde zich in de kerkers. Theana bedekte haar oren om het niet te horen.

32

2
DE WEG NAAR HET KWAAD

Ze stonden tegenover elkaar, met alleen hun gekruiste wapens tussen hen in. Het staal van een tweehandig slagzwaard tegen het zwarte kristal van een beroemd zwaard, dat van Nihal. Ze waren omgeven door het geluid van een lichte, maar aanhoudende najaarsregen. San kwam als eerste in actie. Een rechtstreekse aanval van bovenaf, die tijdig werd afgeweerd. Amhal drong door zijn verdediging heen en richtte op zijn hart. De steek stuitte echter af op een zilverachtige barrière, waarbij de vonken in het rond vlogen. San nam zijn kans waar door het wapen uit zijn handen te rukken. Even later lag Amhal op de grond met de punt van zijn eigen zwaard tegen zijn keel.

'Ik heb je er al eerder op gewezen. Als je een magische barrière ziet, moet je oppassen.'

De jongen keek hem nijdig aan.

'Wat nu? Ik heb je toch eerlijk verslagen?' vroeg San, zonder een spier te vertrekken.

'Je hebt gelijk', verzuchtte Amhal. Ik kan nu eenmaal slecht tegen mijn verlies.'

'Dat is normaal. Maar hoe meer je oefent, hoe groter je kans om deze ergernis in de toekomst te vermijden.'

San stak een hand uit om hem overeind te helpen. Er was nog maar een maand verstreken sinds alles veranderd was. Als hij zich goed concentreerde, kon Amhal nog steeds Neors levenloze lichaam onder zijn vingers voelen, de geur van zijn bloed ruiken. Hij schudde zijn hoofd. Hij moest het uit zijn gedachten zetten. Anders zou hij weer misselijk worden, net als die eerste dag. Hij had zijn ziel uitgebraakt. En toch was het zo mooi geweest om het staal in de keel van de koning te steken. Eindelijk had hij zich vrij gevoeld. Hij had zijn keuze gemaakt en een daad verricht die iedere mogelijke terugkeer bij voorbaat uitsloot. Hij had zijn moordlust botgevierd en gedacht dat er, daarna, geen enkele twijfel meer zou bestaan.

In het begin probeerde hij zichzelf geen vragen te stellen. Toen ze samen op de rug van Sans wyvern zaten, vroeg Amhal niet eens waar ze heen gingen. Zijn zintuigen waren als verlamd en hij voelde een doffe pijn in zijn borst. Misschien was het de herinnering aan zijn oude ik die zich deed gelden. In ieder geval wist hij dat hij het juiste had gedaan.

De tweede avond al, toen ze hun kamp hadden opgeslagen en samen bij het vuur zaten, begon San hem te onderrichten.

'Luister heel goed naar me', begon hij, 'want ik ga je het ware verhaal van de Verrezen Wereld vertellen, het verhaal dat sinds zijn ontstaan zijn geschiedenis bepaalt.'

Sans relaas was rijk aan details. Hij vertelde over Marvash en Sheireen, en toen over Nihal en Aster.

'Was Aster een Marvash?' vroeg Amhal.

'Inderdaad', antwoordde San.

'Maar ik heb zijn geschiedenis gelezen en erover gehoord. Hij wilde de Verrezen Wereld toch juist redden?'

'Niet alle Vernietigers zijn gelijk. Ieder van hen heeft zijn eigen karakteristieken en zijn eigen manier om de missie te volbrengen. Aster was ervan overtuigd dat hij de Verrezen Wereld redde, maar in werkelijkheid was Leish, de eerste Marvash, via hem de wereld aan het vernietigen. Wat een machtige streek was dat!' San goot een grote slok bier naar binnen. 'Maar in mensen zoals wij vertoont Leish zich op een andere manier.'

Amhal kreeg een schok. 'Wij?' vroeg hij met bevende stem.

'Wij zijn de Vernietigers. Het is onze lotsbestemming om alles weg te vagen. De moordlust, de onverzadigbare bloeddorst die in je groeit, is het merkteken dat de Marvash ons heeft opgelegd.'

Amhal voelde zijn hoofd draaien, zijn ingewanden samenkrimpen van angst. 'Dat kan niet waar zijn ...' antwoordde hij nauwelijks hoorbaar.

'Als je goed nadenkt over je leven tot nu toe, zul je beseffen dat je het eigenlijk altijd al hebt geweten.'

De angst voor zijn eigen kracht, de afschuw voor zijn blinde woede. De razernij die hem onoverwinnelijk maakte in de strijd. Alles kreeg een andere betekenis in dat licht.

Amhal streek door zijn haar, drukte zijn vuisten tegen zijn voorhoofd. Hij voelde zich vies, vervloekt. 'Ik wil het niet', zei hij.

San grinnikte. 'Het maakt niet uit wat je wilt. Het enige wat telt is wat je bent. Denk aan de Tiran, aan zijn waanzinnige ideeën, aan zijn zinloze en oneindige liefde voor deze wereld.' Hij ging harder praten, met iets van minachting in zijn stem. 'Hij dacht alles te redden, orde op zaken te stellen. Maar hij was simpelweg bezig datgene te voltooien waarvoor hij geboren was. Je ontkomt niet aan je lotsbestemming.'

'Dan ga ik nog liever dood', antwoordde Amhal, bijna opgelucht. De vrede van het graf, de ware rust van de levenloosheid. Had hij niet regelmatig naar die rust gestreefd, zonder het aan zichzelf te willen bekennen? San keek hem schuin aan. 'Ik ziet dat je het niet begrijpt.' Hij ging in een andere houding zitten, keek Amhal recht aan. 'Kijk om je heen. Hoeveel oorlogen heeft deze vervloekte wereld gekend, en hoeveel komen er nog?' 'Er heerste vrede', probeerde de jongen te protesteren.

'Een vrede die Learco met de wapens verworven had, waarbij hij er zelfs niet voor terugdeinsde om zijn vader te vermoorden. En Theana had ondertussen bevel gegeven om de Wakers uit te roeien. Duizenden jaren geleden, voordat ze werden verbannen, leefden de elfen hier. Hoe lang dacht je dat het zou duren voordat iemand deze vrede zou verbreken? Ik kan je verzekeren dat diegene al in actie gekomen was, nog voordat ik naar jou op zoek ging. Over een paar dagen zul je hem met eigen ogen kunnen aanschouwen.'

'Nou en? Dat zei Sennar ook al. Het is een cyclus.' Amhals handen beefden. Het werd hem afgrijselijk kil om het hart.

'Verwoesten hoeft niet per se te betekenen dat alles ook moet eindigen. Een zieke blindedarm moet weggesneden worden. Je kunt ook met één arm verder leven. Amhal, wij zijn de kuur.'

'Ik geloof het niet!' schreeuwde hij.

'Echt niet? Waarom heb je Neor dan vermoord? Omdat je je aard hebt geaccepteerd. De leugen die je jezelf als kind vertelde, over de brave en vriendelijke Amhal die strijdt voor het goede, heb je jezelf zolang opgespeld dat hij een tweede huid voor je geworden is. Amhal, wij sluiten een tijdperk af. De geschiedenis leert dat Sheireen niet altijd als winnares uit de strijd komt, zoals in het geval van mijn grootmoeder Nihal. Ook Marvash wint soms.' Op het knetterende vuur na was het een tijdje stil. Amhal staarde San aan in het flakkerende licht van de vlammen.

'Iedere keer dat een van ons zegevierde, is de wereld verbeterd uit de strijd gekomen. Want deze wereld heeft het nodig om zo nu en dan gezuiverd te worden. Alleen het bloed wast de zonden weg en maakt het mogelijk om opnieuw te beginnen. Daarom zijn wij geschapen, om de last van andermans fouten op onze schouders te dragen. De anderen zullen ons vervloeken, ons misschien uit hun herinnering wissen, maar ze zullen hun leven aan ons te danken hebben. Wij zijn de ware helden van de Verrezen Wereld.'

San kwam Amhal immens voor, bijna goddelijk. Zijn woorden hadden iets vreselijks, maar ook iets geweldigs. Het vermogen van een kracht die de Verrezen Wereld al eeuwen voortbewoog, de grootsheid van een extreem, absoluut, noodzakelijk kwaad. Wilde hij ook zo zijn? Of was hij het al?

'Misschien lijkt dit alles je nu onvoorstelbaar. Toen ik het hoorde, heb ik ook met het idee van de dood gespeeld. Net als jij nu. Maar ik vraag je te wachten en na te denken. Denk aan je vergeefse pogingen om je razernij te onderdrukken. Wij kunnen onszelf niet veranderen. Uiteindelijk wacht ons enkel een triest lot. Ben je klaar om dat te aanvaarden?'

Het was te veel voor Amhal. Zijn hoofd barstte en hij wilde alleen maar ophouden te lijden.

'Je hoeft niet nu meteen te antwoorden. Maar weet dat je, door mij te volgen, je pad al aan het uitzetten bent.'

San wierp wat water op het vuur, waarna het donker werd op de kleine open plek.

'Ga nu slapen. Het is een zware dag geweest.'

Die nacht werd Amhals slaap verstoord door een nachtmerrie. Hij liep met Adhara en Mira over een afgelegen vlakte, waar alles donker en dor was. Bij iedere stap die ze deden, raakten hun lichamen meer in verval, zonder pijn. Onder hun vlees glinsterde het wit van hun beenderen geruststellend, waardoor hij zich opgelucht voelde. Opeens blies een krachtige, geurige wind alles weg, waarna Amhal, alleen achtergebleven, zijn naakte lichaam bewonderde, herboren in de zuiverheid van het kwaad. In het stoffige niets dat hem omringde, omklemde hij de greep van zijn zwaard en voelde hij zich eindelijk echt vrij.

'Waar gaan we heen?' vroeg Amhal de volgende ochtend.

'Naar Waterland. Daar wacht iemand op ons.'

San had zijn zin nog niet afgemaakt, of de staart van zijn wyvern werd door steekvlammen geraakt.

Het waren er twee, op de rug van hun draken. Ridders van de Academie. Mannen uit Zonland. Vast en zeker door Dubhe op hen afgestuurd of door haar plaatsvervanger.

'Verdomme ... hadden we Jamila maar bij ons', vloekte Amhal.

'Maak je geen zorgen, die hebben we echt niet nodig', grijnsde San woest.

Hij veranderde van richting en schoot recht op de drakenridders af.

'Hou jij je met de rechter bezig, dan neem ik de linker voor mijn rekening', beval hij.

38

'Hoe?' probeerde Amhal nog te vragen, maar de vijand was al te dicht genaderd. Dus sprong hij op zijn benen, met zijn hand klaar rond het handvat van zijn zwaard. Precies op het juiste moment zette hij zich af en stortte zich in het niets. Het was alsof hij vloog. Hij merkte hoe zijn zintuigen verscherpten en zijn lichaam naar de strijd smachtte. Maar dit keer onderdrukte hij zijn razernij niet, probeerde hij zijn moordlust niet te negeren. Hij gaf eraan toe en voelde zich onoverwinnelijk.

Hiervoor ben ik geboren.

Terwijl San, op zijn wyvern, met de andere ridder bezig was, klemde hij zich met een arm aan de rug van de draak vast, trok met zijn vrije hand de dolk uit zijn laars en stak die in de flank van het dier. Een snerpende kreet scheurde door de lucht. Amhal ontweek de uitval van de ridder en sprong achterop de draak. Hij zag dat zijn tegenstander het insigne van het Eenheidsleger droeg. *Net als ik.* Maar die gedachte verjoeg hij onmiddellijk en hij concentreerde zich op de strijd.

Hij maakte zich plat tegen de rug van het dier, daar waar de slagen van de vijand hem niet konden bereiken, rukte zijn dolk los en stak hem meerdere malen in zijn taaie huid. Het bloed begon rijkelijk te stromen. De ridder dwong zijn draak om te bokken, maar zijn bewegingen waren al langzamer en onhandiger aan het worden. Amhal trok zijn wapen voor de laatste keer uit de huid van het dier en stak hem trefzeker in zijn borst. Hij was goed bekend met zijn anatomie en wist wat zijn meest kwetsbare plek was. Plotseling werd hij overrompeld door de herinnering aan Jamila. Hoe vaak had hij niet, luisterend naar haar langzame, krachtige hartslag, naast haar gelegen.

De draak beefde, zijn vleugels sidderden totdat ze bij-

39

na stopten te bewegen. Vervolgens begon hij te dalen, steeds sneller, in een onverbiddelijke duikvlucht naar de bossen onder hen.

Amhal greep zich aan een vleugel vast, hees zich op en bleef onbeweeglijk zitten.

Onverzoenlijk en kil nam hij de val waar, om op een paar el van de grond de vliegspreuk uit te spreken, een van de eerste magische kunsten die hij van San had geleerd. Hij zette zich af, en terwijl hij door de lucht zweefde zag hij hoe de draak op de grond stortte. De aanblik van het bloed dat de aarde doordrenkte deed hem niets. Meteen trok hij zijn zwaard, klaar om de strijd aan te gaan. Ze waren niet van grote hoogte gevallen, en het was niet uitgesloten dat de ridder de val overleefd had.

De aanval kwam uit een onverwachte hoek, maar hij weerde hem probleemloos af, draaide zich om zijn as, en ging de ridder te lijf met alle razernij die hij in zich had. Toch moest hij terugwijken omdat zijn tegenstander beschermd werd door zijn harnas. Hij moest een uitweg vinden, iets waarmee hij hem kon overrompelen. Het enige wat hij hoefde te doen was zijn zwaard te beroeren en de woorden van de juiste spreuk te mompelen. De ander raakte even gedesoriënteerd, en hij nam zijn kans waar om toe te steken, in zijn onderbuik, op het punt waar zijn borststuk eindigde, net boven zijn beenstukken. Het wapen drong naar binnen en verschroeide het omringende vlees. Een luguber gesis vulde de open plek, voordat de schreeuw van de ridder ieder ander geluid overstemde.

De man stortte op zijn knieën en Amhal leefde zich uit. Raken om te bezeren. Raken, ook al was zijn tegenstander weerloos en verslagen.

Dit ben ik, bedacht hij, terwijl hij de helm van de ridder met zijn zwaard door de lucht deed vliegen. Verbaasd staarde hij naar het gezicht van zijn slachtoffer. Hij kende die jongen, het was een vroegere strijdmakker van hem. Tijdens zijn eerste trainingsdag met Mira had hij naast hem gezeten in de mensa.

'Hoe kón je?' prevelde de ridder.

Met een schok kwam Amhal tot de werkelijkheid. Hij keek hem even in zijn ogen, bijna alsof hij zich op heterdaad betrapt voelde. Hij knarsetandde en liet zijn zwaard een dodelijke boog beschrijven. De soldaat lag levenloos op de grond. Niemand mocht zijn handelingen in twijfel trekken. Hij had het juiste gedaan.

De zesde reisdag liet San zijn wyvern vrij. 'Anders vallen we veel te veel in het oog', lichtte hij toe. 'We gaan te voet verder. Het dier kent de weg en zal de vijanden op een dwaalspoor zetten.'

Ze voelden zich inderdaad vrijer. De weinige personen die ze tegenkwamen onderweg - soldaten die terugkeerden van het front en een enkele struikrover - doodden ze zonder pardon, om niet herkend te worden en om hun voedselvoorraad aan te vullen.

Maar hoeveel mensen hij ook afslachtte, Amhal was nog niet vrij. Van de innerlijke pijn, van de spijt, van alles wat geweest was.

'Je hebt me nog steeds niet verteld waar we heen gaan', zei hij, San aankijkend.

San kwam bij hem zitten. 'Jij vond ze destijds, in Salazar, weet je nog wel? Die vreemde, vermomde figuren ...'

De twee die Adhara hadden belaagd en die hij had vermoord.

'Elfen. Ze zijn gekomen om de Verrezen Wereld weer in bezit te nemen. En wij zijn naar hen op weg.'

41

3
SHEÍREEN

De deur vloog opeens open. Adhara werd verblind door de lichtstraal die op haar viel. Ze had geen idee hoe lang ze opgesloten had gezeten; in ieder geval zo lang dat het haar nu moeite kostte om weer aan het licht te wennen.

Ze waren met z'n tweeën. Ze zetten haar op haar benen en namen haar mee.

Dit keer bood ze geen tegenstand. De dagen van gevangenschap hadden haar innerlijk verzwakt, haar vastberadenheid gebroken. Ze voelde zich moe, dodelijk moe. In het donker van haar cel had ze niets anders gedaan dan nadenken. Wat Theana gezegd had was maar al te waar. Er was niets meer voor haar daarbuiten. Het had geen enkele zin om te vluchten.

Ze brachten haar naar een afgezonderde vleugel van het paleis. De Broeders van de Bliksemschicht hadden de beschikking gekregen over een deel van het gebouw. Ze hadden er hun laboratoria gevestigd, alsmede de vereringszalen en de standbeelden van Thenaar. In een gang kwam ze een van die beelden tegen. In zijn ene hand droeg de god een zwaard, in de andere de bliksempijl.

Zijn gezicht straalde onbuigzaamheid, maar ook rechtvaardigheid uit. Thenaar keek haar vanuit zijn verhevenheid streng aan terwijl zij door de modder kroop. Ze haatte hem uit het diepst van haar hart.

Ze kwamen een grote zaal binnen, met een hoog, stenen tongewelf. Om het schaarse licht aan te vullen dat door de schietgaten naar binnen viel, brandden er fakkels aan de muren. Midden in de zaal stond een tafel met een blauw fluwelen kleed, waar zo te zien iets onder lag.

In de schemering achterin de zaal stond Theana, gekleed in een lang, zwart gewaad, tegen de muur geleund.

'Jullie kunnen gaan', zei ze tegen de wachten.

De soldaten maakten een lichte buiging en verdwenen achter de zware, houten deur.

'Verontschuldig me voor de behandeling die je hebt gekregen,' zei ze, toen ze alleen waren, 'maar ik kon je niet laten gaan voordat ik het wist.'

Adhara zweeg.

De magiër zuchtte en begon handenwringend heen en weer te lopen.

'Jaren geleden', begon ze, 'kwam een jonge man me in mijn werkkamer opzoeken. Hij verkondigde dat het einde der tijden gekomen was. In plaats van naar hem te luisteren, joeg ik hem weg en liet ik zijn aanhangers vervolgen.'

Adhara deed alsof ze niet luisterde.

'Jaren later werd jij door hen gecreëerd', vervolgde de oude magiër op zachtere toon. 'Inmiddels zijn de Vernietigers gearriveerd, is mijn koning dood, en is de hele Verrezen Wereld in verval geraakt. Aan de grens zijn de elfen begonnen terug te pakken wat ooit van hen was. Hoeveel personen zijn er inmiddels gestorven door mijn "nee"

43

van die avond? Hoeveel levens zou ik gered hebben als ik wel naar die jongen had geluisterd?'

Ze liep naar de tafel. Haar knokige vingers omklemden het fluweel, trokken het weg en wierpen het naar achteren. Op de tafel lag een schitterende lans. Hij was lang, met een dunne, scherpe punt en een kunstig versierd handvat. De schacht was met een motief van groene klimplanten versierd die eindigden in felgekleurde bloemen.

'Ken je dit wapen?'

Hoewel Adhara het wapen nog nooit gezien had, wist ze wat het was. Iemand had die herinnering in haar hoofd geprent. Dat voorwerp behoorde haar toe, zoals het eerder aan anderen zoals zij had toebehoord.

'Nee.'

Theana glimlachte. 'Je liegt. Dat lees ik in je ogen. Het is de Lans van Dessar,' vervolgde ze, 'een van de objecten van de Gewijden. Het is een enorm krachtig voorwerp van elfenmakelij dat ik zelf jaren geleden geprobeerd heb te gebruiken.' Ze boog haar hoofd. 'Later hebben ze hem van ons gestolen. Maar we hebben hem teruggevonden, in het hol van de Wakers, waar jij vandaan komt.'

Adhara slikte.

'Ik heb destijds vergeefs geprobeerd hem vast te houden om de koningin van een wisse dood te redden. Alleen Sheireen kan de lans activeren. Je hoeft hem enkel aan te raken.' Theana's hoofd beefde van spanning. 'Pak hem op', beval ze.

Adhara verroerde zich niet.

'Het kost je niets.'

Als enig antwoord schudde ze haar hoofd, onaangedaan.

Theana's gezicht kreeg een ijzige uitdrukking. Er stond zo'n enorme wilskracht in haar ogen te lezen, zo'n grimmigheid, dat Adhara even bang van haar werd. De magiër profiteerde van dat moment van aarzeling door haar hand vast te grijpen en tegen het metaal te duwen. 'Nee!' gilde Adhara, zich wanhopig verzettend. Theana's greep was, anders dan haar broze uiterlijk zou doen vermoeden, krachtig en vast. Adhara probeerde zich los te wringen, maar onverwachts sloot haar hand zich gedwee om het handvat, als door de roep van een oude stem. De zaal werd overspoeld door een verblindend licht. Adhara voelde hoe de kracht door haar hele lichaam golfde. Gillend slingerde ze het wapen ver weg en viel ze op haar knieën.

Van het ene moment op het andere doofden de fakkels. Er bleef niets over dan het bleke licht dat door de raampjes naar binnen viel en de zware ademhaling van beide vrouwen. Theana was tegen de grond gesmeten en lag te bekomen van de schrik en de pijn.

Adhara drukte haar handen tegen haar ogen in een poging de herinnering aan de kracht die ze gevoeld had te verdrijven. Ze kon het niet ontkennen: hij was uit haar ontsprongen. De lans was geactiveerd. Adrass had de waarheid gezegd.

Zachtjes huilend liet ze zich op de grond glijden waar ze in elkaar dook. Dit was het begin van het einde. Haar pad zou van nu af aan uitgestippeld zijn.

Opnieuw in haar cel, opnieuw in het donker. Zodra Theana klaar met haar was, hadden ze haar weer naar beneden gebracht.

Adhara lag krachteloos op de ijskoude vloer, toen ze opeens een ritmisch krabben hoorde. Eerst dacht ze dat het muizen waren, maar even later hoorde ze een zachte stem die haar riep.

'Adhara? Ben je hier?'

Ze kreeg een schok. Ze kende die stem.

Adhara sprong op en legde haar oor tegen de houten deur. 'Amina?' vroeg ze ongelovig.

'Ja, ik ben het.'

Er smolt iets in haar. 'Wat doe jij hier?'

'Ik ben voor jou gekomen.'

Het luikje in de deur waardoor ze haar eten brachten werd opengeschoven. Adhara gluurde naar buiten. Het was echt Amina, maar tegelijkertijd ook niet. Ze had een bleek, uitgehold gezicht. Ze was veel van haar kinderlijkheid verloren. Haar haren waren heel kort en slecht geknipt, maar het was vooral haar gezichtsuitdrukking die een enorm, recent lijden verried. In een flits zag Adhara het moment terug waarop haar vader werd vermoord. Amina was erbij geweest, en had alles gezien.

In haar eenvoudige, morsige tuniek zag de prinses er nogal slonzig uit. In haar handen droeg ze haar middagmaal.

'Amina ...' prevelde ze, terwijl ze haar vingers door het raampje stak.

Het meisje reikte haar het bord aan. 'Eerst dit.'

Adhara zette het blad op de vloer, waarna ze eindelijk de handen van haar vriendin kon vastgrijpen. Ze waren mager en ijskoud. Wie weet wat ze had doorgemaakt die dagen, welke spoken haar eenzaamheid hadden bevolkt. Ze voelde zich nog meer aan haar verwant dan eerst. Ze waren allebei verloren, diepbedroefd en moe.

'Hoe heb je het voor elkaar gekregen om hier te komen?'

'Je hebt geen idee hoeveel medelijden een weeskind opwekt', antwoordde Amina. Er klonk geen enkele emotie door in haar stem. 'Ik hoefde alleen maar te vragen of ik je je eten mocht brengen.'

Adhara was getroffen door het woord *weeskind*, dat de prinses er bijna minachtend had uitgegooid. Dat had ze niet verwacht. 'Ik weet waar de sleutel van je cel hangt', ging Amina verder. 'Maar er lopen wachten rond. Het zal niet meevallen om te ontsnappen.'

'Amina, ik geloof niet dat ...'

'Ik weet hoe ik ze af kan leiden. Jij hoeft alleen maar te zorgen dat je klaarstaat, afgesproken?'

Door het raampje heen kon Adhara de vreemde bezetenheid in haar blik zien. 'Ik wil je niet in moeilijkheden brengen', zei ze.

'Jij hoort hier niet thuis, en ik inmiddels net zo min.'

Adhara stond op het punt om haar te antwoorden, maar Amina draaide zich plotseling om. 'Ze komen eraan', fluisterde ze. En voordat ze het luikje sloot voegde ze toe: 'Morgen. Zorg dat je klaarstaat.'

'Mocht je je vriendin opzoeken, gisteren?' vroeg Fea.

De hand van haar moeder rustte op haar hoofd. Amina, in bed, gaf geen antwoord. Die aanraking bracht noch warmte noch liefde aan haar over. Fea was, zoals altijd, afstandelijk.

'Ik begrijp je, meisje van me, maar je moet reageren. Je mag je niet laten uithollen door je pijn. Deel dit verdriet ten minste met mij.'

Maar wat kon zij, die haar nooit begrepen had, daar nu van af weten? Wat wist zij van de snijdende pijn die langzaam in woede verandert? Haar leven was opgehouden op het moment dat Amhal haar vader de keel doorsneed. De Amina van vroeger bestond niet meer.

Fea stond op, slofte naar de deur, en verliet haar kamer. Amina wachtte totdat ze haar voetstappen hoorde wegsterven en stond toen ook op. Ze was bevangen door een vreemde kalmte, de kalmte van iemand die na dagen van onzekerheid weet wat hem te doen staat. Ze pakte de dolk die onder haar kussen lag. Het was een oud wapen dat ze uit een van de verlaten zalen van het half uitgestorven paleis had gepikt. Ze streek over de afgebroken punt. Het maakte niet uit dat hij bot was. Ze zou mettertijd wel een betere vinden.

Vervolgens deed ze haar kamerjas uit en trok de kleren aan die ze had klaargelegd: een wijde bloes, een leren hesje en een broek. De meest geschikte uitmonstering, aangezien ze van nu af aan zou leven om te vechten. Nadat ze de dolk onder haar riem had gestoken, controleerde ze of de vluchtweg vrij was. Ze had van te voren al een stel lakens en kleren aan elkaar geknoopt tot een lang koord. Dit maakte ze vast aan een poot van de zware tafel bij het raam. Daarna pakte ze de vuurslag. Haar handen trilden niet en haar hart klopte in een rustig tempo. Het hout, haar kleren, alles vatte onmiddellijk vlam. Ze keek enkele seconden toe hoe het vuur haar kamer langzaam verslond. Het einde van een tijdperk en de doop van een nieuwe Amina.

Zodra de rook in haar keel prikte, liet ze zich uit het raam zakken. Ze wachtte tot ze geschreeuw hoorde en opgewonden voetstappen in de gangen. Daarna rende ze naar de kerkers.

Niemand lette op haar. Het paleis verkeerde in chaos door de brand die zich over de bovenverdiepingen aan het verspreiden was. Adhara was de enige gevangene. Ze was opgesloten op bevel van de Hoofdpriesteres en niet van de koning. De bewaking was dus niet zo strikt.

In de kerkers kwam ze geen levende ziel tegen. Ook de cipier was naar boven gelopen om te kijken wat er gebeurd was. Hij had de sleutels op hun gebruikelijke plek achtergelaten: aan een spijker achter zijn wachthokje. Het was niet de eerste keer dat hij dat deed, een slechte gewoonte waar niemand hem in deze roerige tijden een uitbrander voor gegeven had. Amina kon ze zo pakken.

Met bonkend hart stopte ze voor de deur van Adhara's cel. Ze stak de sleutel in het sleutelgat en probeerde hem om te draaien. Het lukte niet. Met zwetende handen deed ze een tweede poging.

'Amina, ben jij dat?' Het was Adhara's gebroken stem.

'Hou je klaar!' antwoordde ze.

Bij de derde poging schoot het slot open.

'Kom! Snel!'

Met onzekere stappen, zwaar op Amina leunend, strompelde Adhara de cel uit.

'We moeten opschieten. Kom, ik kan je niet eeuwig blijven ondersteunen!'

Adhara liet zich verward door het doolhof van gangen en trappen leiden die haar van de vrijheid scheidden. Er hing een doordringende rooklucht en er was geen cipier te bekennen.

'Waar is iedereen?'

'Niet nu, lopen!' antwoordde haar vriendin.

Bijna rennend verlieten ze de gevangenis. Ze hadden de begane grond bereikt. Voor het eerst sinds dagen glimlachte Amina. Ze hadden het bijna voor elkaar. Op een paar meter van de uitgang stuitten ze, om de hoek, op een wachter. Een fractie van een seconde keken de drie elkaar verbluft aan.

De doffe dreun van een trap, en de wacht stortte voor dood op de grond. Adhara had hem geraakt en bukte zich snel om zijn dolk te pakken. Haar gezicht vertrok in een grimas van afschuw.

'Gaat het?' vroeg Amina verbouwereerd.

'Ja', antwoordde ze met vaste stem.

Adhara pakte haar bij de hand. Dit keer leidde zij de vlucht.

De deur leek hun een luchtspiegeling toe, een poort naar de donkere nacht, naar de stilte van een stervende stad, een onzekere toekomst in vrijheid.

Van de twee schildwachten die hem bewaakten, was er nog maar een over, en die verwachtte zeker geen aanval van binnenuit. Adhara naderde de man geluidloos en velde hem met één enkele slag.

De geur van de nacht sloeg op hun kelen. Toen Adhara zich even omdraaide, zag ze uit minstens vier ramen van de bovenste verdieping de rossige gloed van vlammen oplaaien.

'Amina ...' prevelde ze. 'Anima, wat heb je gedaan?'

Het meisje draaide zich niet om. Ze klemde haar ijskoude hand om Adhara's pols en rende verder.

4
DE PRINS

Dubhe staarde bewegingloos naar de restanten van de slaapkamer van haar kleindochter. Het meubilair was tot as verbrand. Er waren alleen zwartgeblakerde muren, en een zure rooklucht die haar op de keel sloeg.

'Ik had nooit gedacht ...' begon Fea.

Mijn schoondochter is compleet buiten zinnen, dacht Dubhe bij zichzelf. *En dat is ook niet te verwonderen. Nóg een tragedie, na de dood van haar man.*

Ze balde haar vuisten. Wat was er nog over van de koninklijke familie?

'We zullen haar vinden', zei ze kortweg. Ze keek Fea in de ogen en legde haar handen op haar schouders. 'Ik stuur mijn mensen achter haar aan. Achter haar en Adhara.'

Dat Amina die brand had aangestoken om haar vriendin te kunnen bevrijden was niet moeilijk te raden. En zo waren ze niet alleen de prinses kwijt, maar ook het enige wapen dat, volgens Theana, de opmars van de elfen kon stoppen.

Dubhe had zelf nooit enige waarde aan voorspellingen, noch aan godsdienst gehecht. Toch had ze Theana

dezelfde belofte gedaan als Fea. 'Ik zal je haar terug-
bezorgen. Mijn mensen zijn uitstekende jagers.'
Vastberaden liep ze door de verwoeste paleisgangen.
Het vuur had een groot deel van de derde verdieping
aangetast, maar verder was de schade beperkt gebleven.
Zodra ze haar kantoor bereikte, een kale en sobere kamer van waaruit ze het stervende rijk regeerde, riep ze
een van haar getrouwen bij zich.
'Je weet zeker wel wat er gebeurd is vannacht', zei ze.
'Ja, Majesteit.' De man zat met gebogen hoofd geknield
op de grond. Degenen die Dubhe al die jaren had opge-
leid tot haar persoonlijke militie van spionnen en moor-
denaars stelden een blind vertrouwen in haar, en betoon-
den haar, in een totale zelfopoffering, onvoorwaardelijke
gehoorzaamheid.
'Ik wil dat jullie de prinses zo snel mogelijk opsporen.
Haar en de gevangene. Zoek ze overal en breng ze terug.
Onnodig te zeggen dat ik ze levend wil.'
'Hoeveel manschappen, Hoogheid?'
Dat was het echte probleem. Want bijna al haar mensen
waren in de oorlogszones gestationeerd. Zelfs in het paleis waren weinig soldaten aanwezig. Als ze het volledige corps ter beschikking had gehad, zou Amina er ook
niet in geslaagd zijn haar plan uit te voeren.
'Plaats er uit ieder oorlogsgebied een paar over. En
sluit je bij hen aan.'
'Ja, Majesteit.'
De man bracht zijn vuist naar zijn borst en verliet de
ruimte.
Dubhe zuchtte. Stukje bij beetje was haar leven verwoest. Het enige wat haar nog overeind hield, was een
brandende woede. Als ze in gezelschap van anderen be-
slissingen moest nemen, kon ze deze beheersen, en ver-

raadde haar uiterlijk niets van de storm die in haar raasde. Maar wanneer ze alleen was, in de stilte van haar kamer, kon ze hem niet meer de baas.

Ze sloot haar ogen, en liet de razernij door haar aderen stromen, in een zinloze en uitputtende woedeaanval. Er restte haar niets anders meer dan haten uit de grond van haar hart en een kalmte veinzen die ze niet had.

Ze had als laatste gehoord dat haar zoon dood was. In die periode bevond ze zich in Waterland en de aanval van de elfen was net begonnen. Een gewelddadige bliksemaanval die hen totaal overrompeld had. Het leger was ernstig uitgedund door de ziekte, en het was chaos alom. In een sfeer van algemeen wantrouwen probeerde iedereen vooral zijn eigen huid te redden.

In het vijandelijke leger vochten zowel mannen als vrouwen mee. Niets was de elfen te veel om de overwinning te behalen. En alsof dat niet genoeg was waren die verschrikkelijke gevleugelde beesten gearriveerd, de wyverns die door de onderwereld leken te zijn uitgebraakt.

Ze had geprobeerd haar troepen te ordenen. Hoewel het niet haar ding was, was ze daarheen gegaan waar ze nodig was. Ze voelde de behoefte om op te gaan in de strijd, en zo haar geest van iedere gedachte en pijn te bevrijden. Het bericht had haar bereikt toen ze aan vechten was.

Neor was gestorven. Zonder haar aan zijn zijde. De doffe leegte die ze in zich voelde had zich gevuld met een eindeloze woede, die haar tot op de dag van de crematie verteerd had.

Terwijl de vlammen van de brandstapel naar de grauwe hemel opstegen, was Dubhe als verdoofd geweest, alsof ze door een wattendeken omhuld was die alles af-zwakte, ieder geluid, ieder gebaar. Ze herinnerde zich dat iemand haar ondersteund had, dat ze haar ogen rood ge-huild had. Vijf dagen lang had ze zich in het donker van haar kamer opgesloten.

Later had ze gehoord dat Kalth al die tijd het bestuur had waargenomen. Een jongen van nog geen dertien had de leiding genomen, om haar te beschermen en haar de gelegenheid te geven haar verdriet te verwerken. Haar kleinzoon had een ongelooflijke prestatie geleverd. Dubhe verjoeg de herinnering uit haar geest. Ze moest vergeten, als ze niet wilde dat die gedachten haar opslok-ten. In de vijftig jaar die ze met Learco had doorgebracht, had ze geleerd om aan haar zwakheid voorbij te gaan. Alleen als ze samen waren stond ze zichzelf toe om niet de sterke en onkwetsbare vrouw te zijn die ze leek. Nu hij dood was, was er geen plaats meer voor dergelijke broosheid. Ze moest zich vermannen, om haar volk te lei-den, om de eer van haar man en van haar zoon te verde-digen.

Er werd op de deur geklopt. Dubhe schrok op. Ze ver-slapte haar greep om de armleuningen van haar stoel en haalde diep adem. 'Binnen.'

'Mijn vrouwe.' Een van haar mensen. 'De anderen zijn gereed voor de vergadering.'

Iedere week kwam een andere generaal verslag doen van de situatie aan het front. Niet dat de verslagen van week tot week veel verschilden. Wie de ziekte al over-leefde, had dagen nodig om weer op de been te komen, en ondertussen rukte het vijandelijke leger gestaag op. Onder zulke omstandigheden was het onmogelijk om enige weerstand van betekenis te bieden.

Dubhe kwam langzaam overeind. 'Ik kom eraan', antwoordde ze moeizaam.

Wat zou ze deze keer zeggen om haar mensen moed in te spreken?

Ze streek met haar hand over de rechterhelft van haar voorhoofd. De ziekte had haar getroffen, maar ze had het overleefd. De grote, zwarte plekken waren gebleven, om haar eraan te herinneren dat de dood haar gespaard had. Dat was het lot van iedereen die de ziekte overleefde: de rouw op zijn huid te dragen voor degenen die het niet gered hadden.

Ze liep de Raadszaal binnen. Een tiental hoofden bogen eensgezind. Ook Theana, in een hoek, boog haar hoofd. Ze was al een tijdje actief in het verzet, en had de taak op zich genomen een remedie voor de plaag te vinden die hen langzaam aan het uitroeien was. Kalth was er ook. Toen Dubhe de teugels weer in handen had genomen, had ze tegen hem gezegd: 'Je hebt meer dan je plicht gedaan. Er is geen reden dat je je nog langer met regeringszaken bezighoudt. Nu ben ik er weer.'

Maar hij had verdrietig geglimlacht: 'Ik kan niet werkeloos toezien hoe het rijk van mijn grootvader en mijn vader te gronde gaat. En ik weet dat je me begrijpt.'

Sindsdien had hij geen enkele keer ontbroken op de vergaderingen van de Raad. Hij maakte scherpzinnige opmerkingen, en had een diepgaande diplomatieke kennis. Hij was ad rem, logisch en verloor nooit zijn zelfbeheersing. Dubhe kreeg het soms bijna te kwaad als ze hem aankeek. Hoewel zijn gezicht nog kinderlijk was, kon ze zijn vaders trekken er duidelijk in herkennen.

De koningin liet haar blik zwijgend langs de aanwezigen glijden, en nam toen haar plaats in.

De eerste die het woord nam was de generaal. Hij rolde een grote kaart uit die bezaaid was met rode tekens. De geografie van de nederlaag. De weinige overwinningen die erop aangegeven waren, volstonden bij lange na niet om de verspreiding van de elfen, die alles uitstekend georganiseerd hadden, te stoppen. In wezen waren het er niet veel. Hun leger was opgedeeld in bataljons van een paar honderd manschappen, die guerrilla aanvallen uitvoerden. Dankzij de plaag waren ze in het voordeel, en rukten ze met uitgekiende tactische bewegingen op, die bedoeld waren om de vijand uit te putten. Het kon niet anders of ze hadden een bekwame vorst. Maar niemand had hem ooit gezien.

'Dat was het', besloot de generaal. Hij rolde de kaart snel weer op, alsof hij zijn nederlaag zo snel mogelijk wilde verhullen.

Dubhe zuchtte. 'Versterkingen uit andere landen?' vroeg ze.

'Karig en ongeordend', antwoordde een andere commandant. Er was een vergeefse poging gedaan om de verschillende legers te verenigen.

'Mijne koningin, ze bevinden zich allemaal in dezelfde toestand als wij: een beperkt aantal manschappen die ook nog eens de uitputting nabij zijn. En, wat het belangrijkste is, het ontbreekt ons aan coördinatie.'

'Het ontbreekt ons aan een leider', corrigeerde een jonge man hem. 'De generaals sneuvelen in de strijd of door de ziekte. En, met alle respect, degenen die overblijven slagen er niet in de teugels in handen te houden. Wat we nodig hebben is een aanvoerder.'

'We moeten ons erop richten hun bevelhebbers uit te moorden. Dat is onze enige mogelijkheid. Verder wachten we het antwoord uit de Gezonken Wereld af. We hebben een goede onderlinge verstandhouding. Ze kunnen ons geen hulp weigeren', zei Dubhe nadenkend.

De sfeer van algehele moedeloosheid werd steeds drukkender. 'Dat was het', zei ze. Haar mensen stonden op en liepen naar de deur. Bij het zien van hun gespannen gezichten ging het door Dubhe heen dat het hun, meer dan aan een leider, aan hoop ontbrak. Er was nog maar één, bleek en uitdrukkingloos, gezicht overgebleven aan de andere kant van de tafel. Kalth.

'Jij bent ook vrij om te gaan', glimlachte Dubhe.

Maar de jongen verroerde zich niet. 'Heb je ze gehoord?' vroeg hij.

Er klonk een zweem van beschuldiging door in zijn stem. Dubhe knikte, terwijl ze in een andere houding ging zitten.

'Het ontbreekt hun aan een leider. Jij moet met hen mee. Ze hebben je nodig.'

'Het rijk heeft me hier nodig, Kalth. Het is mijn taak om mijn volk bij te staan, nu ik immuun ben voor de ziekte.'

Kalth liep langzaam naar haar toe. 'Dat is niet de waarheid. Het is altijd je taak geweest om te strijden. Strijden is je tweede natuur.'

'Mensen veranderen.'

'Volgens mij zou je naar het front moeten.'

Hij stond nu recht tegenover haar. Het lukte Dubhe om zijn blik een paar tellen te weerstaan. Ze zag Neor weer, in zijn ogen.

'Ik vertegenwoordig Zonland, misschien zelfs de Verrezen Wereld. Zonder mij gaat het rijk ten onder.'

'Ik kan voor jou waarnemen, zoals ik al eerder heb gedaan.'

57

Die woorden ontroerden haar. Wat waren dit voor tijden waarin een kind zulke dingen moest zeggen? Dubhe schudde haar hoofd. 'Dat waren maar een paar dagen. Hoe dan ook, jij moet je leven leiden in plaats van verantwoordelijkheden op je te nemen die je nog niet aankunt.'

'Mijn leven? Terwijl de oorlog steeds verder oprukt en ik nauwelijks meer een familie heb?' Zijn stem klonk schor. Voordat Dubhe kon protesteren ging hij verder: 'Ik zou er niet alleen voor staan. Theana zou er zijn en je betrouwbaarste adviseurs. Zo kunnen we niet doorgaan. Zo gaan we het niet redden, en dat weet je zelf ook wel.'

Ze kon niet ontkennen dat het vooruitzicht haar aantrok. Haar manschappen leiden, weer in actie komen zoals in de periode dat ze Learco had gevolgd naar het front, toen ze jong waren. Was dat niet wat ze altijd gewild had sinds Neor gestorven was?

'Denk je ook niet dat ik, als ik zou gaan, net zo goed machteloos zou zijn tegen het tekort aan manschappen of de ziekte die ons langzaam aan het uitroeien is?'

'Je zou hun hoop geven.'

'Ik ben oud', prevelde Dubhe.

Kalth balde zijn vuisten. 'Dit is geen gril van me. We zijn in een situatie beland waarin iedereen zijn bijdrage moet leveren. Zelfs een jongen als ik kan koning worden. Het is mijn bestemming en die moet ik aanvaarden.'

Hij liep langzaam op de deur af, met dezelfde kalme gang die Neor had, toen hij nog kon lopen. Dubhe moest haar ogen sluiten om het beeld van haar zoon te verjagen.

Ze bleef alleen achter, in de stilte van de lege zaal. In haar hart hoorde ze de roep van de strijd al die haar wachtte, daar waar de oorlog de droom van haar man aan het verwoesten was.

5
OP DE VLUCHT

'Hier kunnen we stoppen', zei Adhara. Ze bevonden zich diep in het bos, hetzelfde bos waar ze een tijdje geleden doorheen was gekomen toen ze van Adrass was weggevlucht. Ze hadden al een behoorlijk eind gelopen. Die eerste uren waren van levensbelang. Het zou niet lang meer duren voordat ze hen gingen zoeken. Als de brand eenmaal onder controle was, zouden Dubhes mensen achter hen aan gestuurd worden. Maar dat was niet haar enige zorg. 'Weet je zeker dat we niet beter verder kunnen gaan?' vroeg Amina. Ze was moe en gespannen. Het was de eerste keer dat ze iets vroeg sinds ze vertrokken waren. 'Al zouden we willen, ik kan echt niet meer', zuchtte Adhara, terwijl ze neerplofte. Amina drong niet aan. Ze haalde haar cape uit haar reistas en spreidde hem uit op de grond. Vervolgens haalde ze een flesje met een donkere vloeistof tevoorschijn. Er ging Adhara een lichtje op. *Een vermommingdrankje.* Ze haatte die onverwachte ingevingen, omdat ze wist dat het geen normale herinneringen waren. Ze waren het merkteken van de Wakers, de onechte herinneringen die de leegte van haar bestaan moesten opvullen.

'Vergis ik me, of is dat een drankje om je uiterlijk te veranderen?'

'Het is dus niet waar dat je je geheugen helemaal kwijt bent', merkte Amina op.

Adhara schrok. 'Nee, ik heb er iets over gelezen in de bibliotheek', loog ze. 'Ik weet dat het effect vierentwintig uur duurt en dat één slokje voldoende is.'

'Ik heb het uit het paleis meegepikt omdat ik dacht dat het ons van pas zou kunnen komen.'

'Ja, maar dit is hooguit genoeg voor ...' Adhara bekeek het flesje met het oog van een expert, 'drie of vier keer, als we het allebei innemen.'

'We hoeven het alleen in noodgevallen te gebruiken.'

Amina had alles kennelijk tot in de puntjes uitgedacht. Ze leek gedreven door een soort bezetenheid waar Adhara geen hoogte van kon krijgen.

Het meisje maakte het zich gemakkelijk op haar geïmproviseerde ligplaats. 'Denk je ook niet dat we om de beurt de wacht moeten houden?'

Adhara keek haar onderzoekend aan, in een poging haar gezichtsuitdrukking te doorgronden in het schaarse maanlicht. 'Wat zijn jouw plannen eigenlijk?' vroeg ze.

'Ik kom met jou mee', antwoordde Amina simpelweg.

Adhara staarde naar haar slaapplaats tussen de varens. Het bos had iets spookachtigs. Haar hart kromp ineen, de verre schim van een liefde die niet wilde doven. 'Ik was van plan om naar *hem* toe te gaan.'

Ze had de moed niet om zijn naam te noemen. Amhal. Wat dacht Amina van hem? Ze had gezien hoe hij haar vader vermoordde. Ze had hem samen met San zien wegvluchten.

'En ik ga met je mee.' Amina keek haar steels aan. 'Vind je het goed als jij als eerste de wacht houdt?'

Het was duidelijk dat ze van onderwerp wilde veranderen, maar Adhara moest het weten. 'Waarom heb je je bij mij aangesloten? Waarom heb je het paleis in brand gestoken? Het is je thuis!'

'Het betekende niets meer voor me. Ik moest in mijn kamer blijven. De hele dag zat ik uit het raam naar de verlaten stad te staren. Ik dacht dat ik dood ging van verveling en eenzaamheid. En ik kon jou toch niet in die smerige cel laten zitten? Ze hebben me allemaal teleurgesteld. Theana, die je gevangen heeft gezet, mijn grootmoeder die haar haar gang liet gaan, mijn broer en mijn moeder met hun stomme verdriet. Het is mijn familie niet meer.'

'Dat mag je niet zeggen. Ik weet dat ze ontzettend veel van je houden.'

'Hoe kun je nu zoiets zeggen na wat ze je aangedaan hebben?'

Adhara leunde met haar kin op haar knieën. 'Waarom wil je per se met mij meekomen?' drong ze aan. Amina's aanwezigheid hier, alleen met haar in het bos, had iets verkeerds. De manier waarop ze gekleed was, de kalmte waarmee ze over haar dolk streelde hadden iets angstaanjagends.

'Ik ben moe. En ik heb geen zin meer om te praten.'

Amina trok haar cape over haar schouders, strekte zich uit tussen het groen, en draaide haar de rug toe.

Het voelde aan als een doffe trilling in haar borstkas. Haar hartslag daalde sterk en haar longen verkrampten. Adhara sperde haar ogen wijd open in het donker. Ze wist zeker dat haar einde gekomen was. Amina was niet meer dan een in elkaar gerolde bundel op de droge bladeren, terwijl zij als aan de boomstam gekleefd zat waar ze tegenaan leunde.

Ze voelde aan haar armen, haar benen, haar romp. Misschien was het een nachtmerrie geweest. Het donker begon al plaats te maken voor het ochtendgloren. Geleidelijk aan verdween de pijn en werd haar ademhaling weer regelmatig. Adhara ging languit in het gras liggen en ademde genietend de geurige ochtendlucht in. Het was gewoon een nachtmerrie geweest. Een lelijke droom die haar in zijn greep had gehad, en waarop haar lichaam gereageerd had. Maar ze was nog steeds bang, waanzinnig bang. Tot op dat moment had haar lichaam haar nooit in de steek gelaten. Ze had zich nog nooit zo ellendig gevoeld.

Ze vouwde haar handen op haar buik, slikte, en besloot dat het tijd was om Amina wakker te maken. Op haar wijsvinger, net voorbij haar nagel, merkte ze een minuscuul, nauwelijks waarneembaar, donkerrood vlekje op.

De volgende dag besloot Adhara om door het bos te blijven lopen. Ze wist dat Amhal naar het westen was gegaan. Zolang ze zich in het Grote Land bevonden, konden ze die richting aanhouden. Daarna, als hun voorsprong op hun achtervolgers groot genoeg was, zouden ze naar nieuwe aanwijzingen op zoek moeten.

Het waren zware dagen. Constant op hun hoede waadden de meisjes zwijgend door het water van de beek om geen sporen achter te laten. Adhara's gedachten keerden steeds weer naar Amina terug. Het gefrustreerde, vrijgevochten meisje dat ze in haar hart had gesloten was totaal veranderd. Ze had iets afschrikwekkends over zich gekregen.

En hoewel ze geen woord uit haar kreeg, was ze er zeker van dat Amina haar volgde om zich op Amhal te wreken, de moordenaar van haar vader.

Ze zou haar stiekem kunnen achterlaten. Amina zou het als verraad beschouwen, maar in werkelijkheid zou ze haar leven redden. Maar waar? Ze kon haar moeilijk bewusteloos slaan en haar ten prooi aan de dieren van het bos laten liggen. Nee, dat was uitgesloten.

Terugkeren zou gelijkstaan met zich gewonnen geven, en zich onderwerpen aan Theana's bevelen. Ze huiverde. *Amina had alles goed overwogen.*

Pas nu besefte Adhara ten volle de ernst van het gebeurde. En wat als ze Amhal niet tot rede zou kunnen brengen, áls ze hem al zou vinden? Had ze niet al eerder gefaald?

Misschien had ik gewoon in het paleis moeten blijven en doen wat er van me verwacht werd.

Maar dat kon ze niet, omwille van de gevoelens die haar teisterden, die wervelwind van emoties die haar vertelden dat ze een persoon was, en geen experiment.

Daarom moest ze verder, met een meisje dat net zo verlaten en verward was als zijzelf, en bidden dat ze de weg vonden.

Ze liepen zes dagen achtereen. Langzaam veranderde het landschap om hen heen, een teken dat ze de grens met Windland waren gepasseerd. Adhara bedacht dat ze precies dezelfde weg aflegden die zij had gevolgd nadat ze op het veld was wakker geworden. Alleen moest ze nu beter op haar hoede zijn.

Op dat moment bespeurde ze iets tussen de varens. Ze greep Amina bij haar schouders en duwde haar naar beneden. 'Daar zit iemand', fluisterde ze.

'Wie?'

Adhara schudde haar hoofd en trok de dolk die ze van de cipier had teruggepakt tijdens haar vlucht. Hij gaf haar een gevoel van zekerheid. 'Jij blijft hier!' beval ze. Geluidloos kroop ze door het gras naar de gestalte. Het was een oude man. Hij zat met zijn rug naar haar toe tegen een kei aangeleund. Zijn armen hingen slap langs zijn lichaam en zijn benen bungelden in het water. Adhara hield haar adem in. Geen enkel geluid. Ze moest zich ervan verzekeren dat er geen gevaar was. Nadat ze nog een stukje verder gekropen was, hoorde ze iets. Een rochelend keelgeluid, een traag, hartverscheurend gejammer. Hij moest gewond zijn. Waarschijnlijk konden ze hem uit voorzichtigheid beter aan zijn lot overlaten. Maar Adhara gaf toe aan haar instinct en liep op hem toe, met haar dolk stevig in haar hand geklemd.

De stakker keek haar met doffe ogen aan. Hij had een gapende wond in zijn buik waar het bloed nog uit gutste. Op zijn onderkleren na hadden ze hem alles afgenomen. Het waren vast en zeker struikrovers geweest. Een bende rampzaligen. Adhara zag in één oogopslag dat er geen hoop meer voor hem was. Toch kon ze het niet over haar hart verkrijgen om hem daar zo achter te laten.

Ze zocht haar geheugen af op de een of andere genezende spreuk. Al was het maar een pijnmiddel om het lijden te verzachten, in afwachting van het einde. Haar ogen kruisten die van de bejaarde, en ze las er zo'n droeve smeekbede in dat ze een week gevoel in haar maag kreeg. Hij probeerde haar iets duidelijk te maken, maar hij kreeg geen woord over zijn lippen.

'Ik begrijp het niet ...'

De man pakte de dolk die ze nog steeds vasthield, en zette die tegen zijn borst. Zijn lippen vormden het woord *alsjeblieft*.

Toen begreep Adhara wat hij wilde.

De man plooide zijn gezicht in een soort glimlach, bijna voldaan. Daarna sloot hij zijn ogen. Adhara volgde zijn voorbeeld. Ze kon niet naar hem kijken. Haastig stak ze het wapen diep in zijn borst, biddend dat de arme ziel snel en pijnloos zou sterven. Adhara's spieren ontspanden zich. Haar hand verslapte zijn greep. Ze voelde zich leeg. Ze besefte dat ze al die tijd haar adem ingehouden had.

Wat een wereld.

'Wat gebeurt er?'

Een verre, schelle stem. Amina. Adhara was haar totaal vergeten. Ze ging rechtop zitten, haar best doend om niet naar de man te kijken die ze zojuist had omgebracht, en wenkte haar vriendin. Amina kwam tevoorschijn en rende naar haar toe.

'Al die tijd voor een lijk?' vroeg ze verbaasd.

Adhara had niet het hart om haar te vertellen wat er gebeurd was. 'Ik moest me ervan verzekeren dat er geen gevaar dreigde', antwoordde ze. 'Kijk maar niet naar hem', fluisterde ze.

'Denk je dat de elfen dit op hun geweten hebben?'

Adhara schudde haar hoofd. 'Het waren struikrovers. Ze hebben hem zelfs van zijn kleren beroofd.' Ze kwam overeind. 'Help me.'

Het ontbrak hun aan de middelen om een graf te graven. Bovendien zou dat te veel tijd in beslag nemen. Maar op dit punt was de beek diep genoeg om het lichaam met zijn stroom af te voeren in de richting van de Saar. De zee leek Adhara een betere plek dan de oever, waar de man aan de blikken van iedere willekeurige voorbijganger blootgesteld was. Ze tilden hem aan zijn armen en voeten op. Het duurde niet lang of het lijk was niet meer dan een stipje in de verte. Adhara zou willen bidden, maar ze zou niet weten tot welke god. Na alles wat er gebeurd was, leken Thenaar en de andere goden haar niets meer dan verzinsels waarmee de mensen hun waanzin goedpraatten. Plotseling kromp ze ineen van de pijn. Ze viel op haar knieën in het water, terwijl een afschuwelijk gevoel vanaf haar handen door al haar spieren trok. Haar lichaam behoorde haar niet meer toe, gehoorzaamde haar niet meer. Ze bleef een paar seconden ademloos zo zitten, overtuigd dat het de dood was, een onverklaarbare, afgrijselijke dood.

Net zo snel als de aanval was opgekomen, verdween hij weer.

'Gaat het?' vroeg een stem.

Het kostte haar even om Amina scherp te krijgen. Ze knikte, en ging op haar hurken in het water zitten.

'Een duizeling.'

'Zeg op, wat had je? Je verging van de pijn ...'

'Niets, ik ben alleen maar vreselijk van dat lijk geschrokken ...'

Terwijl ze opstond, viel haar oog op het vlekje op haar linkerhand. Het leek groter te zijn geworden.

'Heb je je gestoten?' vroeg Amina.

'Ik heb geen idee ...' antwoordde ze. Maar ze werd opeens door een verontrustend voorgevoel bekropen.

Toen een gefluit, een geluid uit het bos. Adhara schrok op. Het kon een vogel zijn, of iemand die een vogel nadeed.

'We kunnen maar beter gaan', zei ze. En ze vervolgden hun weg.

6
OORLOGSGRUWELEN

Ze wreef er lang en energiek overheen, probeerde het met water en met speeksel weg te krijgen. Maar ze kon niet onder de waarheid uit. Dit was duidelijk niet iets wat weggewassen kon worden. Haar vinger was ongezond donkerrood, alsof iemand hem onderaan had afgebonden en er geen bloed meer doorheen kon. Als ze hem aanraakte, tintelde hij een beetje. Maar ze kon hem bewegen.

Amina, niet ver bij haar vandaan, bewoog zich in haar slaap. Het was bijna ochtend, tijd om weer verder te trekken. Adhara probeerde vast te stellen hoe ze zich voelde. Ze zou het niet weten. Er was haar iets aan het overkomen, iets *onheilspellends*, waar ze geen wijs uit kon.

Misschien ben ik toch niet zo immuun voor de ziekte als ik dacht. Maar om de een of andere reden wist ze dat al die vreemde verschijnselen niet aan de ziekte te wijten waren. Ze kwamen van binnenuit. Sinds de laatste pijnaanval, toen ze op haar knieën in het water was gevallen, maakte ze zich ernstig zorgen over haar gezondheid. Ze had constant het gevoel dat haar iets mankeerde. Kreeg ze wel genoeg lucht binnen? Klopte haar hart niet te snel?

Ondertussen leek de plek op haar vinger steeds groter te worden.

Ze ging rechtop zitten, schudde Amina zachtjes aan haar schouders. 'Het is tijd.' Het meisje rekte zich mopperend uit. Op deze momenten, wanneer ze haar gebruikelijke grimmige en lijdende houding nog niet had aangenomen, was Amina op haar best: het kind dat ze altijd geweest was.

'Toe, ik heb een paar appels geplukt als ontbijt', zei ze. Amina stond slaperig op en knikte. Was ze altijd maar zo. Kon alles wat er gebeurd was maar uitgewist worden, kon Amina maar weer het meisje worden van wie Adhara had leren houden, in plaats van een onoplosbaar raadsel.

Ze ontbeten zwijgend, in de druilregen. De winter stond voor de deur, en de ochtendlucht was ijzig kil. Ze reisden al twee dagen over open terrein, en moesten dringend een dorp vinden waar ze konden stoppen. Het was niet alleen tijd om hun voedselvoorraad aan te vullen, maar Adhara hoopte ook aanwijzingen te vinden over de richting die ze moesten volgen. Ze had geen flauw idee waar ze heen moesten.

Ze gooide het klokhuis op de grond. 'Kom, we gaan.'

Zonder te morren sloeg Amina haar cape om zich heen en volgde haar.

Hun laarzen zakten diep weg in het modderige terrein. Adhara werd steeds nerveuzer. Ze moesten de steppen ten noorden van Windland bereikt hebben, en er was in een straal van mijlen geen boom te zien. Het was levensgevaarlijk om op deze manier te reizen.

Opeens werden ze overvallen door een misselijkmakende lucht. Adhara sloeg snel haar cape voor haar neus en mond.

'Wat is dat?' vroeg Amina kokhalzend.

Adhara kende die stank. Verrotting, bloed en dood. Misschien waren San en Amhal hier ook voorbijgekomen. Ze wist inmiddels dat de twee zonder pardon iedereen zouden vermoorden die op hun weg kwam. 'Jij blijft hier. Ik ga kijken waar die stank vandaan komt', zei ze.

Amina was zo bleek als een doek geworden en knikte alleen maar.

De stank was duidelijker dan een pad, en het duurde niet lang voordat Adhara de oorsprong ervan ontdekte. Toen ze hen zag, bleef ze als verlamd staan.

Er lagen twee mannen op de grond. Of liever, wat er van hen over was.

Dat gebeurde dus er met een lichaam wanneer het lot beslist had dat zijn einde was gekomen. Als de Wakers haar niet hadden opgegraven, zou zij er nu ook zo uitzien. Ze werd duizelig bij de gedachte. Pas toen lukte het haar om haar blik af te wenden. Maar ze moest erheen. Ze moest weten of een van de twee lichamen aan Amhal toebehoorde.

Adhara raapte al haar moed bij elkaar en liep langzaam verder.

Ze bukte om de resten beter te kijken, terwijl ze haar best deed niet naar die half verteerde gezichten te kijken. Ze zag het meteen. Ze waren met een krachtige stoot dwars door hun lichaam gestoken. Dat was het werk geweest van Amhals tweehandige zwaard. Hij was hier geweest.

De mannen lagen in hun onderkleding, net zoals de oude man die ze in de bedding van de beek had aangetroffen. Misschien waren ze door struikrovers van hun wapenrusting beroofd. Ze moest haast maken. Amina was alleen, en het was hier duidelijk gevaarlijk. Ze stond op en keek om zich heen. Een warboel van sporen waar ze totaal geen wijs uit kon. Nadat ze een tijdje in het rond gelopen had, viel haar oog op een paar duidelijke sporen. Diepere voetafdrukken, van minstens vier of vijf mannen, liepen in de richting van het struikgewas aan haar rechterhand. Twee andere sporen liepen in noordwestelijke richting. Waterland. Daarheen moesten San en Amhal dus op weg zijn. Theana had haar ook verteld dat de elfen daarvandaan waren gekomen.

Ze schrok op van een bloedstollend gekrijs. Amina. Adhara sprong op, trok haar dolk, en stormde op het geluid af. Haar vriendin werd door drie mannen belaagd. Ze waren haveloos gekleed en hun wapens waren roestig: een bende armoedzaaiers. Misschien ooit keurige burgers die nu door honger en ziekte de illegaliteit in gedreven waren.

Adhara stortte zich op de eerste. Ze stak haar dolk tot aan zijn long tussen zijn ribben. Zonder een kik te geven zakte hij in elkaar. De anderen waren een paar tellen uit het veld geslagen, waarna de een Amina tegen de grond duwde, en de ander Adhara te lijf ging. Razendsnel raapte ze het zwaard op van de man die ze net gedood had, deed een uitval, en stak haar belager in zijn rug. Zijn geschreeuw vulde de vlakte. Nu de laatste nog. Amina probeerde zich los te vechten, maar hij hield haar stevig in zijn greep. Het meisje gaf zich niet gewonnen. Ze trok haar botte dolk en probeerde hem te raken, maar haar slagen waren zwak en ondoeltreffend. Het was puur geluk dat haar dolk zijn arm schampte.

'Ik zal je krijgen, vervloekte meid!' gromde de man.

Hij was buiten zichzelf van woede, en stond op het punt om toe te steken, toen er een hand vanachter zijn rug verscheen, en de fonkeling van een lemmet een dunne, smalle streep op zijn keel tekende. De man viel op de grond, met naar de hemel starende ogen. De twee meisjes werden weer door stilte omhuld. Amina stond trillend na te hijgen. Adhara las zowel angst als een diepe vastberadenheid in haar ogen. 'Je moet me leren zwaardvechten', zei ze. 'Dan kan ik me de volgende keer ten minste verweren.'

Adhara voelde een onbedwingbaar verlangen in zich opkomen om haar in haar gezicht te slaan, en te schreeuwen dat ze niets afwist van de dood, of van de slavernij van wie geboren is om te doden. Op hetzelfde moment dat ze haar vuisten balde, begon haar vinger te tintelen. Dat gevoel kalmeerde haar. 'Wat is er gebeurd?' vroeg ze. Amina's relaas was onsamenhangend en verward. Zodra ze alleen was achtergebleven, waren ze uit de struiken tevoorschijn gekomen. Ze had snel genoeg gereageerd, maar de drie mannen hadden haar bijna meteen onschadelijk gemaakt. Ze hadden haar overal betast en haar van haar schaarse bezittingen beroofd.

'We moeten maken dat we weg komen', concludeerde Adhara. 'We hebben een schuilplaats nodig want het wemelt hier van de struikrovers.' Ze keek haar vriendin onderzoekend aan. 'Gaat het?' vroeg ze met een glimlach. Amina knikte even kort, maar haar blik bleef hard.

's Avonds kreeg Adhara weer een aanval. Ze hadden net hun bivak opgeslagen in een van de eerste uitlopers van de bossen van Waterland. Na een lange tocht hadden ze bijna de grens bereikt.

Toen ze opeens braakneigingen kreeg, dacht ze eerst dat het een late reactie van haar lichaam was op het horrortafereel dat ze die ochtend gezien had. Maar al snel kreeg ze het benauwd. Ze had het gevoel dat haar hart het begaf, en het leek alsof haar lichaam al zijn kracht verloor.

Laat het ophouden, in 's hemelsnaam, laat het ophouden!

'Adhara, gaat het? Adhara!'

Een verre stem, de aanraking van frisse handen op haar huid.

'Ik voel me niet goed ...' prevelde ze, ineenkrimpend van pijn. Beetje bij beetje ebde de aanval weg.

Dit keer nam Adhara Amina in vertrouwen. Ze vertelde haar over de twee voorgaande aanvallen en haar sterke vermoeden dat ze verband hielden met haar donkerrode vinger.

Het was weer begonnen te regenen.

'Wat denk je te gaan doen? Misschien heb je iets onder de leden, of heb je de ziekte opgelopen ...'

'Nee, dat is uitgesloten. Er stroomt nimfenbloed door mijn aderen. Ik ben immuun.'

'Toch kun je die vinger beter door een priester laten bekijken. Het lijkt me niet iets wat vanzelf over gaat!'

'In het eerste dorp dat we tegenkomen zal ik ernaar laten kijken. Aangenomen dat we nog dorpen tegenkomen', voegde ze er met een somber gezicht aan toe. Het was hoog tijd dat ze hun proviand aanvulden.

De volgende dag passeerden ze de grens, en stuitten ze meteen op een militaire nederzetting.

Het moest een vroegere herberg zijn die nu, met de oorlog, door het leger in beslag was genomen. De grote zaal op de begane grond was, op de tapkast na, leeggeruimd en deed nu dienst als opslagruimte. In de kamers op de eerste verdieping werden soldaten ondergebracht die op weg waren naar het front.

72

In de buurt van het gebouw hing een gevarieerde mensenmenigte rond - wanhopige overlevenden, nieuwe lichtingen soldaten uit de omliggende landen - waarin ze makkelijk op zouden kunnen gaan. Toch besloten ze voor de zekerheid het drankje in te nemen. Toen ze er allebei een slok van hadden genomen, en hun gezichten aanraakten, herkenden ze hun eigen trekken niet meer. Ze hadden allebei het uiterlijk van een jonge boerin gekregen.

'Probeer je mond te houden! En als ze je iets vragen, zijn we zussen', gelastte Adhara.

Het was niet moeilijk om binnen te komen. Ze hoefden alleen de controle te passeren van een tandeloze, voortvarende priesteres, die erop toezag dat er geen zieken binnenkwamen. Ze had grote twijfels bij het zien van Adhara's hand. Twee vingers waren inmiddels rood, en het eerste vingerkootje van een ervan begon zwart te kleuren. 'Hoe verklaar je dit?' vroeg de vrouw achterdochtig.

'Gekneusd toen ik stenen optilde', antwoordde Adhara.

Nadat de priesteres Adhara's handen en gezicht nogmaals aandachtig bestudeerd had, liet ze hen door.

Even later zaten ze in een geïmproviseerde tent op het terrein van de herberg te eten: rapensoep met droog brood, begeleid met verhalen over de oorlog.

Bijna alle aanwezigen in die armoedige mensa waren vluchtelingen. In haast ieders ogen stond angst te lezen. Iemand begon over de elfen, over hun wreedheid en hun kracht.

'Ze hebben een heel dorp aan de Saar uitgemoord. Ze hebben de bewoners, vooral vrouwen en kinderen, in rijen opgesteld en hen vervolgens, een voor een, met hun zwaarden doorboord. En daarna hebben ze het dorp in brand gestoken.'

'Er bevinden zich ook vrouwen in hun gelederen. Ze zijn bovenmenselijk sterk en wreed.'

'En ze vliegen op vreselijke dieren die ijzingwekkende geluiden maken. Zwart, zonder voorpoten, met slangachtige lichamen.'

Adhara at, in gedachten verzonken, en met haar blik op haar kom gericht, haar soep, terwijl Amina vol interesse de conversatie volgde. 'Ik heb een keer zo'n beest gezien', zei ze opeens. Adhara's lepel bleef halverwege in de lucht steken, terwijl ze Amina gebaarde haar mond te houden. 'Maar dat was hier ver vandaan, in de richting van het Grote Land', ging ze onverstoorbaar verder.

'Ik heb er hier 's nachts een keer één voorbij zien komen en horen krijsen', voegde iemand anders toe. Adhara's hart stond stil. 'Het zal ... een dag of tien geleden zijn geweest. Hij vloog in de richting van het front.'

Ze waren dus op de goede weg.

'Maar het zijn niet alleen maar elfen. Soms verliezen de onzen ook hun verstand', voegde een vrouw toe. Amina en Adhara keken elkaar aan.

'Wat bedoelt u?' vroeg Adhara, al haar moed bij elkaar rapend.

'Ik bedoel dat er eentje bij is die de insignes van het Eenheidsleger draagt, maar gruwelijke dingen doet. Waar of niet, Jiro?'

Het werd stil in de tent. Iedereen draaide zich om naar een jonge man die een schichtige indruk maakte. Hij droeg een brede ooglap voor zijn ene oog en zijn schouder zat in het verband. Maar het opvallendst aan hem was de doodsangst op zijn gezicht. Hij leek zich zo klein mogelijk te willen maken, alsof hij in het niets wilde verdwijnen.

Zijn vriend, naast hem, gaf hem een por. 'Vooruit Jiro,

vertel op. Die meisjes zijn nieuw hier. Ze kennen het verhaal nog niet.'
'Na even verward in het rond gekeken te hebben, begon Jiro zacht te praten. 'Ik liep ... ergens rond. Met een paar vrienden.' Hij slikte. 'Te zwerven.' voegde hij toe. *Een struikrover*, concludeerde Adhara bij zichzelf. Zoals de kerels die Amina belaagd hadden. 'En toen kwamen we ze tegen.' Hij onderbrak zichzelf voortdurend, alsof hij naar kracht zocht om door te gaan. De jongen naast hem hield zijn arm om zijn schouder geslagen. 'Ze waren met z'n tweeën, een jonge man en een van wie ik de leeftijd niet zou kunnen schatten. Ze hadden hun gezichten bedekt.' Hij pauzeerde weer even. 'Maar een van hen droeg de uniformjas van het Eenheidsleger. Ik weet dat we uit hun buurt hadden moeten blijven, maar we hadden honger. We waren radeloos ...'
'Het is al goed, Jiro. Niemand beschuldigt je ergens van.'
'Nog voordat we hen konden aanvallen, ik zweer het - we hadden onze zwaarden nog niet eens getrokken - trok de oudste van het stel zijn wapen. Het was verschrikkelijk, helemaal zwart, en het glansde in het maanlicht.'
Adhara sloot even haar ogen. San. Ze wierp een blik op Amina. Het meisje zat tandenknarsend op de punt van haar stoel. Ze legde een hand op haar knie, onder de tafel.
'Het was geen gevecht. Het was een afslachting. Ze moordden om het plezier van het doden, alletwee. Degene met de legerkazak had een enorm, tweehandig zwaard ... het was onbeschrijflijk ...'
De jongen bedekte zijn gezonde oog met zijn hand. Hij huilde, met schokkende schouders.
'Die razernij in hun ogen, onvoorstelbaar. Ik had nog nooit zoiets gezien, zelfs niet bij de elfen! Het enige wat ik

kon doen was mezelf dood veinzen. Ik heb een hele nacht en een hele dag onder de lijken van mijn kameraden gelegen.'

Adhara's stem beefde. Toch vroeg ze: 'Waar is het gebeurd?'

Jiro keek verschrikt op. Hij was totaal van streek en het duurde even voordat hij in staat was om te antwoorden. 'Westelijk van hier, op vier dagen loopafstand van het front. Ik heb ze duidelijk over Kalima horen praten, een dorp in het zuiden van Waterland, een paar mijl voor de Saar.'

Er viel een loodzware stilte. De jongen had zijn verhaal al ettelijke malen verteld, maar de aanwezigen waren weer net zo verslagen als de eerste keer. Als ze zelfs het Eenheidsleger niet meer konden vertrouwen, wie dan nog wel?

Adhara kreeg geen lepel soep meer door haar keel.

Die nacht sliepen ze in de grote tent die voor de vluchtelingen was opgezet. 'Morgenochtend doen we boodschappen en daarna vertrekken we', zei ze kort. Amina had wat Karolen meegenomen, genoeg om een voedselvoorraadje voor een week in te slaan.

Maar Adhara kon de slaap niet vatten. Ze werd bestormd door beelden van de lijken in het bos, Jiro's doodsbange ogen en de scène van Neors dood. Wat was er nog over van de Amhal van wie ze hield? Waar was de jongen die wanhopig vocht tegen zijn duistere kant? Ze herkende hem niet meer in het spoor van bloed dat hij had achtergelaten en dat zij moest volgen om hem te vinden.

Voor het eerst sinds hun vertrek wankelde haar vastbeslotenheid. Misschien was Amhal te ver gegaan, misschien was hij niet meer te redden. Maar in dat geval verloor alles zijn zin: haar vlucht, haar reis, zelfs haar bestaan, waaraan Amhal een vorm had gegeven.

Gekweld door twijfels woelde ze in haar bed.

7
DE KONING

Ze waren er. De lucht geurde naar mos en vochtig hout. Het laatste stuk hadden ze weer op de wyvern afgelegd.

Ze waren de frontlinie gepasseerd en hadden al het kwaad doorleefd dat de oorlog met zich meebracht. Ze hadden gevochten en gedood, maar Amhal voelde zich nog even ellendig als eerst. Hij had gehoopt dat hij, doodsteek na doodsteek, erin zou slagen het medelijden van zich af te schudden dat zijn slachtoffers nog steeds bij hem opriepen. Maar hij was nog even ver als vroeger, toen hij leerling drakenridder was, en tegen zijn duistere ik vocht.

Sans wyvern steigerde in de frisse ochtendlucht.

'Dit is Elfs gebied. Hier zijn we veilig', zei hij tegen Amhal, achter hem. Het enige bijzondere wat deze kon ontdekken aan het bos waar ze overheen vlogen, was een omheind gebied zonder bomen waar twee wyverns stonden: een bruin en een afschrikwekkend donkerpaars exemplaar.

Even later landden ze binnen de omheining. Er kwam

meteen een rank en bleek wezen op hen aflopen, met buitensporig lange ledematen, felgroen haar en paarse ogen. Een elf. Het was de eerste keer dat Amhal er een zag die zich niet vermomd had. Hij stond even raar te kijken. Ondanks zijn vreemde, bijna wanstaltige uiterlijk, hadden de bewegingen van de elf iets sierlijks en meeslepends. *Het zijn vast grote strijders.*

Nadat de elf de teugels van de wyvern had overgenomen, wierp hij de mannen een aanmatigende blik toe, maar boog toch zijn hoofd. '*Arva*, Marvash', zei hij.

'Het is me een genoegen om weer hier te zijn', antwoordde San, in de taal van de menselijken. En tegen Amhal: 'Elfs. Maar wees niet bang, de koning is onze taal machtig. Net als veel elfen trouwens, maar ze spreken hem niet graag.'

Het Elfs klonk Amhal vaag bekend in de oren, alsof hij het in een ver verleden al eens gehoord had.

Ze lieten Sans wyvern op de heuvel achter, en volgden hun begeleider naar een volledig tussen de bomen verscholen kamp. De elfen woonden in heuse boomhutten van hout en stro. Sommige ervan bestonden uit meerdere verdiepingen, en waren zo goed gecamoufleerd dat ze nauwelijks opvielen tussen het loof. Ze stonden met elkaar in verbinding door middel van ingewikkelde systemen van bruggen, touwen en katrollen. Bovenop enkele van de hutten waren wachtposten met schildwachten te onderscheiden.

Onder het ongebruikelijk kamp was het een groot gedrang van joelende elfen. Soldaten natuurlijk, van wie de meeste gekleed waren in eenvoudige, metalen borstharnassen. Ze waren uitgerust met speren of dubbelzijdige bijlen met lange handvaten. Ook beeldschone vrouwen liepen er rond, gehuld in lange, ongrijpbare sluiers die met kunstig bewerkte spelden op hun plek werden gehouden. Over hun schouders droegen ze gelooide huiden die zo zacht en soepel waren als stof. Ze hadden lang, schitterend groen haar, grote, heldere ogen, en doolden als droomwezens tussen de bomen door. Amhal betrapte zich erop dat hij hen met zijn ogen volgde, als gehypnotiseerd door de manier waarop met ze hun smalle heupen wiegden. En overal krioelden uitgelaten kinderen. Dit leek geen legerkamp. Hier heerste leven en vrolijkheid, veel meer dan Amhal ooit in de steden van zijn volk had gezien. *Een eiland van vrede in een oceaan van oorlog.* Hij kon zich dat volk niet eens in gevecht voorstellen, klaar om leed te veroorzaken. En toch waren zij deze oorlog begonnen, en hadden zij de ziekte in de Verrezen Wereld verspreid.

Terwijl hij de elfen bewonderend opnam, leken zij hem juist te mijden. Zozeer zelfs dat, waar hij zich bewoog, de menigte uit elkaar week.

San leek het niet op te merken. Het raakte hem in ieder geval niet: 'Ze zijn niet bepaald blij met onze komst', zei hij, naar Amhal toebuigend. 'Ze beschouwen ons als een soort van indringers, als de monsters die hun voorouders hebben verdreven. Daarom bekijken ze ons zo wantrouwend.'

'Wat doe je hier dan?'

'Er stroomt elfenbloed door mijn aderen. Mijn grootmoeder was een halfelf zoals je weet. In ieder geval zijn ze slim genoeg om hun voordeel te trekken van een wapen zoals ik, of zoals jij', antwoordde San, zijn woorden goed afwegend. Hij vertraagde zijn pas. 'Dat is hem, daarbeneden.'

Amhal volgde zijn blik naar een lange, knappe jonge man met een natuurlijke, goddelijke gratie. In zijn grote, paarse ogen brandde het vuur van de passie. Zijn lange steile haar dat in een losse staart was samengebonden, was groen met koperkleurige en blauwe schakeringen. Net als zijn krijgers was hij gekleed in een korte broek, leren schoenen met dunne veters om zijn kuiten en een eenvoudige, nauwsluitende jas onder een lichte wapenrusting. Het was een krijger als alle anderen, maar hij straalde superioriteit uit, een door het lot uitverkoren wezen met een duidelijke missie. Hij nam een kind in zijn armen, dat meteen begon te lachen om zijn tedere grimassen, en liep tussen de knielende menigte door. De elf had voor iedereen een vriendelijk woord. Het leek alsof zijn troostende handen zijn onderdanen van ieder kwaad bevrijdden. Toen een vrouw zich in zijn armen wierp, omhelsde hij haar bemoedigend. Hij fluisterde haar wat vriendelijke woorden toe, waarop ze haar tranen droogde.

'Een oorlogsweduwe', zei San zachtjes. 'Hij heeft haar verteld dat haar man eervol is gestorven, dat zijn offer heeft gediend om een nieuwe wereld voor zijn nakomelingen op te bouwen.'

Amhal was helemaal in de ban van die figuur die rust en welzijn leek uit te stralen. Een held, een heilige, dat was hij. De enige die hem vrede kon schenken. *Voor deze man kun je sterven.*

'Wie is dat?' vroeg hij.

De elf liep langzaam, glimlachend, in hun richting.

'Zijne Majesteit Kryss, koning van de elfen', verklaarde San, terwijl hij op zijn knieën viel.

De vorst monsterde hen even aandachtig. 'Jullie kunnen opstaan', zei hij ten slotte. Hij sprak met een eigenaardig, melodieus accent.

San en Amhal kwamen overeind.

'*Arva*, San', zei de koning glimlachend, waarna hij een vluchtige blik op Amhal wierp. 'Ik zie dat je je missie volbracht hebt. Ik wist dat je me niet teleur zou stellen.'

San legde een hand op de schouder van zijn reisgenoot. 'Dit is Amhal, mijn heer, de tweede Marvash, de jongen van de profetie.'

Kryss keek Amhal diep in zijn ogen. Deze weerstond zijn blik niet langer dan een paar seconden. Het was alsof de ogen van de elf dwars door zijn ziel boorden.

'Staat hij aan onze kant?' vroeg de vorst.

'Helemaal, al is hij zich er nog niet van bewust', antwoordde San.

Kryss leek hem te begrijpen. 'Je zult snel kunnen aantonen in hoeverre je een van de onzen bent', verklaarde hij, Amhal weer strak aankijkend. 'Kom mee.'

Ze begaven zich naar een ander deel van het kamp. Er was een verward tumult te horen, en geschreeuw. Maar de aanwezigheid van de koning was voldoende om de menigte uiteen te drijven en tot zwijgen te brengen. Midden op het terrein zag Amhal een gestalte in het stof bewegen: een geketende man, onder het bloed, omringd door blikken vol haat. Hij schreeuwde het uit terwijl jong en oud hem met stenen bekogelde. Amhal herkende het uniform van de ongelukkige. Het was een van Dubhes mensen, een spion. De soldaat die de ketting vasthield begon te praten, maar Kryss onderbrak hem.

'Druk je uit in de taal van de indringers, zodat onze nieuwe bondgenoot je ook kan verstaan.'

De wacht knikte instemmend en praatte verder met een uitgesproken accent. 'We hebben hem vanmorgen gevangen, terwijl hij ons bespiedde. Hij bevond zich, goed gecamoufleerd, aan de rand van ons kamp. Hij is een van hen.'

De koning wierp een ijzige blik op de man in het stof. 'Hij is zeer zeker een van hen. Net zoals de velen die hem zijn voorgegaan en de velen die hem nog zullen volgen.' Hij hurkte naast de ongelukkige neer en beroerde zijn kleren met één vinger, alsof hij er vies van was. 'Ik ken hun smerige onderscheidingstekens.' 'Mijn heer, we wachtten op uw vonnis. De menigte is buiten zinnen van haat.' Kryss schoot overeind. 'De indringers hebben ons van onze wereld beroofd. Ze hebben ons gedwongen om het zout aan de rand ervan te likken terwijl hun zonen hier melk en honing dronken. Ze hebben de Erak Maar met hun bloed bevuild en hem geschonden met hun zinloze oorlogen. De woede van mijn volk is gerechtvaardigd!' Er steeg een goedkeurend gejoel op uit de meute.

De koning liep op Amhal af. 'Was jij een van hen? San heeft me verteld wie je bent en waar je vandaan komt', siste hij.

Amhal slikte. Opeens voelde hij de vijandige blikken van de elfen op zijn huid branden. Hij voelde zich een vreemdeling in vreemd gebied.

'Ik ben nooit zoals zij geweest.'

'Verrader! Smerige adder, hoe kon je?!' riep de man op de grond met het beetje lucht dat hij nog had. Zijn schreeuw ging over in een hartverscheurend gekerm toen hij door een steen in zijn gezicht werd geraakt.

Kryss glimlachte naar Amhal. 'Je hoort inderdaad niet bij hen.' Hij sloot even zijn ogen. 'Breng de indringer naar de arena.'

De menige barstte uit in gejubel.

Als versuft volgde Amhal de elfenstroom.

De arena bevond zich op het terrein waar ze geland waren. Het was een grote kuil van minstens vier el diep met een houten balustrade eromheen. Amhal herkende de plek en de twee wyverns die hij vanuit de lucht gezien had meteen. Het volk dromde samen langs de randen, de kinderen vooraan. De uitgeputte gevangene werd via een ondergrondse gang de arena in gevoerd. Toen begreep Amhal wat de bedoeling was. Hij zag hoe de man een wanhopige poging deed om te vluchten, hoorde zijn geschreeuw toen het eerste dier zijn klauwen in hem zette. Hij rook de geur van bloed, hij hoorde het geluid van brekende botten, van scheurende huid. Hij hoorde zijn kreten onmenselijk worden toen de beesten zich hongerig op hem stortten en hem, onder het gejuich van de toeschouwers, aan flarden scheurden. Toen Amhal zijn blik langs de gezichten van de elfen liet glijden, kon hij geen spoortje medelijden ontdekken. Enkel haat en een uitzinnige vreugde, gevoelens die hij ook op het deugdzame gezicht van de koning bespeurde. Dezelfde man die even eerder met een meisje gespeeld had en hem een god had geleken. Amhal voelde zijn hart trillen. Dat volk sprak de taal van de Vernietiger, dezelfde taal die hem en San bezielde.

Als er iemand was die hem kon bevrijden van de kwelling van zijn geweten, die hem kon veranderen in het meedogenloze wezen dat hij zo vurig wenste te zijn, dan was het die jonge en knappe koning, met zijn hart van ijs.

Het schouwspel eindigde toen het verwoeste lichaam ophield te schokken in de stuiptrekkingen van zijn doodsstrijd. De meute verspreidde zich, de wyverns met hun feestmaal achterlatend.

Kryss wendde zich tot Amhal. 'Kom je mee?' San maakte aanstalten om hen te volgen, maar de koning hield hem tegen. 'Alleen.'

Zijn hut verschilde niet veel van die van de andere elfen. De benedenverdieping was de troonzaal, met een sierlijk bewerkte, houten zetel en mooie kleden op de vloer. Kryss begeleidde zijn gast naar de eerste verdieping, waar hij woonde. Ze kwamen in een soort studeerkamer terecht, waar een robuuste tafel stond en een paar kasten vol boeken. Achter een gordijn was een kleinere ruimte te onderscheiden waar alleen een veldbed leek te staan. Al met al een ongelooflijk sobere behuizing voor een koning die bovendien van plan was de hele Verrezen Wereld in zijn macht te krijgen.

Kryss ging zitten en nodigde Amhal uit hetzelfde te doen. Na een korte stilte keek de koning op. 'Ik heb een missie te vervullen', zei hij, met dezelfde gedreven blik in zijn ogen die Amhal bij de arena had bespeurd. 'Dat weet ik al zolang ik leef. Het maakt me niet uit hoeveel bloed ik moet vergieten, noch welke misdaden ik moet begaan om die missie te vervullen. De geschiedenis eist altijd een prijs, en ik ben bereid om die te betalen omdat ik uitverkoren ben. Na afloop van deze oorlog zal ik vervloekt worden, maar mijn volk zal zijn wereld weer in zijn bezit hebben.'

Hij pauzeerde even, achterover leunend in zijn stoel. 'Ik ken jullie versie van het verhaal. Jullie doen voorkomen alsof wij uit vrije wil zijn weggegaan. Jullie waren met duizenden. Jullie vermenigvuldigden je als sprinkhanen, verslonden onze oogsten, installeerden je op ons gebied en verkrachtten onze vrouwen. Jullie hebben ons verjaagd met de kracht van jullie beestachtige vraatzuchtigheid, ons paradijs tot een hel gemaakt die geschikt is voor jullie dierlijke behoeften. Erak Maar werd de Verrezen Wereld, en wij gingen in ballingschap.'

Amhal luisterde gefascineerd toe. Die man wist te boeien, harten in vuur en vlam te zetten. En, alleen al omdat hij het vertelde, leek het verhaal zo aannemelijk.

'We hebben ons verscholen langs de kust van het Onbekende Land, waar we eeuwenlang in bittere miserie hebben geleefd, zonder dat we er zelfs maar over durfden te denken om terug te pakken wat ons toebehoort. Totdat ik op de wereld kwam, hebben we een leven van lafaards geleid.'

Kryss boorde zijn ogen in die van de jonge man tegenover hem.

'Ze dachten dat ik gek was. Mijn vader lachte me uit. Zijn weke en verdorven hovelingen namen me in de maling. In slechts tien jaar tijd heb ik hem en alle nietsnutten aan zijn hof verslagen. Ik heb de vier stadstaten van de elfen verenigd tot een enkel koninkrijk, en daarna heb ik deze elfen hierheen geleid. Het was mijn idee: de ziekte, de aanval. Ik heb alles in mijn eentje gedaan, bouwend op mijn wilskracht en de grootsheid van mijn droom. En ik zal tot het einde gaan. Niets en niemand zal me kunnen stoppen.'

In het vuur van zijn relaas had Kryss zich naar hem voorover gebogen. Hij keek hem aan met de blik van een waanzinnige, en Amhal geloofde hem. Hij wist meteen dat de Verrezen Wereld verloren was.

'Ik heb jou nodig', vervolgde de vorst na een korte pauze. 'Jou en San. Jullie zijn wapens, wapens die de goden de elfen geschonken hebben. Ik ken de oude geschriften, en ik kan je vertellen dat ze verkeerd zijn uitgelegd. De Marvash vernietigen de wereld niet. De Marvash maken hem klaar voor een nieuw begin. Ze schakelen uit wat er geweest is, om de onderworpenen de kans te geven zich op te richten en terug te nemen wat hun toebehoort. Daarom heb ik jullie nodig: om de indringers uit te roeien en de Erak Maar aan de elfen terug te geven.'

Hij zweeg om de jongen de gelegenheid te geven zijn woorden tot zich te laten doordringen. Zijn rol was Amhal inmiddels duidelijk: doden en uitroeien. Nu verlangde hij enkel nog naar innerlijke vrede. Hij wilde verlost worden van het ondraaglijke gewicht van het leven dat hij tot op dat moment had geleid.

'Maar de geschiedenis erachter doet er voor jou niet toe', zei Kryss, alsof hij zijn gedachten gelezen had. 'Jij bent net als San, en net als al jullie gelijken: "En ik?" vraag je je af. San heeft een prijs, een prijs die naar mijn mening in redelijke verhouding staat tot de bewezen diensten. Wat is de jouwe?'

Amhal probeerde de onderzoekende blik van de koning te ontwijken. 'Ik weet dat ik zo geboren ben', begon hij, moed verzamelend. 'Al sinds mijn vroegste jeugd ben ik me bewust van mijn moordlust. Ik heb heel mijn leven geprobeerd hem te bestrijden, door mezelf, iedere keer als ik eraan toegaf te straffen, omdat ik mezelf een monster voelde. San heeft me uitgelegd dat ik die razernij juist moet volgen, maar ondanks al mijn inspanningen blijft iets in mijn binnenste zich onvermoeibaar verzetten. Het lukt me niet om me te bevrijden van mijn geweten, dat me dag en nacht verscheurt en verstikt. Ik weet niet meer wie ik ben. Ik verkeer constant in een moordende tweestrijd. Ik kan er niet meer tegen.'

Kryss luisterde aandachtig naar hem, vaag goedkeurend. 'Ga verder', moedigde hij hem aan. 'Zeg me wat je wilt, want ik kan het je geven.'

De glimlach die op zijn gezicht verscheen was voor Amhal als een lichtbaken in de duisternis.

'Als het mijn lot is om een Marvash te zijn, dan wil ik dat iedere emotie in me sterft. Ik wil opgaan in mijn missie en niets meer voelen. Noch vreugde, noch verdriet. Ik wil een voorwerp zijn, en doen wat ik moet doen zonder dat dit schuldgevoel op me drukt. En als alles afgelopen zal zijn, wil ik sterven. Ik wil dat er niets van me overblijft, zelfs geen herinnering. Ik wil dat u me van de aardbodem wegvaagt alsof ik nooit bestaan heb.'

Kryss zweeg een paar seconden, nog steeds met dezelfde welwillende uitdrukking op zijn gezicht. Daarna vloeiden de woorden uit zijn mond, als strelingen. 'Ik zal aan je wensen voldoen.'

Amhal wierp zich ontroerd aan zijn voeten. Het was afgelopen. Het was eindelijk afgelopen.

8
ELYПA

'Zo kun je niet doorgaan.' Amina liep voor Adhara uit en nam haar bezorgd op. 'Je moet je door een priester laten onderzoeken.'

Adhara bekeek haar linkerhand alsof het een vreemd voorwerp was. Ze had inmiddels drie bijna helemaal zwarte vingers. Na de laatste aanval had de aandoening, onverbiddelijk oprukkend, nog een stuk van haar huid aangetast. Amina had gelijk. Ze moesten een dorp opzoeken en hulp vragen, maar dat was makkelijker gezegd dan gedaan. Nadat ze hun tocht hadden hervat, waren ze dagenlang niemand tegengekomen. Hun voedselvoorraad was op, en ze waren gedwongen om wortels te eten om te overleven. Toen ze op een groep hutten stuitten, probeerden ze het gehucht binnen te komen. Maar de schildwacht was onvermurwbaar. Hij liet hen niet eens uitpraten, en joeg hen scheldend weg. Alleen een overlevende van de ziekte, een bedelaar, had de moed om bij hen in de buurt te komen en wat brood met hen te delen. Hij bevestigde dat ze in de goede richting trokken.

'Het is hiervandaan nog vier dagen lopen naar Kalima,

maar jullie moeten heel voorzichtig zijn. De frontlinie is opgeschoven. De laatste voorpost voor het gebied dat onder controle van de elfen staat, is een klein vluchtelingenkamp. Maar ik raad jullie af daar te stoppen. Dat kamp is niet bepaald een geschikte plek voor meisjes en jonge vrouwen', zei hij. 'Ik ben naar iemand op zoek', zei Adhara zachtjes. De bedelaar vertrok zijn mond in een trieste grijns, alsof hij uit ervaring sprak. 'Ik betwijfel of je hem zult vinden. Bijna niemand heeft Kalima overleefd.'

Maar ze gaven niet op. Ze grepen zich wanhopig vast aan hun verlangen om zo snel mogelijk hun doel te bereiken, en vervolgden verbeten hun weg. De gruwelen die ze onderweg tegenkwamen, werden steeds schokkender. Lijken die her en der op de velden waren opgestapeld in afwachting van degenen die ze naar de massagraven zouden brengen. Verminkte lichamen van nimfen, die hun eraan herinnerden dat die wezens door velen nog steeds als de oorzaak van de ziekte werden beschouwd.

Adhara liep mechanisch door, alsof ze vreesde in het niets te verdwijnen als ze zou stoppen. Amina marcheerde met dezelfde vastberadenheid als de eerste dagen, omgeven door een aura van stilte en vijandigheid. De ellende om haar heen interesseerde haar ogenschijnlijk niet. De wens om zich te wreken op de man die haar vader vermoord had moest allesoverheersend zijn. Adhara benijdde haar soms, want goed en kwaad kwamen háár nu als versluierd, moeilijk herkenbaar voor.

Haar ademhaling en haar hartslag werden weer regelmatig, en ze kreeg de controle over zichzelf weer terug. Die zwarte vingers gaven de tijd aan die haar nog restte. Ze had geen idee wat er daarna zou gebeuren, en dat beangstigde haar nog het meest van alles.

'We stoppen in dat vluchtelingenkamp waar de bedelaar het over had', zei Amina.

'Ja, we zullen wel moeten.'

De hemel was loodgrijs geworden, de lucht frisser. Adhara keek om zich heen, terugdenkend aan de verwondering die Waterland bij haar had opgeroepen toen ze het in gezelschap van Amhal ontdekt had. Er leek niets te zijn veranderd, maar haar leven van toen had niets meer te maken met het heden dat haar vermorzelde.

Tegen het einde van de ochtend, nadat ze een paar uur een bosweggetje hadden gevolgd, ontwaarden ze een houten schutting.

Adhara en Amina bestudeerden hem uit de verte. Er was maar één ingang, en die werd bewaakt door twee schildwachten.

'Denk je dat dit de plek is die we zoeken?' vroeg Amina met bevende stem.

De bedelaar had het over vier dagen lopen, en dat klopte precies. Dus hadden ze grote kans dat dit het bewuste vluchtelingenkamp was.

Toen ze er omheen liepen ontdekten ze de vaandels van het Eenheidsleger. Hun gezichten klaarden op. Ze hadden het gered. Nadat ze een slok van het drankje hadden genomen, en zich verkleed hadden, waren ze er klaar voor.

Goed in het zicht schuifelden ze in de richting van de ingang. Zodra een van de wachten hen in het oog kreeg, richtte hij zijn lans op hen. 'Op de grond!'

'We komen in vrede. We hebben hulp nodig ...'

'"Op de grond", zei ik.'

Adhara stopte en dwong Amina ook op haar knieën.

De schildwacht liep op de meisjes toe om hen van dichtbij te bekijken. 'Wie zijn jullie?'

Toen Adhara opkeek om te antwoorden, deed de wacht een stap terug.

'Gezichten tegen de grond!' snauwde hij, met zijn lans in de aanslag.

Met haar gezicht tegen de droge bladeren deed Adhara het woord. Ze vertelde dat ze zussen waren die uit hun dorp waren gevlucht om aan de ziekte te ontkomen.

'We nemen geen onbekenden op!' snauwde de man, terwijl hij nog een paar stappen achteruit deed.

'Ik smeek u, we hebben hulp nodig. We hebben honger, en we zijn door struikrovers overvallen ...'

Amina had op een hartverscheurend zielige toon gesproken, maar de soldaat negeerde haar. Ze maakte aanstalten om op te staan om hem in de ogen te kijken en zo zijn medelijden op te wekken.

'Op de grond of ik maak je af!'

'Alstublieft, we weten niet waar we heen moeten ...'

De schildwacht richtte zijn lans, waarop Adhara naar voren schoot en zich beschermend voor Amina opstelde.

'Stop!' klonk het opeens.

De stoot kwam niet, en de soldaat bleef onbeweeglijk staan met de lans op een haarbreedte van haar buik.

'Overdrijf je niet een beetje?'

De woorden kwamen van een wat oudere man, met grijzende haren en baard. Hij droeg een smerige uniformjas, maar had een waardig en streng uiterlijk. Zonder twijfel een aanvoerder, dacht Adhara bij zichzelf.

De schildwacht boog zijn hoofd, maar bleef op zijn hoede, klaar om in te grijpen. 'Het zijn vreemdelingen. We weten niet waar ze vandaan komen. Ik doe enkel wat me opgedragen is.'

De man kwam dichterbij, tilde met een eeltige hand Adhara's kin op, en bestudeerde haar gezicht. Amina bad dat hun vermomming stand hield.

'Zijn jullie zussen?'

Adhara knikte. 'We zijn weggevlucht voor de ziekte die de bewoners van ons dorp praktisch heeft uitgeroeid. We vragen enkel een slaapplaats voor de nacht.' De oude man glimlachte. 'We hebben nog nooit iemand asiel geweigerd.' Hij gebaarde de meisjes om op te staan, en duwde daarna de lans van de schildwacht weg. 'Voorzichtigheid is uitstekend,' merkte hij op, 'maar mededogen gaat voor alles.'

Een kom linzensoep, een homp bruin brood en een stuk oude, harde kaas. Het was niet bepaald een luxueuze maaltijd, maar het volk dat zich in dit kamp verzameld had was ten minste betrouwbaar. Ze aten in een grote tent, aan geïmproviseerde tafels. De kampbewoners wachtten in een lange rij voor een enorme pan hun beurt af. Er waren veel soldaten, maar vooral vluchtelingen. Adhara kon het nauwelijks geloven. In de dagen die ze met Amhal in Damilar had doorgebracht, en nu weer tijdens hun lange tocht, had ze ervaren hoe de ziekte de zielen van de mensen kon verbitteren. En toch was de sfeer hier anders. Meteen na het eten bood een meisje aan om Amina naar een beek te begeleiden om zich te wassen. Ze maakte een betrouwbare indruk. Na al die dagen van spanning gaf Adhara graag toestemming. Ze liet haar blik dwalen over de gewonden en het gewone volk dat in het kamp in de weer was. Vrouwen die de was deden in de beek, kinderen die elkaar lachend achterna renden.

Ze schrok op van een broze stem achter haar. 'We hebben er geen enkel probleem mee om u in onze gemeenschap op te nemen, maar onze leiders zouden u graag wat beter leren kennen.' Een oude, tandeloze vrouw nam haar vriendelijk bij de hand en begeleidde haar naar een tent die er wat degelijker uitzag dan de andere. 'Wees niet bang. Ze willen je gewoon een paar vragen stellen', zei ze geruststellend.

Adhara verzamelde al haar moed. Nu moest ze echt overtuigend zijn. Eenmaal binnen herkende ze de oude man die hen gered had. Naast hem zat een jongen die iets ouder was dan zij. Hij had krullend haar, gitzwarte ogen, en leek zo veel op de oude man dat Adhara meteen aannam dat het vader en zoon waren.

'Voel je je al wat beter?' vroeg de man glimlachend.

Ze knikte verlegen.

'Ik had je eigenlijk nog wat meer rust willen gunnen, maar hoewel we bijna volledige rechtsbevoegdheid hebben over dit kamp, moeten we ons toch verantwoorden tegenover de militairen. De leiding wil weten hoe jullie hier zijn terechtgekomen', vervolgde hij.

Adhara nam even de tijd om haar gedachten te ordenen. Ze ontdekte dat het haar niet moeilijk viel om te liegen. Ze vertelde over een niet bestaand dorp waar zij en haar zus een eenvoudig leven hadden geleid. Ze vertelde over de ziekte, de dood van al haar dierbaren, de vlucht. In wezen had ze al die gruwelen in eerste persoon meegemaakt: de gebroken levens die ze onderweg was tegengekomen, verleenden haar woorden werkelijkheid. Toen ze uitgepraat was, barstte ze in huilen uit. Dit keer deed ze niet alsof. De hartelijke ontvangst had het harnas doen smelten dat ze uit zelfbehoud rondom zichzelf had opgebouwd.

'We begrijpen je', fluisterde de oude man. 'We begrijpen je maar al te goed.'

Hij stond op en omarmde haar vaderlijk.

'Wij woonden in een vissersdorp', begon hij te vertellen. 'Ik was de dorpsoudste en bestuurde het, samen met mijn zoon. De ziekte had maar drie dagen nodig om onze gemeenschap weg te vagen. De achterdocht deed de rest. Maar we krabbelden overeind. We slaagden erin de overlevenden bij elkaar te brengen en de orde en beschaving te herstellen. We zijn een braaf volkje. En toen kwamen zij.'

Hij zweeg, en zijn zoon nam het woord. 'We zagen ze aankomen op de vlakte. We waren uitgeput, verteerd van verdriet en ongewapend. We zijn geen strijders, dus namen we simpelweg de benen. We staken ons dorp in brand en verstopten ons in de bossen. Beter levend en dakloos, dan dood tussen de resten van onze huizen.'

Adhara's hart kromp ineen.

'We trokken ons hier terug. Dag in dag uit voegden zich nieuwe vluchtelingen bij ons. Volk dat de ziekte had overleefd, of op de vlucht was voor de oorlog. Sindsdien leven we hier, verscholen. Tot nu toe is dit kamp onze redding geweest. We zijn de laatste voorpost voor het front zes mijl verderop.'

'Jullie kunnen hier blijven zolang jullie willen', ging de oude man verder. 'Je kunt je bij ons aansluiten, als je niet weet waar je heen wilt. We leiden een eenvoudig leven, stellen ons met weinig tevreden. Carin zal je laten zien waar jullie kunnen slapen.'

Adhara juichte inwendig. Het was haar gelukt. Ze had hen overtuigd. Ze konden daar blijven om weer op krachten te komen en daarna hun tocht voortzetten. Dit was ook het moment om uit te zoeken wat er met haar aan de hand was. Ze wist niet zeker of ze deze mensen in vertrouwen kon nemen. Wat als ze zouden denken dat ze

de ziekte onder de leden had? Maar ze moest hulp vragen. Ze vermande zich en vroeg Carin, toen ze eenmaal uit de tent waren: 'Zijn er ook priesters in dit kamp?'
'Zeker. Voor als er zieken aankomen. Die proberen we ook zo goed en zo kwaad als het gaat te helpen.' Hij keek haar aan. 'Voel je je niet goed?'
Adhara dacht goed na voordat ze antwoord gaf. Vervolgens liet ze hem haar hand zien. 'Ik weet niet wat het is. Het is een hele tijd na de ziekte begonnen', loog ze. Carin bestudeerde haar hand uitgebreid, terwijl hij hem behoedzaam tussen zijn smalle handen draaide. Zijn huid straalde een aangename warmte uit. Hij streelde met een vinger over een moedervlekje, in de buurt van haar pols. Adhara voelde een rilling over haar rug lopen en trok gegeneerd haar hand weg.
De jongen sloeg snel zijn ogen neer. 'Het spijt me. Ik wilde je niet in verlegenheid brengen. Weet je, ik kende iemand die net zo'n moedervlekje had, op precies dezelfde plek.'
Tot haar eigen verbazing kreeg ze een vaag schuldgevoel over zich.
'Rust nu eerst uit. Onze priester woont in een tent achterin het kamp, niet ver bij de beek vandaan. Je kunt niet missen. Het is de enige donkerrode tent in het hele kamp.'
Toen ze in de slaaptent aankwamen, wees hij haar hun bed aan. Er stonden enkele tientallen veldbedden, duidelijk niet voldoende voor alle bewoners van het kamp.
'Jij en je zus kunnen je hier installeren, maar jullie zullen wel een bed moeten delen.'
'Geen enkel probleem. Daar zijn we aan gewend', antwoordde Adhara.

Carin glimlachte en bleef toen aarzelend staan. Adhara had het helemaal gehad. 'Hartelijk bedankt voor alles', zei ze.

De jongen keek haar verdrietig aan. 'Het spijt me van zonet, maar ze is geen moment uit mijn gedachten, hoelang het ook geleden is', verklaarde hij met gebroken stem. 'En ik mis haar ontzettend.'

Adhara beroerde even zacht troostend zijn schouder.

'Elyna ...' prevelde hij.

Hij begon te vertellen. Hij moest duidelijk zijn verhaal kwijt, en ze hield zijn hand vast terwijl ze aandachtig toeluisterde. Misschien kwam het doordat ze allebei door verdriet werden verscheurd, maar op de een of andere manier voelde ze zich met hem verbonden.

'Elyna was mijn verloofde. We waren erg jong, maar we zouden snel gaan trouwen. We hielden ontzettend veel van elkaar. Maar de wereld is een afgrijselijke plek en het lot vindt altijd een manier om je in je rug te raken.'

Hij snotterde als een klein kind.

'Nog geen maand voor onze trouwdag stierf ze. Ze was bessen gaan plukken in een bosje vlakbij het dorp. Ik begrijp nog steeds niet hoe ze zich in de soort heeft kunnen vergissen. We hadden ze zo vaak samen geplukt! Toen ze 's avonds niet thuiskwam, zijn we meteen gaan zoeken. We vonden haar onder een boom. Het leek net alsof ze sliep. Maar ze was aan vergiftiging gestorven.'

De tranen rolden over zijn wangen.

'Wat verschrikkelijk', zei Adhara.

Hij droogde zijn tranen met de rug van zijn hand. 'Ik heb het nooit kunnen aanvaarden. Alle ellende die we daarna meegemaakt hebben, is voor mij enkel een gevolg van die eerste tragedie. Ik voel me niet meer thuis op deze wereld. Ik laat me leven, in afwachting van een goede reden om Elyna niet te volgen.'

Precies wat ik voor Amhal voel.

Carin keek haar aan en vroeg: 'Wil je haar zien, mijn Elyna?'

Er ontsnapte hem een glimlachje bij het zien van Adhara's verbaasde blik.

'Ik heb altijd graag getekend en ik heb een hele serie portretten van haar gemaakt. Ik had ze allemaal bewaard, maar ze zijn verbrand toen we het dorp verlieten. Eentje heb ik er kunnen redden.'

Heel voorzichtig, alsof het een kostbaar relikwie was, haalde hij een vergeeld, morsig velletje papier uit zijn broekzak. Hij vouwde het langzaam open. Het papier kraakte tussen zijn vingers. Adhara's hart stond stil.

'Mijn Elyna ... ze was nog mooier dan ze hier lijkt ... Wat zou ik er niet voor geven om haar hier bij me te hebben.'

Elyna was een meisje geweest met donker, lang, stijl haar dat een mager gezicht omlijstte. Ze had een hoog voorhoofd, ronde wangen, een rechte neus en een kleine, maar mooi gevormde mond. Elyna glimlachte haar verlegen toe vanaf dat oude stukje papier. Het werd Adhara ijzig om het hart. Dat verlegen glimlachende gezicht ... was het hare.

98

9
IN HET LICHAAM VAN EEN ANDER

Amina leek opgeknapt van haar bad in de beek. Schoon, uitgerust en met een bijna tevreden uitdrukking op haar gezicht, liet ze zich op hun bed vallen, in de lege tent. Ze slaakte een diepe zucht.

'We hebben er goed aan gedaan om hier te stoppen. Het lijken me echt fijne mensen. Heb je al iemand over je hand verteld?'

Adhara gaf geen antwoord. Roerloos op het randje van het bed gezeten groef ze in haar geheugen naar herinneringen aan Carin en haar oude leven. Maar hoe ze zich ook inspande, er kwam niets bovendrijven.

'Adhara?' Amina's schelle stem bracht haar met een schok terug tot de werkelijkheid. 'Hoor je me? Heb je je hand al aan een priester laten zien?'

Ze schudde haar hoofd. Haar ziekte was opeens naar de achtergrond verschoven. Ze had iets enorms ontdekt die middag, iets wat naar onbekende werelden voerde. Ook zij had een verleden gehad. Een vader, een moeder, een grote liefde zelfs. En een huis, in een land. Wat voor iemand was die Elyna? Leek ze op de Adhara van nu?

'Wanneer denk je hem een bezoek te gaan brengen? Ik

neem aan dat we hier niet lang blijven. Het front is vlakbij en ik maak me sterk dat we San daar vinden ...'

San. Amhal. Haar heden tegenover Carin en een heel
leven waar ze niets van af wist. Maar ze liep niet met haar
eigen gezicht rond in dat kamp. Niemand kon dus weten
wie ze was. Niemand kon haar herkennen.

*Zouden ze me herkennen als ik niet vermomd was? Ben ik
nog steeds het meisje van wie Carin houdt?*

'Ze hebben me uitgelegd waar de tent van de priester
is', zei Adhara verstrooid.

Amina ging rechtop zitten. 'Je doet raar ...'

Ze schudde haar hoofd en forceerde een glimlach. 'Ik
ben gewoon moe.'

'Neem ook lekker een bad in de beek. Het water is ijskoud, maar je knapt er echt van op.'

Adhara knikte, stond op en sloeg het vuil van haar kleren. Ze had al heel lang geen rokken meer gedragen, en
voelde zich er bijna ongemakkelijk in. Ze had een brandend gevoel van onwezenlijkheid over zich.

Ik moet mijn gedachten ordenen.

'Ik ben zo terug', zei ze, en ze ging op weg naar de beek.

Nadat ze zich gewassen had liep ze meteen door naar de
rode tent.

De priester had een gezicht vol rimpels, dun, flets geel-
wit haar, en hij liep enigszins mank. De tafel, met twee
stoelen ervoor, was praktisch helemaal bedekt met ge-
neesmiddelenpotten en paperassen. Op de grond, naast
een door houtworm aangevreten kist, lagen stapels open-
geslagen boeken. Er hing een doordringende kruiden-
lucht in de kleine ruimte. Adhara begon bijna te twijfelen
of de man wel echt een priester was. Hij droeg geen priestergewaad, noch enig Thenaarsymbool, en zijn gezicht

boezemde weinig vertrouwen in. Toch had Carin haar verzekerd dat het een kundige priester was, en dat hij een paar ernstig zieken uitstekend behandeld had.

Hij begon bij haar hand. Hij spreidde haar vingers en bestudeerde ze, met zijn kleine varkensoogjes, aan alle kanten. Als ze Carin niet net had leren kennen, zou Adhara in paniek de benen genomen hebben.

'*Het lijkt op* koudvuur', verklaarde de priester ten slotte. Adhara had hem zo nauwkeurig mogelijk beschreven hoe ze zich voelde tijdens de aanvallen.

'Wat houdt dat in?' vroeg ze.

'Dat je hand aan het afsterven is.'

Ze werd zo bleek als een doek.

'Dat kan gebeuren wanneer de bloedtoevoer wordt onderbroken, bijvoorbeeld door letsel of een infectie. Maar de hand doet geen pijn hè?'

Adhara schudde haar hoofd. 'Soms tintelt hij. Maar ik weet zeker dat ik hem niet bezeerd heb ...'

De priester onderbrak haar. 'Het lijkt op koudvuur,' herhaalde hij, 'maar ik zou er niet op durven zweren. Ik heb nog nooit zoiets gezien. De ziekte kan het niet zijn, want die heb je al gehad. Het moet dus een nieuwe aandoening zijn, of de een of andere vervloeking.'

Dat ontbrak er nog maar aan. Ze vroeg zich af of de Wakers dit op hun geweten konden hebben. Misschien hadden ze haar wel een of ander duivels zegel opgelegd om haar onlosmakelijk aan hen te binden, haar tot hun slavin te maken. Of zou Theana er soms achter zitten? Het zou haar niets verbazen. Van die vrouw kon je echt alles verwachten.

'Hoelang denk je bij ons te blijven?'

Adhara's hart maakte een sprongetje. 'Een dag of wat', antwoordde ze vaag.

'Ik moet jouw geval bestuderen en erover nadenken. Misschien vind ik het antwoord in een van de weinige boeken die ik mee heb kunnen nemen. Het is in ieder geval een niet te onderschatten probleem.'

Hij stond op en haalde een pot met gedroogde kruiden uit de kist. 'Vlaszaad. Dat is over het algemeen goed voor hart en bloedvaten. Neem er wat van als je weer een aanval krijgt', zei hij. Hij schepte er wat van op een doekje en knoopte dat dicht.

Adhara nam het bundeltje aan en bedankte de priester met een buiging.

'Dat is nergens voor nodig. Ik doe gewoon mijn werk. Sinds ik heel mijn familie aan de ziekte heb verloren, is dit kamp alles wat ik heb. Het redden van levens houdt me op de been.'

Met het bundeltje tegen zich aangedrukt verliet Adhara de tent.

's Avonds kregen ze in dezelfde tent net zo'n sober maal voorgeschoteld als eerder die dag, maar de sfeer van jovialiteit maakte alles weer goed. Het leek alsof de wezen en gewonden één grote familie vormden. De porties waren afgestemd op de leeftijd en de gezondheidstoestand van de verschillende kampbewoners, maar desondanks bood iemand Adhara een stukje brood van zijn eigen rantsoen aan. Carin was naast haar gaan zitten.

Adhara vroeg zich af of hij echt niets van zijn oude liefde in haar herkende. Zij voelde een spontane sympathie voor hem, en ze hunkerde naar een flikkering van de liefde die er tussen hem en Elyna bestaan had.

Na alles wat ze had doorgemaakt, was ze ervan overtuigd geraakt dat ze geen verleden meer nodig had, dat ze genoeg had aan het heden. Maar dat was een dwaze gedachte. Het waren juist de herinneringen, de vriendschappen en relaties die iemand levend maakten. De afgelopen maanden was ze niets anders geweest dan een weerspiegeling van zichzelf. Nu ontdekte ze dat alles wat ze gewenst had, zich hier bevond.

Na het eten pakte een van de jongens een oude, ontstemde luit. Carin ging naast hem zitten en de kinderen schaarden zich om hen heen, gevolgd door een groot deel van de kampbewoners.

Begeleid door de luit begon Carin zingend een verhaal te vertellen, en Adhara begreep dat het over Elyna ging. Ze kon het in zijn ogen lezen en horen aan het beven van zijn stem. Ze luisterde geboeid toe, terwijl ze zich inleefde in de prinses die op een dag, terwijl ze bessen verzamelde, insliep en nooit meer wakker werd. Onverwachts werd het verleden dat haar kwelde de hoeksteen voor haar heden. Na afloop van de ballade vatte ze moed en stapte ze op Carin af.

'Hou je nog steeds van haar?' vroeg ze plompverloren.

Hij keek haar verbaasd aan. 'Van Elyna bedoel ik. Hou je nog steeds van haar?'

Zijn voorhoofd vertrok in een diepe frons van verdriet. 'Ja', antwoordde hij.

'En als ze terug zou kunnen komen?' vroeg ze met verstikte stem.

Dit keer keek Carin haar verwijtend aan. 'Ze is dood', zei hij zachtjes.

'Dat weet ik. Maar, stel dat het onmogelijke gebeurt … Het spijt me, soms zou ik willen dat het onherstelbare minder … definitief was.'

De uitdrukking op Carins gezicht verzachtte. 'Wie zou dat niet willen? Maar ga nu eerst lekker slapen. Het is een lange en vermoeiende dag geweest.'

Adhara knikte alleen maar en verdween snel in het duister van het kamp.

Die nacht droomde ze. Ze was in een sprookjesbos en ze voelde zich vrij en gelukkig. Alles was zo schitterend, het licht zo helder en zuiver. En ze was niet alleen. Carin was bij haar. Ze speelden verstoppertje en ze lachten. Alles was eenvoudig en perfect. En als ze elkaar kusten was dat zoiets natuurlijks dat ze zich zonder remmingen aan zijn omhelzing overgaf. Hij deed haar geen pijn, zoals Amhal. Zijn kussen waren liefdevol, teder. Alles was zo heerlijk normaal dat ze met vochtige ogen van ontroering wakker werd.

Amina lag rustig naast haar te slapen. Het was schemerig in de tent, en de slapende personen op de andere bedden vormden een onwerkelijke omgeving die aansloot bij de poëzie van haar droom. Op dat moment nam ze een besluit. In een opwelling. Alsof het terugvinden van Amhal niet meer het enige doel van haar vreselijke reis was.

Opeens, in het licht van die droom, leek niets van vroeger meer belangrijk.

De volgende ochtend werden de meisjes allebei vroeg wakker. Ze gingen naar buiten, en Adhara vertelde Amina wat de priester gezegd had en liet haar het vlaszaad zien.

'Dus jij bent van plan om te blijven', concludeerde de prinses met een uitdagende blik in haar ogen.

'De tijd die nodig is om te begrijpen wat ik mankeer.'

Er volgde een geladen stilte.

'Vind je dat een probleem?'

Amina sloeg haar benen over elkaar. 'Nee, maar het front roept me, net zo goed als dat het jou roept.'

'Ik ben heus mijn missie niet vergeten', verdedigde Adhara zich.

'Dat hoop ik. Wat mij betreft hebben we genoeg uitgerust en is het hoog tijd om in actie te komen.'

'Laten we nog twee dagen blijven', stelde Adhara voor. Het had geen zin om haar nu iets uit te leggen. Amina wist niets van haar voorgeschiedenis en ze zou er ook niets van begrijpen.

'Vooruit dan maar', antwoordde Amina na een tijdje. 'Laten we voorlopig het drankje weer nemen. We hebben nog een paar uur voordat het uitgewerkt is, maar we kunnen beter het zekere voor het onzekere nemen.'

Adhara pakte het flesje uit haar tas en reikte het Amina aan.

'En jij?' vroeg Amina.

'Ik heb het al ingenomen', loog ze. De zon was net begonnen zijn boog aan de hemel te beschrijven. Nog een paar uur. Nog een paar uur en het was zover.

Adhara's handen waren klam van het zweet. Nog even en het drankje zou zijn uitgewerkt. Ze stond Carin voor zijn tent op te wachten.

Toen hij eindelijk arriveerde, met een bijl in zijn hand, nam ze niet eens de tijd om hem te begroeten. 'Kun je even met me meekomen?' vroeg ze. Verbaasd volgde hij haar.

Ze bracht hem naar hun slaaptent, in de hoop dat er niemand was. Het was halverwege de ochtend. Bijna iedereen was druk bezig met de dagelijkse kampwerkzaamheden. Nadat ze op haar bed waren gaan zitten, viel er een gordijn van verlegenheid tussen hen in. Adhara had geen idee hoe ze moest beginnen.

'Wil je me ergens over spreken?' kwam Carin haar tegemoet.

Maar plotsklaps werd hij zo bleek als een doek. En Adhara wist wat er gebeurd was. Haar echte gezicht was tevoorschijn gekomen. Ze was weer Elyna, zijn grote liefde. 'Je ogen ... Alleen waren de hare anders gekleurd ...' fluisterde Carin ongelovig. Hij streek met zijn hand langs haar kaaklijn, en Adhara genoot met volle teugen van dat moment.

Maar binnen een seconde was de betovering verbroken. De vonk van tederheid die ze in Carins ogen gezien had, doofde plotseling. Vol angst en afgrijzen staarde hij haar aan. Hij week achteruit alsof hij bang voor haar was. 'Wie ben je?' prevelde hij.

Adhara liep op hem toe. 'Ik ben Elyna. Herken je me niet?'

Hij kwam tot zinnen, razend. 'Elyna is dood.'

'Ja, maar ... het is een lang verhaal. Ze hebben me weer tot leven gebracht, en ...'

Ze probeerde een hand naar hem uit te strekken, maar Carin begon te schreeuwen. Meteen verschenen er twee mannen in de ingang, met hun wapens in de aanslag. Buiten ontstond een oploop van nieuwsgierigen.

'Ik ben het!' riep Adhara. Ze kreeg de dorpsoudste in het oog en ging ervan uit dat hij naar haar zou luisteren.

Maar ze las enkel kille afschuw in zijn blik.

Adhara gaf zich niet gewonnen. 'Waarom doen jullie zo? Ik ben Elyna. Ik weet dat het ongelooflijk is maar ik ben teruggekomen. Een sekte waanzinnigen, de Wakers, hebben me weer tot leven gebracht, en ...'

De eerste die op haar afstormde was een vrouw met een kei in haar hand. Ze raakte haar aan een arm. Vervolgens begon een man haar met een stok te bewerken. Adhara trapte en sloeg als een razende van zich af en schreeuwde al haar verbazing en woede naar de hemel.

Had Carin het zelf niet gezegd? Dat hij er alles voor over zou hebben om haar terug te krijgen? Was dat niet wat iedereen wilde? Zijn dierbaren terugkrijgen?

Uiteindelijk moest ze het afleggen tegen de man. Een slag tegen haar hoofd, en Adhara voelde zich wegglijden, in het niets. Nog voor hij goed en wel begon, was haar droom vervlogen.

10
ZWAKHEDEN

Iemand achter haar. Ze hoorde het suizen van een zwaard vlak boven haar hoofd. Ze kon nog net op tijd wegduiken. De kling sneed alleen een lok wit haar af. Ze draaide zich om, sloeg in wilde weg om zich heen. Het regende en het water stroomde over haar gezicht, belette haar het zicht, terwijl de modder zich met bloed vermengde, haar laarzen uitgleden in de glibberige modder, en haar greep om haar zwaard steeds onvaster werd. Ze had raak gestoken, want de bloedspetters vlogen in het rond. Vóór haar viel een lichaam met een bons op de grond.

Dubhe had noch de tijd om blij te zijn, noch om op adem te komen. Er kwam een vrouw met haar zwaard in de aanslag op haar afgerend. Er waren veel vrouwen onder de vijandelijke gelederen. Ze waren bloedmooi en dodelijk. Te lenig, te snel.

Haar tegenstandster vocht met twee zwaarden tegelijk en hanteerde ze allebei even behendig. Vermoeid ging de koningin in de verdediging, terwijl ze haar best deed haar evenwicht niet te verliezen.

Waarom kost het die elf geen enkele moeite?

Een koprol en de kling bevond zich op een haarbreedte van haar keel. Ze slaagde erin de steek af te weren met haar metalen armbeschermer en deed meteen een uitval, maar miste. Opeens voelde ze een brandende pijn aan haar been. Ze was geraakt. Haar been begaf het en ze viel op haar knieën. Toen ze opkeek zag ze een stukje grijze en melkwitte hemel tussen de wolken. De nachten waren helder, hier in Waterland. De krijgsvrouw stond boven haar, met een meedogenloos gezicht, glinsterend staal.

Om haar heen enkel het zachte geluid van de regen dat Dubhe deed denken aan haar jeugd, haar tijd met de Meester, een leven eerder, en haar tijd met Learco.

Dus dit was het einde?

Haar tegenstandster keek haar vol haat aan, terwijl ze de twee klingen om haar hals kruiste. Wie weet of ze wist dat ze op het punt stond de keel van de koningin door te snijden. Van de opperbevelhebber van de Verenigde Troepen van de Verrezen Wereld, de nieuwe, hoogdravende naam die hun leger onlangs gekregen had.

Dubhe weerstond haar blik.

Toen hoorde ze plotseling een gedempt gekreun, en zag ze een flink stuk van een kling uit de borst van de krijgsvrouw tevoorschijn komen. Dubhe kon haar lichaam nog net ontwijken, voordat het op de grond plofte. Erachter ontwaarde ze het gezicht van een van haar oppassers, een lange, magere jongen.

'Gaat het?' vroeg hij.

Dubhe knikte alleen maar, terwijl ze tevergeefs probeerde op te staan. 'Op een probleem aan mijn been na', zei ze.

'We zijn hier zover klaar. Ik help u', zei de jongen. Hij reikte haar zijn hand. In tegenstelling tot zijzelf had hij een vaste, stevige grip. Dubhe bekeek haar rimpelige arm en voelde zich ouder dan ooit.

Wat doe ik hier nog?

Eenmaal overeind, wankelde ze op haar benen.

'Is het een diepe wond?' vroeg de soldaat.

Dubhe schudde haar hoofd. 'Een schaafwond, maar toch lukt het me nauwelijks om rechtop te blijven staan.'

Om hen heen enkel lijken van elfen en menselijken. Overal de lucht van bloed. De arrogantie van de elfen dreef hen er vaak toe om zich voorbij het front te wagen, om poolshoogte te nemen, maar vooral om hun tegenstanders af te matten met verrassingsaanvallen. Daarom had Dubhe bevel gegeven tot deze nachtelijke aanval op het handjevol soldaten dat ze op hun gebied hadden ontdekt.

Terwijl ze naar het kamp hinkte, telde ze de lichamen. Tien elfen. Zeven menselijken. Was het echt de moeite waard geweest?

Dubhe werd voortdurend gekweld door gevoelens van kwaadheid en frustratie. Ze slaagde er nauwelijks in zich goed te houden voor de priester die haar wond verzorgde.

Acht dagen geleden was ze aan het front gearriveerd. Uiteindelijk had ze een beslissing genomen. Ze was op Kalth toegestapt en had hem simpelweg meegedeeld dat ze de volgende dag zou vertrekken. Hij had enkel geglimlacht.

'Wel? Wat zeg je ervan?'

'Dat ik helemaal achter je beslissing sta', had haar kleinzoon verklaard. 'Ik red me hier wel.'

'We moeten nauw contact blijven houden. Ik zal eens in de maand hierheen komen om verslag uit te brengen. En aarzel niet om je, om wat voor reden dan ook, met me in verbinding te stellen. Ook daar hebben we magie voor.'

110

Op de bastions van het Legerpaleis had hij afscheid van haar genomen, voordat ze wegvloog op de rug van Learco's draak. Kalth had hen nagekeken totdat ze een stipje aan de horizon waren geworden.

Ze had zich halsoverkop weer in de strijd gestort, een kracht zoekend die ze niet had. Ze had tegelijkertijd zowel haar spionnen als de soldaten aan het front geleid. Zonder zichzelf te sparen, want ze voelde dat haar ontmoedigde soldaten vooral behoefte hadden aan een commandant die niet bang was voor bloed en dood, één die bereid was om samen met hen zijn leven te geven, en samen met hen de stank van het slagveld te ondergaan. Pas toen was ze zich goed bewust geworden van de beperkingen van haar lichaam.

Zolang ze zich in de paleistuin in vorm hield met een uurtje training per dag, kon ze zichzelf wijsmaken dat ze nog steeds de Dubhe vroeger was, dat de spieren onder haar dunne, gerimpelde huid nog steeds op ieder moment in actie konden komen. Maar dat was niet zo. Ze had bijna de zeventig bereikt. De tijd had zijn werk gedaan. Op het slagveld was ze binnen de kortste keren moe. Haar zintuigen waren minder scherp, en ze kon de bewegingen van de vijand niet meer zo prompt voorzien als vroeger.

'Mijne vrouwe, u bent de opperbevelhebber. U hoort op de verbindingslijn te blijven', zei Baol, haar oppasser. Maar zij wilde op het slagveld aanwezig zijn, zodat haar soldaten haar konden zien. Ze kon hen niet alleen laten. Anders zou alles wat ze tot dan toe gedaan had nutteloos zijn geweest.

Die nacht had ze zich aangesloten bij het peloton dat een hinderlaag voor de elfen zou leggen. Voor haarzelf was het vooral een wraakactie geweest. Vier dagen eerder had ze een van haar soldaten op de generaal van de

111

elfen afgestuurd, met de opdracht deze te vermoorden. Dubhe wist dat moord voor hun kleine en uitgeputte leger het belangrijkste wapen was om de vijand tot staan te brengen. Het was een simpele tactiek: verwarring stichten door het uitroeien van de aanvoerders, en dan aanvallen voordat de vijand zich kon herorganiseren. Vele jaren eerder had ze bij het lichaam van haar Meester gezworen dat ze nooit meer een moord zou plegen. Maar dit was een noodsituatie, een noodzaak die boven haar persoonlijke beloftes uitsteeg.

Ze had een veelbelovend meisje, Tara, voor de missie uitgekozen. Dubhe rekende op haar. Ze was de beste. Tara was vol vertrouwen vertrokken, maar niet teruggekeerd de volgende ochtend. Haar resten troffen ze hangend aan een boomtak aan, als teken van minachting. Dubhe was zo verdrietig en kwaad geworden dat ze haar vuisten tot bloedens toe gebald had.

Voor háár had ze het slagveld betreden, want niemand kon haar soldaten zoiets aandoen zonder ervoor te boeten. Niemand.

'Klaar', zei de priester. Hij kwam overeind. 'U zult een paar dagen voorzichtig aan moeten doen, maar het is niets ernstigs. Dit kunt u erop smeren.' Hij overhandigde haar een flesje met een groenige, stroperige substantie.

Ze bedankte hem met een hoofdknikje en verzocht hem haar alleen te laten. Zonder verder nog iets te zeggen verliet de priester haar tent.

Dubhe bracht een hand naar haar ogen. Ze voelde de dunne huid onder haar vingertoppen. Ze streek over haar gezicht. Rimpels. Een landkaart met verzakkingen en groeven. Ze had er nooit veel aandacht aan besteed, omdat ze niet ijdel was. Maar de oorlog was een zaak van de jongeren, en juist die werden erdoor opgeslokt. Zoals de lichamen die ze op de open plek had gezien. Zij kon niets doen om hen te helpen. Als Baol haar leven niet gered had, zou ze er nu niet meer zijn. Een beklemmend gevoel van machteloosheid maakte zich van haar meester.

Toen ze opstond schoot er een pijnsteek door haar been. Geïrriteerd dwong ze haar lichaam te doen wat zij wilde en liep ze naar de tafel.

Ze pakte een pen. In heel haar leven had ze maar één betovering geleerd: het versturen van berichten over grote afstanden, een betovering die binnen ieders bereik lag. Ze maakte er iedere avond dankbaar gebruik van.

Zuchtend begon ze de woorden op te schrijven, in een handschrift dat met de jaren steeds onregelmatiger was geworden.

'Dit is hun positie in Waterland', verklaarde Kalth aan de generaal en twee adviseurs, terwijl hij na het lezen van de brief van zijn grootmoeder een punt op de kaart aanwees. Hij zette een kruisje bij een afgelegen dorp. Het was een haastig georganiseerde bijeenkomst om de balans van de situatie op te maken. Hij wilde laten zien dat hij precies wist wat hij moest doen, en dat hij constant bovenop de oorlogssituatie zat. De regering overnemen was één ding, maar zijn geloofwaardigheid bewijzen was iets anders. Zonland had al eens eerder een kind als koning gehad. Zijn overgrootmoeder had op vijftienjarige leeftijd de troon bestegen. Kalth had zichzelf voor overdag een strikte zelfbeheersing opgelegd, terwijl hij zich 's nachts in zijn boeken verdiepte. Hij moest alles weten. Hij moest overal van op de hoogte zijn en kon het zich niet veroorloven om fouten te maken.

113

'Hoe actueel is deze informatie?' vroeg een van zijn raadgevers.

Kalth omklemde het perkament. Zijn grootmoeders woorden onder zijn vingertoppen gaven hem een gevoel van zelfvertrouwen. 'Dit bericht is twee dagen oud. De koningin doet me bijna dagelijks verslag.'

Kalth besloot de stilte die volgde meteen op te vullen. 'Volgens mij past de koningin de beste tactiek toe. De guerrilla is ons enige wapen, en de doelgerichte moorden zullen binnenkort hun eerste resultaten opleveren. Gisteren nog is er een peloton van de elfen van zijn aanvoerder beroofd. Alleen de soldaten zijn overgebleven. De aanval vindt als het goed is morgen voor zonsopkomst al plaats.'

Opnieuw stilte.

'Vragen?'

Geen reactie.

'Dan beschouw ik deze bijeenkomst als gesloten. We zien elkaar over drie dagen weer, wanneer we het antwoord van de Gezonken Wereld binnen hebben.'

Hij was op het idee gekomen. Manschappen om het leger te versterken en priesters om de ziekte te bestrijden, in ruil voor opening van de handel met de Verrezen Wereld zodra de noodsituatie voorbij zou zijn. De Gezonken Wereld was altijd ruimschoots in staat geweest om zichzelf te voeden, maar de afgelopen jaren had er een ware bevolkingsexplosie plaatsgevonden. Die had het productievermogen van het onderwaterrijk zwaar op de proef gesteld. Omdat de sociale druk steeds groter werd, waren ze gedwongen zich tot de Verrezen Wereld te wenden.

Zonder een woord te zeggen stonden de drie heren op en liepen achter elkaar aan naar buiten. Kalth bleef alleen achter bij het zwakke en lugubere fakkellicht.

Hij bleef even in gedachten zitten. Hij wilde zich alleen

nog maar ontspannen, maar het masker dat hij de hele dag droeg zat zo strak dat het hem moeite kostte om het af te zetten.

Ten slotte stond hij op en verliet hij de ruimte.

'Mijn heer?' Zijn oppasser, achter de deur, wachtte op bevelen. Voordien had niemand hem zo genoemd. Iedereen beschouwde hem als het prinsje. Hij had zelf geëist om als een koning behandeld te worden, omdat hij wist dat macht onlosmakelijk verbonden is met een reeks rituelen, om het ontzag en de eerbied in te boezemen die nodig zijn om te regeren.

'Het is genoeg geweest voor vandaag. Breng mijn slaapkamer in orde voor de nacht.'

De tijd dat z'n moeder hem naar bed bracht was voorbij. Ja, zijn moeder. Hij liep naar haar kamer, zoals iedere avond. Hij zou haar zo graag goed nieuws willen brengen, iets wat de pijn van het verterende wachten kon verzachten. Maar de spionnen van zijn grootmoeder hadden een paar uur eerder nog gerapporteerd dat ze geen spoor van Amina hadden gevonden. Zijn zus leek van de aardbodem te zijn verdwenen. Kalth wist dat dat erger was dan een doodsvonnis. De onzekerheid was een voedingsbodem voor de ijselijkste nachtmerries, en verergerde zijn moeders depressie. Zijn enige troost was dat Amina in gezelschap van Adhara verkeerde. Hij had meteen begrepen dat dat meisje speciaal was. Het gaf hem hoop.

Het paleis was huiveringwekkend leeg. De stilte gonsde in zijn oren als een voorbode van de dood. Hij probeerde zich op het ritmische geluid van zijn voetstappen te concentreren. Gejaagd liep hij door de gangen, alsof er ieder moment iets uit de spookachtige duisternis tevoorschijn kon komen om hem te verslinden. Tegen alle logica in was hij bang. In wezen was hij nog een groot kind.

De geruststellende omhelzing van zijn moeder had nog steeds een kalmerend effect op hem. Eenmaal voor haar kamerdeur nam hij even de tijd om een waardige houding aan te nemen. Hij klopte een paar keer. Zoals gebruikelijk kwam er geen reactie. Dus ging hij maar gewoon naar binnen. 'Ik ben het, mama', zei hij. Fea zat bij het raam. Zo bracht ze al haar dagen door, starend naar de hemel of naar de weinige angstige voorbijgangers die door de straten van Nieuw Enawar liepen. Iedere dag was identiek aan de vorige. Kalth liep langzaam op haar toe. Het was koud in haar slaapkamer en het rook er naar schimmel. Hij ging naast haar zitten en pakte haar handen vast. 'Hoe gaat het, mama?'

Fea gaf geen antwoord. Met een lijdende blik keek ze naar buiten, het donker in.

Zoals altijd vertelde Kalth haar over zijn dag. Hij wist dat zijn verslag aan haar verspild was, maar voor hem was het nuttig, om zijn gedachten te ordenen, zijn conclusies te trekken en zich voor te bereiden op de problemen van de dag van morgen.

'En Amina?' Haar ingehouden stem deed hem uit zijn gedachten opschrikken.

Kalth slikte. 'Met haar gaat het goed', zei hij glimlachend. 'Ze heeft me gisteren nog geschreven.' Hij haalde de brief van zijn grootmoeder uit zijn zak, vouwde hem open, en deed alsof hij hem voorlas.

'Lieve mama, lieve broer, ik hoop dat het goed met jullie gaat. Ik logeer bij een familie die het me aan niets doet ontbreken. Jullie hoeven je dus geen zorgen over mij te maken.'

Verhalen die hij ter plekke verzon. Verhalen over een rustige reis, in een vredige, en verzonnen Verrezen Wereld. Fea luisterde altijd geboeid toe en ze deed in ieder geval haar best om hem te geloven. Dus stelde hij haar tevreden door een beeld te schetsen van een Amina die Fea die altijd gewenst had: sterk, lief en vriendelijk.

'Maar waarom komt ze niet terug?' vroeg Fea. Elke avond dezelfde vraag.

'Dat komt nu. Luister: *Ik zou heel graag nu meteen naar huis terugkomen, maar ik heb gehoord dat het op het moment een riskante reis is. Dus jullie moeten nog even geduld hebben. Ik vind het vreselijk dat jullie je zorgen maken, maar dat hoeft echt niet. Ik ben in veiligheid.*

Ik mis jullie, Amina. Dat was het.'

Langzaam vouwde Kalth de brief weer dicht en sloot zijn hand om die van zijn moeder. 'Heb je het gehoord? Het gaat goed met haar. Zodra het kan, komt ze terug.'

Fea knikte, met een blije glimlach op haar gezicht. 'Jij beschermt haar, hè, wanneer ze terugkomt?' vroeg ze.

'Je weet best dat ik haar altijd beschermd heb', antwoordde Kalth met trillende stem. Hij dwong zichzelf tot een glimlach. 'Wil je gaan slapen?'

Ze knikte. Hij hielp haar in naar bed, stopte haar in en gaf haar een kus op haar voorhoofd.

'Zeg morgen tegen de dienstmeid dat ze Amina's kleren laat luchten. Ik wil dat ze alles zo aan kan, wanneer ze terugkomt.'

'Dat zal ik doen. Welterusten.' Fea hoorde hem al niet meer. Ze was al ingedut.

Kalth bleef even naar haar staan kijken en verliet toen de kamer. Eenmaal weer alleen voelde hij dat zijn ogen vochtig werden. Ook hij had graag een troostend woord gehoord. Het liefst had hij zich in de armen van zijn moeder gestort om het verdriet uit te huilen dat hij voor de hele wereld moest verbergen. Maar dat kon hij niet doen.

117

Dat was verleden tijd. Hij herlas de laatste regels van het verslag van zijn grootmoeder, die alleen voor hem bestemd waren.

Geef vooral niet op. Je moet sterk zijn. Ik ben bij je.

II
EEN ONTMOETING
TUSSEN DE VLAMMEN

'Ben je nu tevreden?'

Adhara bleef naar de grond staren.

'Ze hebben gezegd dat ze mij zo snel mogelijk naar huis sturen. Ze hebben al een bericht naar het paleis gestuurd', vervolgde Amina onverstoorbaar. Ze zaten sinds anderhalve dag gevangen in een houten hok, en ook voor Amina was de betovering uitgewerkt. Toen Amina's ware gezicht tevoorschijn was gekomen, had een soldaat haar herkend. Ze hadden haar bevrijd en met eerbied behandeld, maar zij had meteen een vluchtpoging gedaan. Dus hadden ze haar weer opgesloten, totdat ze naar het paleis gebracht zou worden.

Adhara bekeek haar polsen, die met een stuk henneptouw aan elkaar gebonden waren. Als ze haar best deed, zou ze zichzelf waarschijnlijk kunnen bevrijden, maar het ontbrak haar aan de kracht en de wil om te ontsnappen.

Ze had weer een aanval gehad en ze voelde zich leeg en uitgeput. Haar gedachten werden beheerst door haar inmiddels rode hand.

'Wat was je nu eigenlijk van plan? En waarom heb je

mij daarin meegesleept? Je had me de kans moeten geven om te vluchten, om mijn eigen weg te gaan!'

Ja, hoe had ze het in haar hoofd gehaald om haar echte gezicht te laten zien? Het was pure waanzin geweest. Het was logisch dat ze bang voor haar waren geworden. Want zij was Elyna niet. De persoon die Elyna geweest was, van wie die mensen gehouden hadden, was in het graf verdwenen.

Amina pakte haar bij haar kraag. 'Speel nu niet de beledigde onschuld! Geef antwoord!'

Adhara keek haar aan met een lege blik. Ze was het meisje op zijn minst een uitleg schuldig, bedacht ze.

'Wil je de waarheid weten?' Ze vertrok haar gezicht in een grimas. Amina keek haar onbegrijpend aan. 'Ga dan zitten, want het is een lang, en allesbehalve vrolijk verhaal.'

Ze vertelde haar alles, bijna met wreedheid, zonder iets weg te laten. Ze begon bij het laboratorium van de Wakers, waar zij - wat ze ook mocht zijn - uit dood vlees was geboren. Ze vertelde haar over de sekteleden en hun vermogens. Toen ze ten slotte bij het hoofdstuk over Carin was aanbeland, probeerde ze, nog vóór Amina, te begrijpen wat haar nu eigenlijk bezield had.

'Ik zag het als mijn kans om een normaal leven te gaan leiden. Toen ik hem over dat meisje hoorde praten, dacht ik dat het misschien een startpunt kon zijn, een manier om helemaal opnieuw te beginnen, of om Elyna's leven weer op te pakken waar het gestopt was.'

Ze zweeg, en het werd stil in het hok. Alleen het geritsel van de blaadjes boven hen was te horen.

Amina zat doodstil in een hoekje naar haar te staren. 'Wanneer had je me dit willen vertellen?' siste ze.

'Het is er gewoon nooit van gekomen. Ik heb ontdekt

waar ik vandaan kom op de dag dat je vader stierf. Daarna hebben we niets anders gedaan dan vluchten.'

Amina glimlachte bitter. 'Zeg maar eerlijk dat je nooit van plan bent geweest om mij in vertrouwen te nemen.'

'Wat zou jij hebben gedaan in mijn plaats? Ik wilde er niet over praten omdat ik wilde vergeten waar ik vandaan kwam.'

'Jij hebt me nooit vertrouwd! En je probeert al de hele reis om van me af te komen!' antwoordde het meisje op uitdagende toon. 'Jij hield je geheimen vóór je terwijl ik mijn leven heb gewaagd om je van Theana te bevrijden! En toen je besloot om met de waarheid voor de dag te komen, heb je dat buiten mij om gedaan, zonder je een moment druk te maken over wat er met mij zou gebeuren!'

'Zo is het genoeg!' Adhara kon haar oren niet geloven. 'Heb je ook maar enig idee hoe ik me voel?' vroeg ze ongelovig.

'En jij? Heb je ook maar een moment stilgestaan bij de gevolgen voor mij en mijn missie?'

'Jij denkt altijd alleen maar aan jezelf!' beet Adhara haar toe. 'Je hebt nog nooit geluisterd naar een woord dat ik tegen je gezegd heb. Het interesseert je geen zier wie ik ben en hoe ik daaronder lijd.'

Amina leek even van haar stuk gebracht. 'Dat is niet waar ...'

'Nee? Ik zie het aan je gedrag sinds we onderweg zijn. Je bent niet meer de Amina van vroeger.'

'Dat kan toch ook niet anders!' schreeuwde Amina. Ze barstte opeens los, alsof ze zich al veel te lang ingehouden had. 'Hoe kun je zelfs maar denken dat alles wat er gebeurd is mij niet heeft veranderd? Terwijl jij je koesterde in je romantische dromen en de vraag wie je gemaakt heeft en waarom, heb ik geen moment vrede gehad. Ik droom iedere nacht van mijn vader! Jouw stomme problemen en je onzinnige geschiedenis kunnen mij gestolen worden!'

Ze trapte zo hard tegen het stro dat ze omviel. 'Verdomme!' schreeuwde ze. Ze bleef met haar hoofd tussen haar knieën op de grond zitten. Maar ze huilde niet. Ze haalde hijgend adem. Adhara begreep dat ze ongeneeslijk bezeten was door wraak. Eindelijk had ze haar spel door. Ze besefte dat Amina zich door niets en niemand zou laten tegenhouden. Ze zou zelfs háár vermoorden, als ze haar ook maar een voet dwars zette.

Knarsend ging de deur open. Een soldaat bleef aarzelend in de deuropening staan. Toen liep hij naar binnen en legde voorzichtig een hand op Amina's schouder.

'Uwe Hoogheid, het is tijd om te vertrekken.'

Amina schudde smekend haar hoofd. 'Alsjeblieft, laat me vrij, ik smeek het je …' Ze probeerde zich los te wringen. Ze sloeg en trapte om zich heen als een dol geworden beest.

Adhara keek toe. De gelukkige dagen die ze samen hadden doorgebracht waren voorgoed geëindigd. Maar het meisje liet haar niet onberoerd. Ze moest haar tegen zichzelf beschermen, voor haar eigen bestwil. Daarom hielp ze de soldaat. Ze slaagde erin Amina bij een voet vast te grijpen, en daarna klemde ze haar arm rond haar andere been. 'Nu', zei ze kil tegen de soldaat, die haar onzeker aankeek.

'Waarom doe je me dit aan? We waren vriendinnen!'

'Vooruit!' zei Adhara bijna geërgerd, waarna de man eindelijk besloot zijn plicht te doen.

Hij trok haar aan haar armen naar buiten.

'Ik haat je, ik haat je!' gilde Amina.

Adhara ging op de grond liggen, met haar gezicht tegen de vloer gedrukt. Nu was ze echt alleen, zonder enige hoop.

Carin kwam tegen de avond. Adhara hoorde zijn lichte tred dichterbij komen. Voor hem was het natuurlijk ook niet gemakkelijk. Het lichaam waarvan hij gehouden had bevond zich daar voor hem. Maar het werd niet door Elyna, maar door een vreemde, een vijand, bewoond. Hij was met zijn vader. Afwijzend, kil en streng. Adhara ging rechtop zitten.

'We hebben de waarheid gehoord', begon de oude man. Je zult snel naar Nieuw Enawar worden teruggevoerd, naar de Hoofdpriesteres.'

Adhara liet haar schouders hangen. Het was afgelopen. Na zo ver te zijn gekomen moest ze weer terug naar het beginpunt. Wat haar nog het meest kwaad maakte was dat ze, in wezen, haar zogenaamde lotsbestemming niet ontlopen was. Ze had mijlen en mijlen afgelegd, maar ze was er niet in geslaagd om zich van Theana te verlossen.

'Maar eerst willen wij je nog een paar vragen stellen', ging de oude man verder.

Adhara keek hem verbaasd aan.

'Hoe heetten je ouders?' vroeg Carin.

Haar verleden. Haar leven *ervoor*. Ze beet op haar lip.

'Dat kan ik me niet herinneren ...'

'Waar ben je geboren?'

'Ik weet niets over die tijd.'

Carin leek haar niet eens te horen. 'Hoe noemden je ouders je toen je een peuter was? Waarmee speelde je het liefst? Hoe heette je zus en op welke leeftijd is ze gestorven? Naar welk land zijn je ooms en tante geëmigreerd? En hoe lang is dat geleden?'

'Dat weet ik allemaal niet!' gilde Adhara onbeheerst.

De oude man ging voor de houten tralies staan. 'Waarom heb je haar gezicht dan? Hoe durf je hier te komen en jezelf aan ons, *juist aan ons*, met dat gezicht te vertonen?'

Zijn ogen fonkelden van woede. Adhara besefte in een flits wat de Wakers niet alleen haar, maar ook deze mensen hadden aangedaan.

Hopend een glimp van begrip in zijn ogen te ontdekken richtte ze haar blik op Carin.

'Ik *ben* Elyna', verklaarde ze, terwijl ze dichter bij de tralies ging staan. 'Na haar dood hebben vreselijke mensen op de een of andere gruwelijke manier haar lichaam tot leven gebracht. Geef me alsjeblieft de kans om opnieuw te beginnen', smeekte ze uit het diepst van haar hart. 'Ik weet zeker dat Elyna, als jullie me helpen te herinneren hoe ze was, bij jullie terug kan komen!'

De oude man keek haar vol walging aan, terwijl Carin naar de grond staarde. Hij kon het niet verdragen om haar te zien.

'Hoe durf je ...' zei Carin ten slotte met trillende stem. 'Hoe durf jij, een monster met haar gezicht, zo tegen me te praten, zo over *haar* te praten!'

Adhara sloeg haar ogen neer. Ze waren nat van de tranen.

'Als het aan mij en aan mijn volk had gelegen, hadden we je vermoord', voegde hij toe. 'Maar de Hoofdpriesteres wil je levend, en wij zullen haar gehoorzamen. Je vertrekt morgenochtend vroeg. Dan zal alles afgelopen zijn. Ik hoop met heel mijn hart dat je je verdiende loon krijgt.'

Hij spuugde op de grond, nam zijn vader bij de arm, en liet haar alleen.

De zon achter de omheining kleurde de hemel bloedrood. Adhara kreeg het benauwd. En dat kwam niet door de onbekende ziekte die haar langzaam verteerde, maar door de walging die ze voor zichzelf voelde.

Toen ze wakker werd was het één grote chaos in haar hoofd. Het had lang geduurd voordat ze in slaap viel. De ontmoeting met Carin en zijn vader had haar diep geraakt. Ze wilde alles alleen nog maar vergeten. Moeizaam stond ze op en probeerde een verstikkende angst te onderdrukken. Maar er was meer, een vaag voorgevoel van gevaar.

Op dat moment vulde de lucht zich met een schel gekrijs. Adhara herkende het meteen. Haar adem stokte. Ze zag hem in heel zijn verschrikkelijkheid dichterbij komen. Het enorme zwarte dier, met zijn slangachtige lichaam, had zijn muil al geopend voor de aanval. Even later was alles om haar heen in een verblindende wolk gehuld. Uitzinnig geschreeuw. Kletterende zwaarden. Vlammen.

Een verrassingsaanval.

In het donker van de nacht herkende Adhara de sierlijke lichamen van de elfen. Iets in haar roerde zich. De strijd riep haar, of misschien was het gewoon haar overlevingsinstinct. Het enige wat ze zeker wist was dat ze niet in dat hok kon blijven.

Tevergeefs probeerde ze de tralies te forceren. Ze zag een zwaargewonde man in haar richting kruipen, op zoek naar hulp. Hij was niet meer te redden. Op een paar stappen van haar kooi zakte hij op de grond, met een roestig zwaard in zijn hand. Ze zou er genoeg aan hebben. Als ze zich maar kon bevrijden! Haar enige, wanhopige kans was een brandende struik, vlakbij.

Met veel moeite wrong ze haar armen tot aan haar

ellebogen tussen de tralies door. Ze strekte haar zieke hand uit. Die kon ze beter opofferen dan haar gezonde hand. De hitte was ondraaglijk. Haar huid knetterde bijna terwijl ze de heester aanraakte. Met een bovenmenselijke inspanning pakte ze hem beet, brak er een stuk af en gooide dat tegen een wand van het hok. In een hoekje in elkaar gedoken keek ze toe hoe de vlammen hun werk deden, en begon toen tegen de planken te trappen.

Het duurde niet lang of de houten kooi ontplofte in een regen van vonken. Ze kon een juichkreetje niet onderdrukken. Snel graaide ze het zwaard uit de hand van het lijk. Het stelde nog minder voor dan ze gedacht had, maar dat maakte niet uit. Allereerst sneed ze de touwen ermee door. Daarna omklemde ze het met beide handen, en wierp zich in de strijd. Ze was moe en minder behendig dan anders, maar slaagde er desondanks in zichzelf te verdedigen. Haar opgekropte woede leidde haar lichaam. De tientallen dode lichamen om haar heen keurde ze geen blik waardig. Ze wist dat ze bekende gezichten zou zien. De gezichten van de mensen die haar eerst geholpen, en daarna verjaagd, geweigerd en veroordeeld hadden. Maar daarom verdienden ze het nog niet om zo aan hun einde te komen.

Ze ging zo op in de strijd, in het uiting geven aan haar verdriet, dat ze zich nergens anders meer van bewust was. Totdat ze plotseling werd getroffen door de herinnering aan Amina, als door een scherpe pijnscheut. Ze zat vast ergens in die hel opgesloten. Ze moest haar vinden. Ze moest haar redden.

'Amina!' riep ze.

Duisternis, vuur, stank van bloed en dood: oorlog, in zijn vreselijkste en meest werkelijke gedaante. Adhara wist dat ze hem kende, maar tegelijkertijd walgde ze ervan. Met een zweem van trots begreep ze dat dát gevoel ten minste iets van haarzelf was, van de Adhara die op het veld wakker was geworden en die het lot had geweigerd dat anderen voor haar hadden bepaald.

'Amina!'

Een eerste pijnscheut in haar borststreek. Instinctief bracht ze haar hand naar haar hart.

Nee! Niet nu, niet nu! schreeuwde ze inwendig. Ze strompelde verder, met haar vingers krampachtig rond het handvat van haar zwaard.

'Amina!'

Terwijl ze het steeds benauwder kreeg, zag ze iets uit de vlammen te voorschijn komen.

'Amina, ben jij dat?' vroeg ze hoopvol. Langzaam tekenden zich de contouren af van een lange, magere gestalte. Hij had de brede schouders van een krijger en was gewapend met een lang slagzwaard waar het bloed nog van afdroop.

Nee.

Hij kwam haar richting uit.

Adhara's hart begon als een gek te bonken. Want de jongen die op haar af liep zou ze uit duizenden herkennen. Hij riep eindeloos veel pijn en tederheid, hoop en wanhoop bij haar op.

Ze herkende zijn groene ogen, zijn licht golvende haar, zijn praktisch volwassen lichaam in de zwartleren wapenrusting. Amhal. Dezelfde Amhal van die laatste dag. Dezelfde verloren blik als toen.

Adhara voelde dat haar benen het begaven. Ze had het alleen aan haar wilskracht te danken dat ze overeind bleef staan.

Ze had wekenlang nagedacht over wat ze tegen hem

zou zeggen om hem tot rede te brengen, maar nu hij vóór haar stond vond ze de woorden niet meer.

Ze voelde een tweede aanval opkomen.

Niet nu!

Hij leek haar te herkennen, keek haar aan alsof ze een geestverschijning was. Op zijn borst hing een kunstig bewerkt medaillon van zwart kristal, met in het midden een steen met een purperrode schittering. Adhara zou niet kunnen zeggen of de steen zelf licht uitstraalde of dat het de weerkaatsing van de vlammen was.

Ze spande zich in om niet toe te geven aan de pijn die haar borst verscheurde.

'Hoe kun je? Je bent een mens. Je zou aan de kant van de mensen moeten vechten, zoals vroeger!'

In plaats van te antwoorden hief hij langzaam zijn zwaard op, en ging hij in de aanvalshouding staan. Adhara wist met absolute zekerheid dat ze al bij de eerste aanval het onderspit zou delven. Op hetzelfde moment dat deze gedachte door haar heen schoot, gebeurde er iets. Een schelle kreet, en er kwam een tweede gestalte uit de vlammen tevoorschijn. Adhara herkende haar meteen: Amina. Een nieuwe pijnaanval dwong haar op haar knieën.

Amhal werd overrompeld. Hij viel opzij, terwijl Amina zich gillend op hem stortte, met een zwaard dat ze ergens gevonden moest hebben.

'Verrader, je hebt mijn vader vermoord!'

Ze had totaal geen techniek, enkel dezelfde wanhopige kracht die haar tijdens haar lange tocht op de been had gehouden. Het duurde niet lang voordat Amhal haar vloerde. Een wering en een aanval. Amina's zwaard vloog door de lucht, terwijl zij kermend op de grond viel. Hij moest haar verwond hebben, waarschijnlijk aan haar been. Amhals gezicht verraadde geen enkele emotie. Hij hief zijn zwaard, klaar voor de genadeslag.

Adhara verzamelde al haar krachten en schoot naar voren, net op tijd om het te blokkeren. De terugslag tegen haar polsen deed waanzinnig veel pijn, maar ze zette zich schrap met haar knieën en hield stand.

'Ben je gek geworden?' riep ze. 'Dat is de prinses!'

Amhal leek even getroffen door een flits van bezinning, een sluimerend bewustzijn dat moeite had om aan de oppervlakte te komen. Vervolgens werden zijn groene ogen weer even wreed als eerst. 'Sta op!' siste hij tussen zijn tanden.

Adhara duwde zijn zwaard weg, deed een paar stappen achteruit, wankelde.

Ik kan het niet.

Maar ze kon zich niet overgeven. Ze hoorde Amina achter zich hijgen. Ze moest volhouden. Ze probeerde in de aanvalshouding te gaan staan, maar haar zwaard trilde in haar handen. Haar linkerhand was een dood gewicht, haar borst deed pijn. Schreeuwend ging ze Amhal te lijf. Hij ontweek haar onhandige uitval en antwoordde met een klap van de pommel van zijn zwaard tussen haar schouderbladen. Naar adem happend werd ze tegen de grond gesmeten.

Sta op en vecht!

Ze richtte haar zwaard naar boven in een zinloze uitval die hem niet eens raakte.

'Herken je me niet? Ik ben Adhara!' gilde ze radeloos.

Haar grip op het handvat verslapte.

'Denk eens aan alles wat we samen hadden!'

Ze voelde dat haar krachten het begaven. Haar zwaard gleed uit haar handen. Ze verloor de controle over haar ledematen en zakte op de grond. Ze kon alleen nog maar bidden dat hij zich iets van vroeger herinnerde. Maar zijn ogen bleven kil en uitdrukkingloos.

Dit is het einde.

Ze wachtte op de genadeslag, maar die kwam niet. In plaats daarvan werd ze omhuld door een zilverachtige sluier die glinsterde in het donker.

12
EEN BIJZONDER
BONDGENOOTSCHAP

Met een arm voor haar ogen, sloot ze haar hand om de greep van haar zwaard en schoot ze overeind. Ze kon zichzelf en Amina nog steeds redden. Maar haar hand vond alleen lucht. Het was niet donker om haar heen. Haar dunne arm bood nauwelijks bescherming tegen het felle, doordringende licht. Waar was ze? De ochtendstralen dwongen haar om haar ogen halfgesloten te houden. Het ontbrak haar aan de kracht om op te staan. Met haar elleboog op een tapijt van droge bladeren steunend ontdekte ze dat ze tot aan haar middel onder een deken lag.

Adhara snapte er niets van. Ze kon zich de verrassingsaanval op het kamp nog goed herinneren, en de manier waarop Amhal zijn zwaard tegen Amina had opgeheven, alsof hij haar niet herkende. Ze wist nog dat ze zich ellendig had gevoeld, maar desondanks gevochten had. Daarna, het ontwaken. Hier, midden in het bos.

Ze inspecteerde haar lichaam op zoek naar een of andere aanwijzing. Haar linker, zwarte, hand deed een beetje pijn en was verbonden.

'Je bent wakker ...'

Die stem. Ze huiverde. Instinctief krabbelde ze overeind en nam ze de aanvalshouding aan. Maar ze kreeg prompt braakneigingen en schommelde op haar benen. Hij was nauwelijks veranderd sinds de laatste keer dat ze hem gezien had: dezelfde fletsblauwe ogen, dezelfde golvende baard. Hij zag er hooguit vermoeider uit, bleker en smeriger, net als iedereen trouwens die langere tijd in die gek geworden wereld had rondgezworven.

Adrass haalde haar dolk uit een plooi van zijn afgedragen tuniek tevoorschijn. 'Zoek je deze soms?' vroeg hij, terwijl hij het wapen tussen twee vingers vasthield.

Ze knarsetandde.

'Je zou ondertussen moeten weten dat ik je vijand niet ben, Chandra.'

Chandra. Zesde. De dierennaam die haar maker haar had opgeplakt.

'Noem me niet zo. Ik heet Adhara.'

Adrass glimlachte meewarig en hield haar toen een kom met een doorzichtige vloeistof voor. 'Ik heb wat ambrozijn voor je gehaald. Wie had ooit kunnen denken dat er hier een Vader van het Woud zou staan?'

'Ik wil niets van jou. Ik ben dan wel ongewapend, maar jij zou beter dan wie ook moeten weten hoe dodelijk mijn handen kunnen zijn.' Ze zou hem vermoorden, als hij dichterbij durfde te komen. Dan zou ze eindelijk vrij zijn.

Adrass zette de kom op de grond en ging met gekruiste benen naast haar zitten. Hij droeg een oud zwaard aan zijn zij. Adhara maakte een vlugge schatting van haar vluchtkansen.

'Ik heb je leven gered gisteravond. Ik hoopte dat je me ten minste een beetje dankbaar zou zijn.'

Opeens realiseerde Adhara zich dat ze alleen was.

'Wat heb je met de prinses gedaan?' riep ze.

'Die is in goede handen', antwoordde Adrass zonder een spier te vertrekken.

'Ik geloof je niet.'

'Is dat hoe je over me denkt? Denk je dat ik een jong meisje aan haar lot zou overlaten? Dat ik haar door iemand als Marvash zou laten vermoorden?'

'Je had er ook geen moeite mee om mijn lichaam op te graven en het in een wapen te veranderen. Om samen met je vrienden voor god te spelen!' Ze voelde hoe de haat langzaam bezit van haar nam.

'Blijf kalm', zei Adrass. 'Ik kan je alles uitleggen.'

Het gevoel dat ze zich in een doodlopende steeg bevond maakte haar gek. Ze bekeek haar verbonden hand. Dat was zonder twijfel zijn werk. Misschien wist die man wat haar aan het overkomen was, en zij had een dringende behoefte om daarachter te komen. Nog altijd op haar hoede ging ze op haar hurken zitten. 'Vertel op!' Er klonk een zweem van dreiging door in haar stem.

Adrass was kwistig met details. Hij wijdde uit over zijn omzwervingen, de oorlog die hij had meegemaakt, de ontelbare malen dat zijn leven in gevaar was geweest. Maar Adhara voelde zich op geen enkele manier bij zijn verhaal betrokken. Wat haar betreft had hij onderweg mogen sterven. Een hond minder die haar sporen volgde.

'Theana heeft mijn verhaal bekrachtigd, of niet?'

Ze negeerde zijn vraag. 'Als je denkt dat er iets veranderd is, vergis je je', snauwde ze. 'Het feit dat ik voor een bepaald doel gemaakt ben betekent niet dat ik niet vrij ben om mijn eigen weg te volgen. Ik ben geen stuk vlees. Ik heb een naam.'

'Je snapt het niet. Ik haatte het om jullie te zien sterven en op te graven. Maar voor de Waarheid, voor het grotere Goed, moet je ook tot het meest gruwelijke bereid zijn. En jij moet je taak aanvaarden.'

Met een sarcastische grijns op haar gezicht schudde Adhara haar hoofd. 'Een bende krankzinnige sadisten, dat waren jullie. Ik hang jullie god niet aan, en ik doe niets wat ik niet wil.'

'Ik ben de laatste, Chandra. Mijn dood zal het definitieve einde van de Wakers betekenen. Je kunt ons haten, als je wilt. Maar besef wel dat het Thenaars wil was dat ik je vond, net op tijd om je leven te redden. Maar jij had jezelf niet aan die mensen moeten tonen. Jij bent dat meisje niet. Dat meisje is dood.'

'Wat weet jij daar nu van?' vroeg ze uitdagend.

'Ik heb je gecreëerd', antwoordde Adrass. 'Ik weet dat er geen spoor meer van haar in jou aanwezig is. In jouw lichaam zit alleen wat ik erin heb gestopt: kennis van magie, bepaalde kennis over de Verrezen Wereld en vechtkunst.'

'Dat is de leugen waarmee je de afschuwelijke dingen die je gedaan hebt wilt goedpraten. Ik ben in alle opzichten een persoon!' gilde ze huilend.

'Of heb je jezelf alleen maar wijsgemaakt dat je meer bent dan een wapen?'

Die woorden sneden als messen. Adhara zag de walgende gezichten van Carin en zijn vader weer voor zich. Ze beet zo hard op haar lip dat ze de metaalachtige smaak van bloed proefde.

'Ga verder.'

Adrass had zich bij het kamp verscholen met de bedoeling haar te bevrijden zodra het donker was. Maar toen was het opeens door de elfen aangevallen. Hij had zijn plannen moeten omgooien. Profiterend van de chaos had hij het kamp doorkruist totdat hij haar oog in oog met Marvash had zien staan.

'Ik begreep meteen dat je in gevaar was. Je was er veel te slecht aan toe om te kunnen vechten. Het zelf tegen Marvash opnemen was al helemaal geen optie. Dus heb ik een betovering gebruikt, van het soort dat je goed zou moeten kennen.'

Adhara herinnerde zich vaag de zilverachtige sluier, het donker dat haar omhulde. 'Een verplaatsingsmagie ...' zei ze.

'Precies. Een kleine mijl, ver genoeg om je uit zijn klauwen te houden. De magie heeft me enorm veel moeite gekost en me bijna van al mijn krachten beroofd.'

'En Amina?'

'Die was bij ons. Nadat ik jou in veiligheid had gebracht, heb ik haar in de buurt van een legerkamp in de buurt achtergelaten. Ze was bewusteloos, maar ik heb ervoor gezorgd dat ze gevonden werd.'

Adhara's hart kromp ineen. De prinses, haar enige vriendin, was alleen, zonder haar bescherming, op vijandelijk gebied achtergebleven. 'Je had haar naar hen toe moeten brengen. Ze was gewond. Hoe kon je haar nu achterlaten?'

'Ik heb met eigen ogen gezien dat de soldaten haar vonden en zich over haar ontfermden', zei hij kortaf. 'Ik weet wie ze is. Ik ben niet het monster dat je denkt dat ik ben', voegde hij toe.

Adhara slaakte een diepe zucht. Zou Amina echt in veiligheid zijn? Ze wist niet wat ze moest denken. 'Bewijs me dat je de waarheid zegt.'

'Ik heb geen bewijzen. Je moet me op mijn woord geloven.'

Daar was ze al bang voor geweest. Ze sloot haar ogen.

135

Amina …

'Hoe lang voel je je al niet goed?' vroeg Adrass, naar haar hand wijzend.

'Hoe weet je dat?'

'Lijken jou dit normale verschijnselen?'

'Het is vast een van jouw vervloekingen om me te dwingen mijn missie te vervullen', antwoordde zij sarcastisch.

'Je ijlt.'

'Zeg me dan de waarheid.'

'Werk dan mee. Hoe lang voel je je al niet goed?' herhaalde hij op strengere toon.

Adhara slikte. Haar angst voor wat haar overkwam, won het van ieder ander gevoel. Ze vertelde hem alles. Het was alsof ze zich van een gewicht bevrijdde.

Adrass overpeinsde haar woorden en keek haar vervolgens bijna opgelaten aan.

'Ik heb je al uitgelegd hoe je tot stand bent gekomen. Dat kun je niet meer ontkennen nu je een paar dagen hebt doorgebracht tussen de mensen die jouw lichaam kenden toen er nog een ziel in woonde. Om Sheireen te creëren hebben we ontaarde, tegennatuurlijke formules gebruikt. We hebben onze toevlucht genomen tot Verboden Magie, de magie die de natuurlijke beginselen van de schepping schendt. Geloof me, het was de enige manier om de Verrezen Wereld te redden. De verdoemenis van onze zielen is de prijs geweest die wij ervoor hebben betaald.'

Er klonk echt leed door in zijn stem.

'Het weer tot leven brengen van een lichaam en het naar eigen goeddunken veranderen betekent het omverwerpen van de geregelde orde. En wanneer dat gebeurt, probeert de schepping op de een of andere manier de koers te herstellen.'

136

'Ik snap het niet', fluisterde ze, doodsbang voor de rest van zijn uitleg. Haar adem stokte in haar keel.

'Het is net als wanneer de mens de loop van een rivier wil veranderen. Hij bouwt dammen en dijken, dwingt het water daarheen waar het nooit zou moeten komen. Dan komt de rivier in opstand, en breekt bij de eerste hoge waterstand door de dijk, en verwoest alles wat op zijn weg komt.'

Er flitste een vreselijk besef door haar hoofd. Haar mond werd kurkdroog, terwijl haar hersenen koortsachtig de puzzelstukjes bij elkaar zochten van het mozaïek dat ze eigenlijk al kende.

'We zijn zo hoogmoedig geweest te geloven dat we deze onoverkomelijke grens konden overschrijden. Het kan zijn dat we ergens een fout hebben gemaakt. In ieder geval is je lichaam aan het verrotten omdat het wil terugkeren naar de originele staat waaruit we het hebben losgerukt.'

Die woorden raakten haar zo zwaar als rotsblokken. Adhara werd overweldigd door een troosteloos gevoel van machteloosheid. Zoals altijd was er iemand die, of iets wat, voor haar besliste. Haar leven was van het begin tot aan het einde door anderen uitgestippeld. Ze kwam uit het niets en ze zou naar het niets terugkeren. Toen ze een blik op haar verbonden hand wierp, besefte ze dat ze haar vingers nauwelijks meer kon bewegen.

'Hoe zal het zijn?' vroeg ze, van streek. Adrass keek haar niet begrijpend aan. 'Hoe zal het zijn om te sterven?'

'Jij *bent* Sheireen. Ik *kan je niet* laten sterven!' riep hij uit, voorover buigend.

Adhara las zo'n vastberadenheid in zijn ogen, dat ze bijna weer durfde te hopen.

'Ik had het al begrepen voordat ik je gezien had, weet

je? Ik voelde al aan dat we een verschrikkelijke fout gemaakt hadden. Ik heb me er de afgelopen maanden in verdiept hoe we te werk moeten gaan. We kunnen onze fout herstellen. Ik *weet* dat ik gelijk heb. Ik kan je redden', zei Adrass overtuigd. 'Om te beginnen moeten we alles weer overdoen, maar dan in het klein', ging hij verder. 'Nimfenbloed, stukken mensenvlees en elfenlymfe. Allemaal zaken waar in oorlogstijd gemakkelijk aan te komen is.'

Mijn leven zal op de dood gebaseerd blijven. Ze had nogmaals het leven van anderen nodig om niet te sterven. Huiverend dacht ze aan haar lichaam als iets walgelijks wat haar niet toebehoorde.

'En mijn hand? Zal ik die verliezen?' vroeg ze met ingehouden stem.

'Ik weet het niet. Het ritueel zal het proces vertragen, maar helaas niet stoppen. Het zal de pijn verlichten, en de aanvallen waaraan je lijdt doen verdwijnen. Maar het zal niet kunnen verhinderen dat je lichaam in opstand komt.'

'Wat heb ik er dan aan? Als ik toch dood ga?'

'Het is de enige manier die ik ken om genoeg tijd te winnen om de definitieve remedie te vinden.'

Adhara keek hem versuft aan. Tot even terug zou ze hem zonder er twee keer over na te denken vermoord hebben. En nu voelde ze zich totaal afhankelijk van hem. Als Adrass haar niet kon redden, kon niemand het.

'Ik ben niet met alle spreuken bekend. Ik ben maar een middelmatige magiër die Sheireen gecreëerd heeft omdat Thenaar dat wilde. Maar ik weet waar we heen moeten om de antwoorden te vinden die we zoeken. Het is een legendarische plek, die ooit aan de elfen toebehoorde. Een ondergrondse bibliotheek in het hart van Makrat.'

Ze kreeg de rillingen alleen al bij het horen van die naam. Sinds de koning aan de ziekte was gestorven, moest de stad in totale chaos verkeren.

'Als het een legende is, hoe weet je dan dat die bibliotheek echt bestaat?' vroeg ze ongelovig.

'Omdat ik er geweest ben. Een paar Wakers ontdekten haar toevallig. Het was een mysterieuze plek, half verwoest, maar ze troffen er een uitzonderlijke verzameling perkamenten, boeken en antieke werken over magie aan. Een deel ervan is nog nooit bestudeerd. Ik weet zeker dat we daar de formule kunnen vinden die jou het leven gaat redden.'

Adhara zag de laatste beelden voor zich die ze van Makrat had: een menigte rampzaligen die zich onder de muur samendrongen, een stervende stad, bewoond door mensen die verteerd werden door angst en achterdocht. Ze had hem twee maanden geleden verlaten. In die tussentijd kon er van alles gebeurd zijn. 'De ziekte heeft de helft van de paleisbewoners geveld', merkte ze op. 'Makrat is een veel te gevaarlijke plek, vooral omdat jij niet immuun bent voor de ziekte.'

'Mijn god zal me beschermen.'

Adhara staarde hem aan. De man was een dwaas. Toch lag haar lot in zijn handen. Alles was bij hem begonnen. Ze had nooit gedacht dat haar vlucht deze wending zou nemen, maar ze had geen keuze. Haar enige alternatief was een gruwelijke en onvermijdelijke dood.

'Wat wil je ervoor terug?' vroeg ze gelaten.

'Ik wil alleen dat jij in leven blijft.'

'Zodat ik mijn missie kan vervullen, juist? Zodat ik mijn plicht doe door Marvash te doden, Amhal, de enige persoon van wie ik ooit gehouden heb', zei ze huilend.

Het was even stil.

'Ja', zei hij ten slotte.

Adhara zag de zon tussen de takken door schijnen. Ze voelde hoe de winterbries haar huid streelde. Hoe onzinnig het ook mocht lijken, ze was er nog niet klaar voor om dit alles achter te laten.

'Ik blijf bij je totdat je me genezen hebt. Daarna ga ik mijn eigen weg.'

Welke dat ook mag zijn.

Adrass knikte.

Het pact was gesloten. Adhara strekte zich uit op het bladerbed.

Alles begint weer van voren af aan, bedacht ze. Maar die wetenschap bracht enkel twijfels en pijn met zich mee.

Tweede deel

In gezelschap van de vijand

13
EEΠ LiCHTSTRAALTjE

'De prinses is gewond, maar verder lijkt ze het goed te maken. Ze is gevonden in de omgeving van de voorpost die door de elfen is aangevallen. Waarschijnlijk heeft ze van de chaos geprofiteerd om te vluchten.' Theana trommelde met haar vingers op de armleuningen van haar stoel terwijl ze naar het verslag luisterde. 'En *zij*?' vroeg ze ten slotte. 'Van haar geen enkel spoor?' De Broeder van de Bliksemschicht schudde zijn hoofd. 'Inderdaad. Misschien hebben hun wegen zich gescheiden, of ...'

Theana kon het wel raden. Waarschijnlijk had Adhara's lot zich diezelfde nacht al voltrokken, op het moment dat ze tegenover Amhal was komen te staan. De geschiedenis leerde dat het goed en het kwaad zich in een voortdurende cyclus afwisselen, als twee zijden van een medaille.

Maar zij had nooit, in haar volkomen aan het geloof gewijde leven, de mogelijkheid overwogen dat haar god hen in de steek kon laten, en Marvash de kans zou geven om te winnen. Dat was in tegenstrijd met het idee van de goede en rechtvaardige Verlosser die zijn afgezanten naar de aarde stuurde om zijn bewoners te behoeden voor de vernietiging. Maar wat was er dan fout gegaan? Er *moest* een bedoeling achter dit alles zitten, een soort van verborgen betekenis die het de moeite waard maakte om te blijven hopen. Toen haar man stierf had die zekerheid haar de kracht gegeven om verder te gaan. Maar nu was het anders. Ze werd bekropen door de twijfel dat er dit keer geen redding mogelijk was.

'Dat kan niet ...' prevelde ze.

De broeder dacht dat ze aan zijn onafgemaakte zin refereerde. 'We blijven zoeken. Ze is de Gewijde, en Thenaar zal haar naar ons toe voeren.'

'Goed, maar doe niets als jullie haar vinden. Volg haar alleen en hou me exact op de hoogte van al haar bewegingen. Pas wanneer de Raad het wil, nemen we haar gevangen', verordende de priesteres.

De jonge broeder staarde haar verbaasd aan, alsof hij andere bevelen had verwacht. Theana begreep hem. Ook voor haar was het frustrerend om tijd te verliezen terwijl het lot van de Verrezen Wereld zich voor hun ogen voltrok. *Niets doen is de kern van het geloof*, dacht ze geërgerd bij zichzelf, maar ze had meteen spijt van die vloek. Ze had geen keus. Door Adhara gevangen te zetten had ze haar van haar missie verwijderd. Ze kon zich niet permitteren om nogmaals diezelfde fout te maken.

'Ga nu', zei ze, tot het heden terugkerend.

De jongen gehoorzaamde. Hij verdween in de gang en sloot de deur achter zich.

Theana haalde diep adem. Ze had behoefte om alleen te zijn, maar de gelovigen wachtten op haar in de tempel. Sinds ze naar Nieuw Enawar waren verhuisd, was de ceremonie constant druk bezocht geweest. Het volk was doodsbang voor de oostwaarts oprukkende oorlog en nam zijn toevlucht tot het gebed. Ze namen gouden en zilveren voorwerpen, zelfs hun kinderen mee als offer voor de cultus. Theana probeerde hun duidelijk te maken dat dat niet was wat Thenaar wilde, maar de angst om te sterven vulde de kelders van de tempel met geschenken voor een god waar ze waarschijnlijk niet eens in geloofden. Hoe vreemd het ook mocht lijken, het kwaad was geslaagd waar zij gefaald had. Jarenlang had ze zich ingespannen om haar geloof te verbreiden. Nu was het aan deze epidemie te danken dat het volk weer een sprankje geloof kreeg, al was het dan uit pure wanhoop.

Zij en de Broeders van de Bliksemschicht waren ondertussen al maanden op zoek naar een remedie voor de ziekte. Velen van hen hadden het leven gelaten tijdens het assisteren en bestuderen van de zieken. Toen, bijna puur toevallig, hadden ze een kleine vooruitgang geboekt. Ze hadden ontdekt waar de ziekte vandaan kwam. Met haar eigen uitzonderlijk vermogen om aanwezigheid van magie waar te nemen, had ze een zwak en sluimerend aura zien stromen in de aderen van iemand die nog maar pas met de ziekte besmet was. Dat kon slechts één ding betekenen: de ziekte was een zegel, ofwel een magische vloek die alleen ongedaan gemaakt kon worden door de magiër die hem opgeroepen had. Dit aura, dat het merendeel van de magiërs nooit herkend zou hebben, verdween na korte tijd. Daarom had het zo lang geduurd voordat ze het ontdekt hadden. Sinds die dag had ze haar volgelingen opdracht gegeven om in alle boekwerken over magie te zoeken naar een remedie. Die *moest* er zijn en was waarschijnlijk de enige weg naar de redding.

De menigte was doodstil terwijl ze langzaam naar het altaar liep. Toen ze haar blik langs de hoopvolle gezichten van de gelovigen liet glijden, kromp haar maag ineen. Ze moesten een behandeling vinden. En snel. Ze spreidde haar armen en begon met de viering.

Terwijl Dalia haar hielp bij het uitdoen van haar priestergewaad werd er aan de deur geklopt. Woedend draaide het meisje zich om. 'Ik had je duidelijk gezegd te wachten!' riep ze. In de deuropening verscheen een haveloos uitziende gnoom. 'Neemt u me niet kwalijk maar ik sta hier al uren', zei hij vermoeid.

'Dalia,' onderbrak Theana haar oppasster glimlachend, 'dank je, maar volgens mij zijn we klaar. Laat hem binnenkomen en laat ons alleen.'

Ze gebaarde de gnoom te gaan zitten. Langzaam liep deze verder en ging op de punt van de stoel zitten. Hij maakte een onderdanige indruk, maar er was iets vreemds, iets kruiperigs in de manier waarop hij zich de handen wrong. Na hem even kritisch opgenomen te hebben, liep Theana op hem toe.

'Wat kan ik voor u doen?'

De gnoom begon met een serie warrige klanken, alsof hij niet goed wist hoe zijn verhaal moest beginnen.

'Mijn naam is Uro. Ik ben hier niet om iets voor mezelf te vragen', zei hij ten slotte, haar eerbiedig aankijkend. 'Ik kom juist om u waardevolle hulp te bieden.'

'Verklaar je nader.'

Met zijn vieze, eeltige handen doorzocht hij zijn zakken, en viste er een flesje met een donkere vloeistof uit. 'Dit geneest de ziekte.'

Theana verstarde. De gnoom was niet de eerste die beweerde een remedie gevonden te hebben. De straten krioelden van de kwakzalvers die wondermiddelen aanprezen, waar ze duizelingwekkende prijzen voor vroegen. Het volk trapte erin. Het was een bloeiende markt. Maar tot nu toe had niemand het gewaagd om ermee bij haar aan te komen.

'De Broeders van de Bliksemschicht werken al tijden aan een medicijn, maar tot dusver zonder enig succes. Wat doet je denken dat jouw middel wel werkt?'

'Ik ben hier niet om mijn uitvinding te verkopen en te speculeren op andermans leed.'

Zijn houding verried inderdaad andere bedoelingen, maar dat weerhield Theana er niet van om hem een paar vragen te stellen.

'Ben je een priester?'

'Ik ben een kruidenkenner', antwoordde de gnoom. 'Voordat dit alles begon, had ik een winkeltje, en experimenteerde ik graag met kruiden. Ik behandelde mijn klanten ermee, met toevoeging van een beetje magie natuurlijk.'

'En waar komt dit geneesmiddel vandaan?' vroeg ze twijfelend.

'Mijn hele familie is aan de ziekte gestorven. Ik heb van alles geprobeerd om haar te redden, maar geen van mijn mengsels bleek effectief. Daarna werd ikzelf ook ziek.' Hij trok zijn overhemd omhoog om haar een grote zwarte plek te laten zien die een groot deel van zijn borst besloeg. 'Toen heb mijn allerlaatste middeltje uitgeprobeerd. Binnen een paar uur waren zowel de koorts als de bloedingen verdwenen.'

Een gek, dat was het. Een op roem beluste gek die opschepte dat hij de oplossing had gevonden.

'En wat zit erin?'

De gnoom leek opeens op zijn hoede. 'Een aftreksel van verschillende planten, met een snufje paars blad.'

'Dat is een krachtig gif.'

'Niets als de lymfe eruit wordt gedistilleerd.'

Hij had ten minste wel kennis van zaken.

'En verder?'

'Besmet bloed en een druppel ambrozijn. Dit flesje bevat alles wat er over is van mijn dierbaren', prevelde de gnoom.

Theana voelde medelijden voor hem, maar kon hem niet geloven. Zelfs als hij oprecht overtuigd was van wat hij beweerde, zou de ziekte ook vanzelf kunnen zijn overgegaan.

'Ik begrijp uw twijfels, maar geef me ten minste een kans! Als dit drankje de quarantaines bereikt, zullen mijn dierbaren niet voor niets zijn gestorven.'

Bevend, en met een smekende blik in zijn ogen keek hij haar aan.

'Laat het maar hier', zei Theana welwillend.

Hij knielde voor haar neer en bedankte haar huilend.

'U geeft me het leven terug.'

'Toe nou alsjeblieft ...', mompelde Theana opgelaten terwijl ze probeerde hem omhoog te trekken.

Maar hij bleef knielen en brabbelen, om uiteindelijk achteruit lopend haar kamer te verlaten.

Eenmaal weer alleen keek Theana naar het flesje op de tafel. Niemand van hen was erin geslaagd een medicijn tegen de ziekte te vinden, hoewel ze al wekenlang tot uitputtens toe lijken opensneden, een walgelijk werk dat haar bijna immoreel toescheen.

Baat het niet dan schaadt het niet.

Ze opende het flesje en rook eraan. Een frisse, schone soort boslucht. Het had een geruststellende, donkergroene kleur, met een zachtblauwe weerschijn. Ze kon haast niet geloven dat het zou kunnen werken. Maar als dat brouwseltje echt een remedie voor de ziekte was, wie was zij dan om te beslissen het niet te gebruiken? Hoeveel doden had ze al op haar geweten? Misschien hadden de onderzoekers van de Broederschap, in hun vervoering om een geneesmiddel te vinden, geen acht geslagen op de grondbeginselen van hun kennis. Misschien had zij, de Hoofdpriesteres van de cultus, haar volgelingen niet voldoende morele steun gegeven. Ze goot een deel van de inhoud in een kleiner flesje over, en maakte een snelle schatting: hooguit genoeg om een tiental zieken te behandelen.

Ze belde, en Dalia verscheen bijna meteen in de deuropening: 'Mijne vrouwe', zei ze met een buiging.

'Breng dit grotere flesje naar Milo en zeg hem de inhoud ervan te onderzoeken. De inhoud van het kleinere flesje moet aan de besmetten worden toegediend. Hou me daarna goed op de hoogte van hun toestand!'

Met een sceptische uitdrukking op haar gezicht verdween Dalia achter de deur. Theana kon het haar niet kwalijk nemen.

Toch moet ik het proberen, bedacht ze met een bittere glimlach, en ze voelde zich verder van Thenaar verwijderd dan ooit.

14
HET RITVEEL

Adrass zat op zijn knieën naast haar, met een geconcentreerde uitdrukking op zijn gezicht. Hij had een stel flesjes uit zijn tas gehaald, en een stuk verkreukeld perkament, dat hij nu de hele tijd bestudeerde. 'Hoe kom je aan dat spul?' vroeg Adhara met droge keel. Hij schrok op. 'Zoals ik al eerder zei: het is oorlog. Het is dus niet moeilijk om aan organisch materiaal te komen.'

'Komt het van lijken?'

'En wat dan nog? Je komt zelf ook van een lijk, dus waarom zou dat een probleem moeten zijn?'

Adhara keek instinctief naar haar verbonden hand. 'Ik wil me niet voeden met andermans leven om in leven te blijven', zei ze.

Adrass verstarde even en keek haar toen diep in de ogen. 'Ik weet dat je wilt leven. Je lotsbestemming, de reden waarvoor je gecreëerd bent, legt je dat op. Ik verzeker je dat je geen rust zult vinden zolang je niet gedaan hebt wat je moet doen. Zo werkt het. Zo is het altijd, al duizenden jaren, geweest. We sterven zodat anderen kunnen leven door zich met ons te voeden.'

Adhara zei niets. Ze keek hoe hij het ritueel voorbereidde en vroeg zich af of het ook zo geweest was toen hij haar gemaakt had.

'We gaan beginnen', verklaarde Adrass.

Adhara voelde haar maag omdraaien. 'Wat moet ik doen?'

'Als ik klaar ben met het ritueel, zul je je niet zo lekker voelen en heel lang slapen. Je kunt dus maar het beste meteen op je rug gaan liggen.'

Ze gehoorzaamde. Haar lichaam voelde aan als lood. Adrass had een beschutte plek opgezocht. Het was een soort grot met een smalle ingang, net ruim genoeg om zich allebei gebukt in te kunnen bewegen. Adhara kreeg het gevoel dat het dreigende, mossige rotsgewelf zich elk moment kon samentrekken en haar verbrijzelen. Ze voelde dat er iets om haar polsen werd strakgetrokken. Adrass was met leren veters in de weer. Met een ruk kwam ze overeind, greep hem bij zijn keel en duwde hem tegen de rotswand.

'Wat moet dat voorstellen?' siste ze.

Zijn ogen werden groot van angst. 'Het is voor je eigen bestwil. Je moet roerloos blijven liggen tijdens het ritueel', legde hij uit, terwijl hij de controle over zichzelf probeerde te herwinnen. 'Als we niet opschieten, zal je lichaam in stukken uiteen vallen. Je denkt toch niet dat ik, na alles wat ik doorgemaakt heb, mijn creatie zou verminken?'

Ze keken elkaar even aan, waarna Adhara hem losliet. Hij had gelijk. Ze was het product van jaren van onderzoek. Adrass zou nooit toestaan dat haar iets overkwam.

'Kun je me in ieder geval uitleggen wat je aan het doen bent?'

'Natuurlijk', antwoordde hij, vastberaden knikkend.

151

Adhara ging weer liggen. Deze keer bood ze geen weerstand. Ze liet toe dat hij haar handen en voeten vastbond. Haar linkerpols begon vreemd te tintelen. De vlekken hadden haar pols nog niet bereikt. *Maar dat zal niet lang meer duren,* bedacht ze vol afschuw.

Toen hij klaar was met de voorbereidingen, wiste Adrass het zweet van zijn voorhoofd. Hij had een magisch vuur ontstoken, en de temperatuur in de grot was snel gestegen. Hij moest zich concentreren, kalm blijven. Hij mocht geen fouten maken. Adrass sloot zijn ogen en dacht terug aan de woorden van zijn leraar.

Er bevindt zich noch een ziel noch een geest in deze lichamen. Terwijl jullie ermee werken, zullen jullie je missie herkennen. De creaturen zijn wapens voor de redding die ons geschonken zijn voor een hoger doel...

Het was een stelregel die iedere Waker kende. In de spieren van het meisje herkende Adrass het lichaam van Chandra, het vlees dat diende om Sheireen te maken. Tenslotte voelde hij zich klaar om te beginnen.

Hij wierp wat essences op het vuur, waarna de grot zich vulde met een sterke en aromatische rook. Vervolgens schepte hij met een lepel wat as in een zakje. Dat hield hij zo ver mogelijk van zijn gezicht verwijderd en sprenkelde er wat druppels van een donkere vloeistof op. Toen richtte hij zijn blik op zijn schepsel.

Adhara voelde elke vezel van haar lichaam trillen. Ze was doodsbang en begon zich dingen te herinneren. De naalden die ze overal in haar lichaam hadden gestoken, de magie die uit Adrass' handen pijnlijk naar haar vlees vloeide. Onwillekeurig spande ze haar armspieren. Een waanzinnige, onbeheersbare drang om zich te bevrijden maakte zich van haar meester.

'Blijf kalm. Je gaat nu slapen en dan voel je niets meer',

zei Adrass met een effen stem, zonder enige ondertoon van medelijden.

Hij drukte het zakje tegen haar mond. Er rolde een traan over Adhara's gezicht. Het werd zwart voor haar ogen, en Adrass begon.

Terwijl hij naar haar slapende lichaam keek, voelde hij een steek van heimwee. Het was alsof hij terugkeerde naar de tijd dat hij haar gecreëerd had, een roemrijke periode in een verder anoniem en alledaags bestaan. Destijds was hij niet alleen geweest. Hij had een hele sekte achter zich staan, om hem kracht en een doel te geven, iets om in te geloven. Eindelijk ontspannen, legde hij zijn instrumenten voor zich neer. Hij had niet alles kunnen meenemen toen hij uit de Zaal van de Wakers moest vluchten, maar hij zou het ermee redden. Hoewel de instrumenten allemaal zwart geworden waren door de brand, weerkaatsten ze een bloedrode gloed in het licht van het magische vuur.

Hij begon met een dunne canule, bestaande uit een metalen punt en een glazen buisje. Hiermee zoog hij de doorzichtige inhoud van een flesje op, en injecteerde de vloeistof rechtstreeks in Adhara's hals. De elfenlymfe drong langzaam naar binnen. Het veroorzaakte niet meer dan een licht schokken van haar ledematen. Daarna was het nimfenbloed aan de beurt, in een ader van haar arm. Dat bloed had hij op zijn tocht verzameld, nadat hij getuige was geweest hoe twee reizigers een onschuldig slachtoffer afmaakten. Hij had gehaast te werk moeten gaan, omdat nimfen snel vergaan tot zuiver water dat meteen door het terrein wordt opgenomen. Toch was hij erin geslaagd om een flinke fles met haar bloed te vullen.

Ditmaal reageerde het lichaam met sterke, krampachtige samentrekkingen. Adrass moest het met allebei zijn armen in bedwang houden, terwijl het nimfenbloed door het haarvatennet stroomde en het lichtblauw deed oplichten. Toen de spasmes waren opgehouden, trok hij het vaatje dat naast hem stond naar zich toe, en haalde er een homp mensenvlees uit.

Zijn maag had zich omgedraaid toen hij het lijk had moeten opensnijden. Zo was het er bij de Wakers niet aan toegegaan. Zij gingen op een chirurgische manier te werk, zonder enig gevoel. In de oorlog was het anders. Het was één grote gruwel van open wonden en afgereten ledematen.

Hij zette Chandra's lichaam in zittende houding tegen de rotswand, pakte wat andere kruiden en hield die onder haar neus. Haar ogen gingen wijd open. Blikloze ogen, dezelfde die maandenlang zijn experimenten hadden begeleid.

'Goed zo', prevelde hij in een reflex. Hij wist dat ze niet bij bewustzijn was. Dat was nodig om haar zonder enig verzet aan zijn bevelen te laten gehoorzamen.

Geduldig stopte hij steeds een klein stukje mensenvlees in haar mond, haar keel masserend tot ze het doorslikte. Toen het vaatje leeg was, zette hij het opzij en legde Adhara's lichaam weer op de grond. Nu hoefde hij alleen de rituelen nog uit te voeren. Priesterkunsten, dezelfde die de verraadster, Theana, gebruikte, maar omgewerkt in het licht van verboden formules.

Hij pakte een schrijfpriem, doopte hem in een zwarte vloeistof, en begon er ingewikkelde symbolen mee in haar huid te kerven. Onder de klanken van de magische formules die hij uitsprak gingen de wonden, onder rookontwikkeling, weer dicht. Chandra's lichaam begon weer te schokken, en er kwam een verward gekerm over haar lippen. Ze leed. Maar het ergste moest nog komen.

Het niets bevolkte zich. De gedaantes die Adhara vaag had waargenomen toen Adrass haar in slaap had gebracht kregen vorm. Onduidelijke, duistere monsters belaagden haar van alle kanten, en betastten haar zwakke en pijnlijke vlees. Opeens werd het licht en zag ze het rotsgewelf. Haar ogen stonden wijd open, maar ze kon noch haar pupillen noch haar oogleden bewegen. Ze verging van de pijn en ze zou willen huilen, maar haar spieren gehoorzaamden niet. Ze was gevangen in haar lichaam en kon niets anders doen dan machteloos haar eigen gedaanteverwisseling ondergaan. De schunnige aanraking van tientallen handen die haar ledematen omklemden werden absolute pijn. En de herinneringen kwamen weer boven. Het was alsof ze terugkeerde in de tijd, naar die stinkende cel waar Adrass haar gecreëerd had. De eerste ademhaling die haar longen leek te doen inklappen, het vuur dat aan haar vlees likte zonder het ooit helemaal te verslinden, het bloed dat als kokende lava door haar aderen begon te vloeien, stroperig door haar lichaam kroop zonder dat zij zich kon verzetten. En verder die aanwezigheid, die ademhaling die ze goed kende. Adrass was daar. Hij had haar in zijn macht. Chandra, de zesde, vormde zich onder zijn ogen. Ze voelde zichzelf duidelijk wegglijden om plaats te maken voor Chandra.

Na wat een eeuwigheid leek te duren doofde het licht weer. De gestalten trokken zich terug in de schaduw en de brandende pijn verminderde terwijl ze omringd werd door een zware stilte. Ze was Adhara niet meer, maar ze was ook nog niet het Zesde Wezen. Ze was niets, en dat was het grootste leed dat er voor haar bestond.

Ze werd wakker van het prille ochtendlicht. Al haar spieren waren stijf en gehoorzaamden haar nauwelijks. Na een tijdje wist ze zich op haar zij te draaien. Ze kon haar lichaam voelen, streek er met een hand langs. Het was alsof ze het opnieuw ontdekte. Het was er helemaal. Ze kon geen spoortje ontdekken van die nacht van vuur en waanzin.

Ze rook een aangename, frisse geur en opende langzaam haar ogen.

'Hoe voel je je?' Adrass zat tegenover haar met een dampende kom in zijn handen.

Zijn aanwezigheid bracht haar tot de werkelijkheid terug en deed haar maag omdraaien. Er was niets veranderd.

'Je moet eten. Je hebt twee etmalen aan één stuk door geslapen en je hebt hoge koorts gehad. Daarom voel je je zwak', voegde hij toe terwijl hij haar rechtop hielp.

'Laat me', barstte Adhara los. Ze wilde alleen zijn. Ze werkte alles begerig naar binnen en moest toegeven dat haar slavendrijver gelijk had. Die man was haar altijd een stapje voor.

'Kijk eens naar je hand', zei Adrass toen ze uitgegeten was.

'Ja. Haar hand. De reden waarom ze die marteling had moeten ondergaan. Ze wierp er een onverschillige blik op en zette meteen haar kom weer neer. Haar pink had weer een bleke kleur gekregen. Hij zag er nog niet helemaal gezond uit, maar wel bijna normaal. Toen ze hem vastpakte, merkte ze dat ze er weer gevoel in had.

De rest van haar hand was nog steeds zwart en pijnlijk, maar er was in ieder geval vooruitgang geboekt.

'Hoe eerder we de manier vinden om het proces definitief te stoppen, des te meer kans hebben we dat je hand weer helemaal normaal wordt.'

156

Het leek Adhara te mooi om waar te zijn. Ze bleef haar pink bewegen en ernaar kijken alsof ze hem nog nooit eerder gezien had. Ze had hem weer terug.
'We moeten naar Makrat. De tijd dringt.'
Adhara keek hem ontroerd aan. Maar ieder gevoel van dankbaarheid verdween toen het beeld van de man die haar nu rustig toesprak overlapt werd door dat van de Waker die lange tijd met haar bestaan geëxperimenteerd had.

Adhara trok haar knieën tegen haar borst, en staarde naar haar cipier en schepper.

15
DUBHE EN AMĪNA

Het allereerste waarvan ze zich bewust werd, nog voor het licht, was de pijn. Ze had nog nooit zo'n scherpe, brandende en tegelijkertijd doffe, hamerende, kloppende pijn gevoeld. Ze kreunde. 'Ik weet dat het pijn doet, maar als je stil ligt gaat het beter', zei een stem. Amina opende haar ogen. Boven haar zag ze een tentdoek. Een voor een kwamen de waarnemingen langzaam terug. Ze begreep dat ze op een veldbed lag. Toen ze er met een enorme inspanning in slaagde haar hoofd om te draaien, zag ze het gezicht van haar grootmoeder. De stem was dus van haar afkomstig geweest.

Wat ...

Ze kreunde.

'Goed, ik ga een priester zoeken', zei Dubhe en ze stond op. Amina zou haar tegen willen houden, willen horen wat er gebeurd was. Maar ze kreeg haar hand niet ver genoeg opgetild om haar grootmoeder bij haar arm te grijpen.

Een ding was zeker, ze had zich haar hele leven nog nooit zo ellendig gevoeld. Ja, een keer, toen ze hoge koorts had, had ze gedacht dat ze dood ging. Maar dit was duizenden malen erger. Ze lag te rillen van de pijn aan haar been.

Vóór dit alles is er iets gebeurd, bedacht ze. Maar ze kon zich niet herinneren wat.

De koningin kwam terug in gezelschap van een priester, een oude man met lang, stug haar. Amina had nooit veel op gehad met priesters. Ze deden haar aan ziekte, zalfjes en bittere drankjes denken. Dit keer begroette ze hem echter als een redder.

Hij keek Dubhe even verbaasd aan, alsof hij niet begreep waarom ze hem geroepen had. 'Ik heb al het mogelijke gedaan. Het is geen ernstige verwonding en ze zal snel weer opknappen', verklaarde hij.

'Maar het is nog maar een kind. Je kunt niet van haar verwachten dat ze dit allemaal doorstaat. Geef haar iets verdovends.'

Na enige aarzeling knikte hij vermoeid. Hij haalde een flesje met een doorzichtige vloeistof uit de tas die hij om zijn nek droeg en bracht dat naar Amina's lippen. Het rook naar alcohol.

'In één teug helemaal leegdrinken, zei hij, haar hoofd ondersteunend. Ze liet het zich geen twee keer zeggen. Het spul brandde in haar keel, en ze voelde iets warms over haar wangen rollen. Tranen. Ze schaamde zich. Zij, die een krijgsvrouw wilde zijn om de dood van haar dierbaren te wreken, liet zich door een stomme verwonding uit het veld slaan.

Toen schoot alles haar weer te binnen: de reis met Adhara, Adhara's dwaze inval om haar echte gezicht aan de kampbewoners te tonen, en vooral Amhal, tegenover haar, met zijn zwaard in de aanslag en dezelfde kille blik in zijn ogen als op de dag dat hij haar vader vermoord had.

159

Ze probeerde rechtop te gaan zitten, maar het drankje had haar ledematen al verdoofd. Even later viel ze in een diepe, droomloze slaap.

Zo ging het een paar dagen. In de weinige momenten dat ze helder was, voelde ze een waanzinnige woede in zich opkomen. Ze had tegenover haar vijand gestaan en ze was er niet in geslaagd om hem te doden. Amhal had haar met een paar aanvallen verslagen. Ze kon zich zijn perfecte treffer nog goed herinneren, de warmte van het bloed dat langs haar been stroomde. Op het moment zelf had ze verder niets gevoeld, op een brandend gevoel van nederlaag na.

Daarna was ze bewusteloos op de grond gevallen. Iemand moest haar gered hebben. Waarschijnlijk Adhara.

Maar als zij ook in het kamp was, waarom kwam ze haar dan niet opzoeken? Zouden ze haar al naar Theana hebben gestuurd?

Ze kon niet wachten om weer in actie te komen. Als ze zich niet kon wreken, kon ze zich net zo goed door Amhals zwaard laten doden.

Op een dag, toen de pijn eindelijk draaglijk was geworden en ze het pijnverdovende middel niet meer hoefde te slikken, ging haar grootmoeder naast haar zitten en keek haar diep in de ogen.

'Kun je me vertellen wat er gebeurd is?'

Amina had al die dagen uitvoerig over het antwoord nagedacht. Net zo min als Adhara mocht haar grootmoeder de waarheid weten. Niemand trouwens, want dan zouden ze haar tegenhouden. Ze moest een logische verklaring voor haar vlucht verzinnen, én ze had een training nodig.

'Ik hield het niet meer uit aan het hof', verklaarde ze. In wezen was het de waarheid.

Haar grootmoeder keek haar streng aan. Haar ogen leken dwars door haar heen te boren. 'Vertel me de waarheid.'

Amina probeerde zich te verschuilen achter een koppige stilte, maar Dubhe wist van geen wijken.

Ze leunde achterover tegen de rugleuning van haar stoel: 'Zal ik je een handje helpen?'

Het meisje slikte.

'Je bent van huis weggelopen omdat je wraak wilde nemen. Je hebt Adhara bevrijd omdat je wist dat ze je kon helpen op de juiste plek te komen.'

'Dat is helemaal niet waar en ...'

Haar grootmoeder legde haar het zwijgen op met een handgebaar.

'Ongeveer een week geleden is niet ver hier vandaan strijd gevoerd, in Kalima om precies te zijn. Op de een of andere manier zijn jij en Adhara daar aangekomen. Bij die aanval van de elfen ben jij gewond geraakt.'

'Ik wilde alleen maar bij Adhara blijven ... Jullie hebben ons zelf bij elkaar gebracht, of niet soms? Ze is mijn enige vriendin.'

Dubhe glimlachte, bijna medelijdend. 'Wie denk je voor de gek te houden? Denk je nu echt dat ik dat geloof?'

Amina bloosde.

'Was hij erbij?'

Ze voelde hoe haar hart sneller ging kloppen. Als in een flits zag ze Amhals gestalte tussen de vlammen. Ze kneep haar ogen dicht. 'Ja.'

'Heeft hij je verwond?'

De lucht van bloed, de chaos, zijn kille ogen. Het gemak waarmee hij haar buiten gevecht had gesteld. 'Ja.'

161

Haar grootmoeder gaf haar de tijd zichzelf weer onder controle te krijgen.

'Je kunt nog niet reizen. De priester zegt dat de wond weer open zal gaan. Maar zodra je beter bent, ga je terug naar huis, naar je moeder.'

'Ik wil niet terug! En als je me dwingt, loop ik weer weg!'

Dubhe barstte niet in woede los. De haat en radeloosheid van haar kleindochter leken op haar af te ketsen. 'De eerste keer kon je gemakkelijk ontsnappen omdat ik zoiets nooit van jou verwacht had. Ik was er zeker van dat je uiteindelijk je weg wel zou vinden. Maar nu ik weet wat er in jou omgaat, lukt je dat echt niet meer. Zo nodig laat ik je door een van mijn mensen op het paleis bewaken.'

Amina beet op haar lip. 'Waarom wil niemand me begrijpen ...?' fluisterde ze.

'Ik begrijp je juist wel', antwoordde Dubhe. 'Wat dacht je? Dat ik niet hetzelfde heb doorgemaakt als jij, en nog steeds doormaak?'

'Hoe hou je het dan vol om verder te gaan? Hij is daarbuiten, slacht je mensen af, geniet van zijn overwinning nadat hij als een dief ons huis is binnengedrongen. Opa heeft San als een held ontvangen en Amhal heeft net gedaan alsof hij mijn vriend is. Hij heeft me nota bene schermles gegeven. Het zijn allebei leugenaars, verraders!'

Ze barstte in huilen uit. Maar hoeveel tranen ze ook vergoot, het gevoel van volstrekte machteloosheid bleef. Ze verfrommelde de lakens, wreef haar ogen rood, maar haar woede hield stand en benam haar de adem.

'Je hebt gelijk', zei Dubhe met vermoeide stem. 'Ik denk heel vaak terug aan de dag dat San aan het hof verscheen, aan wat je grootvader over hem zei, hoe blij hij was met zijn komst. En Amhal ken ik al sinds hij als kleine jongen op de Academie kwam. Ik ben ook woest. Soms zou ik het liefst een zwaard willen pakken en in mijn eentje naar het vijandelijke front trekken.'

Dubhe staarde naar buiten, als om haar kalmte te herwinnen die ze, Amina voelde het, beetje bij beetje aan het verliezen was.

'Waarom ga je dan niet?' vroeg ze. 'Het is onze plicht om het recht te laten overwinnen, als de goden niet ingrijpen.'

Dubhe glimlachte bitter. 'Ik hoopte altijd dat mijn kinderen en kleinkinderen een beter leven zouden hebben dan ik, dat ze op dertienjarige leeftijd gewoon kind zouden kunnen zijn.' Ze zuchtte. 'Helaas dwingt deze tijd jullie om snel op te groeien, meisje. Jou en je broer.'

Amina keek haar vragend aan.

'Terwijl jij door de Verrezen Wereld trok, en je moeder en mij doodsangsten liet uitstaan, is Kalth koning geworden. Hij bevindt zich nu in Nieuw Enawar, op de troon van je vader, en regeert het rijk.'

Amina probeerde het zich voor te stellen. Koning. Sterk en rechtvaardig zoals zijn vader geweest was. Er ging een steek van pijn door haar heen.

'Het is tijd dat jij ook opgroeit. Dat soort rechtvaardigheid bestaat niet, Amina. Wie verschrikkelijke misdaden begaat krijgt niet altijd zijn rechtmatige straf. Daar moet je je bij neerleggen.'

Ze was lange tijd stil, verloren in wie weet welke gedachten. Amina kon ze niet raden. Ze wist niet veel over Dubhe. Haar vader had haar nooit over haar verleden verteld, en aan het hof had er altijd een dikke waas van mysterie om haar jeugd gehangen.

'Ik wil me niet gewonnen geven. Dat is niet wat mijn vader me geleerd heeft. Hij zei altijd dat we de wereld moeten veranderen. Dat hebben jij en opa toch ook gedaan?'

'Inderdaad, de wereld veranderen. Niet op zoek gaan naar een zinloze dood. Wat denk je te bereiken door je te wreken? Dat je vader en grootvader weer tot leven komen? Dat je jezelf beter voelt erna?'

'Ik wil hun vrede geven.' Dat was een zin die ze ooit eens gelezen had in een van de avonturenboeken die ze vroeger verslond. Die verhalen hadden altijd een held die de zaken rechtzette, die de slechten hun verdiende loon gaf. Daarna was de wereld altijd een betere plek geworden. In haar lievelingsverhalen kregen de schurken altijd en onherroepelijk hun verdiende loon.

Dubhe liet zich een glimlach ontglippen. 'De enige vrede die er voor de doden bestaat, is de wetenschap dat hun dierbaren het goed maken. Denk eens aan je vader.' Ze haalde diep adem. 'Bedenk eens hoeveel hij van je hield. Zou hij blij zijn je in deze toestand te zien? Je te zien huilen van de pijn, omdat je hém wilde wreken nota bene?'

Amina moest haar ogen wel neerslaan. Van die kant had ze het nog nooit bekeken. 'Dat is niet de enige ...'

'Je weet heel goed dat hij wilde dat je gezond en gelukkig opgroeide. Nu hij er niet meer is, moet jij ervoor zorgen dat die wens in vervulling gaat. Maar ik weet ook weet wat een kwelling het is voor mensen zoals jij en ik om niet in actie te komen. Wij zijn niet gemaakt om de harde werkelijkheid lijdzaam te accepteren. Onze geest komt alleen tot rust als ons lichaam in beweging komt.'

Amina kon haar oren niet geloven. Het was net alsof haar grootmoeder in haar hart kon kijken. Het was allemaal vreselijk waar. Het was niet alleen een kwestie van recht doen gelden, er zat meer achter de waanzinnige ac-

164

tie die ze wilde ondernemen. Ze was ook voor zichzelf vertrokken, om uiting te geven aan die onstuimigheid die ze zo lang ze zich kon herinneren al in zich droeg.

'Waarom denk je dat ik hier ben?'

'Werkt het?' vroeg Amina met ingehouden stem.

Dubhe leek even overrompeld. 'Soms', bekende ze. 'Maar dat is het punt niet. Als je echt je vader in ere wilt houden, moet je jezelf dwingen om je leven weer op te pakken, daar waar Amhal en San het onderbroken hebben. Dat is een moeilijke weg, maar beter dan wraak. Wraak leidt tot de dood. En dat verdien jij niet.'

Dubhe leunde achterover in haar stoel en zweeg een tijdje, alsof ze over haar woorden nadacht. Amina besefte, zij het nog vaag, dat haar grootmoeder gelijk had. Ze was ook bezig geweest om het verdriet te smoren, lucht te geven aan de haat die ze in zich had. Maar de onrust was gebleven.

Dubhe stond op en legde een hand op haar schouder. 'Denk erover na, goed? Je kunt nog een andere weg inslaan, als je wilt. Weet dat ik er voor je zal zijn om je te helpen de draad weer op te pakken. Maar als je besluit dezelfde weg te blijven volgen, weet dan dat ik je op alle mogelijke manieren zal dwarsbomen.'

Amina keek haar na terwijl ze de tent uitliep. Haar woorden hadden iets in haar losgemaakt, iets wat nieuwe mogelijkheden aan haar horizon opende.

Ze is net als ik. Ik kan haar vertrouwen. Ze begrijpt me.

Als ze erin zou slagen de haat en die wanhopige vechtlust op een andere manier te gebruiken, net als Dubhe dat vroeger gedaan had, zou ze haar weg vinden en uiteindelijk vrede met zichzelf hebben. Ze zou vechten, maar niet om wraak te nemen. Ze zou voor een grotere zaak vechten. Voor het rijk, voor haar broer, voor haar vader.

16
DE DODE STAD

Amhal was net teruggekeerd uit de strijd. Zijn twee-handige zwaard was nog rood van het bloed en zijn wapenrusting zwart van het roet en de modder. Er was geen greintje gevoel in zijn ogen te lezen. Kil en meedogenloos keek hij recht voor zich uit, terwijl de oppasser die Kryss hem had toegewezen hem uit zijn harnas hielp. San zat in zijn tent, met een bokaal wijn in zijn handen. Elfen waren gek op wijn. In Orva, in het berggebied direct achter de rotsige kust, verbouwden ze een uitzonderlijke, eersteklas druif, die een robuuste rode wijn opleverde. Ze dronken hem meestal aangelengd met honing, specerijen en een kleine hoeveelheid water. San vond de elfenwijn heerlijk, vooral na afloop van de strijd, wanneer hij de scherpe aardesmaak ermee kon wegspoelen.

'En?' vroeg hij, toen Amhal helemaal uit zijn wapenrusting bevrijd was. Hij droeg nu zijn gebruikelijke, leren militaire jas, waar het rood weerschijnende medaillon dat Kryss hem gegeven had luguber tegen afstak. 'Hoe is het gegaan?'

Amhal deed, zoals altijd, kort maar nauwkeurig verslag. Sinds de koning van de elfen zijn wens had vervuld, was hij compleet veranderd. San vroeg zich vaak af wat er in zijn hoofd omging, en of Kryss er echt in geslaagd was hem van iedere emotie te zuiveren. Voor hem was dat iets onvoorstelbaars. De bezetenheid van de strijd en de lust om te moorden en te verminken waren het levenssap waarmee hij zich voedde. Hij luisterde verstrooid toe. Amhal was simpelweg onverslaanbaar. Sinds hij iedere remming verloren had leken zijn vermogens groter te zijn geworden dan ooit.

'En toen was daar opeens een meisje', zei hij op een bepaald punt.

Sans oren spitsten zich. 'Wat voor meisje?'

Amhal vertelde over Amina's zielige wraakpoging, waarop San zich een gesmoord lachje liet ontglippen. Hij hield van ontembare zielen, en moest toegeven dat de jonge prinses een bewonderenswaardige moed bezat.

'Heb je haar afgemaakt?'

'Dat zou ik gedaan hebben als zij er niet geweest was.'

San voelde een koude rilling over zijn rug lopen. 'Zij wie?'

'Adhara.'

San zette zijn wijn op de grond en stond op. 'Vertel me het hele verhaal.'

De eerste dagen na het ritueel waren een verschrikking. Bij het minste teken van vermoeidheid voelde Adrass zich geroepen Chandra's toestand te controleren en haar te vragen hoe ze zich voelde. Adhara had er schoon genoeg van zich Chandra te horen noemen. En verder voelde ze zich vreemd, anders. Alsof ze niet thuis was in haar eigen lichaam. De reacties van haar spieren hadden iets stroefs, alsof haar bewegingen vertraagd werden door een soort verwijdering tussen geest en lichaam. Ze wist dat ze dit eigenlijk aan Adrass moest melden maar daar had ze geen zin in. Ze wilde het contact met hem tot een minimum beperken. Hij moest goed begrijpen dat hun tijdelijke gemeenschappelijke belang het enige was dat hen bond.

'Ik voel me prima', zei ze op een gegeven moment, terwijl ze geërgerd zijn hand van haar voorhoofd wegduwde.

'Begrijp toch dat ik moet weten hoelang we nog hebben voordat het te laat is!'

'Laten we dan opschieten. Ik voel me al veel minder zwak', antwoordde ze zo overtuigend mogelijk. Ze loog, maar ze had geen andere keus. Ze moesten verder.

Adrass nam haar even onderzoekend op en begon toen zijn spullen bij elkaar te zoeken. Eenmaal buiten floot hij, lang en op een speciale manier.

Een paar tellen later verscheen er een zwart stipje aan de horizon. Op het eerste gezicht leek het een vogel, maar toen ze de zwarte vleugels en het gewelfde lichaam herkende, maakte Adhara's hart een sprong. Jamila.

Hij heeft haar in de steek gelaten. Voor een Drakenridder bestond er niets heiligers dan zijn draak. Hun levens waren onverbrekelijk met elkaar verbonden. Hooguit de dood kon hen scheiden.

'Ik heb haar gevonden terwijl ik jou volgde. Marvash moet haar achtergelaten hebben toen hij besloot met zijn gelijke mee te gaan', lichtte Adrass toe.

'Voor zover ik weet zijn draken hun leven lang aan hun eigenaar verbonden. Hoe is het je gelukt om haar aan je te laten gehoorzamen?'

Adrass glimlachte. 'Ik ben geen grote magiër, maar het beetje magie dat door mijn aderen stroomt volstaat ruimschoots om met de geest van een draak in contact te treden.'

Hij ging bij Jamila staan en streelde haar snuit. Ze leek zijn liefkozingen met tegenzin te ondergaan, terwijl ze haar blik de hele tijd op het meisje gericht hield. Adhara zou durven zweren dat er een vraag in haar ogen lag: "Waarom?"

Ik wou dat ik het wist, Jamila ...

'We gaan op haar rug naar Makrat', verklaarde Adrass.

'Vallen we dan niet te veel op?'

'Iedereen heeft het veel te druk met het redden van zijn huid of met vechten om op ons te letten. De wereld is aan het uiteenvallen, Chandra. De oorlog en de ziekte verbrijzelen hem beetje bij beetje. En daar ben jij ook schuldig aan', besloot hij, met een veelbetekenende blik.

Adhara balde haar vuisten.

Adrass gebaarde Jamila haar nek te laten zakken om hem op te laten stappen. Het duurde even voordat hij de juiste positie vond. Daarna stak hij zijn hand naar Adhara uit, en sprong zij ook op haar rug.

'Laten we opschieten', zei ze, terwijl ze haar dijen al tegen de flanken van de draak drukte.

'Tegen wie zeg je het', antwoordde Adrass. Hij trok aan de teugels. Jamila blies een zwavelig rookwolkje uit haar neusgaten en spreidde toen haar enorme vleugels. Een wee gevoel in de maag en ze waren in de lucht.

Ze stopten net vaak genoeg om Jamila de nodige rust te gunnen, en om voedsel en water in te slaan.

'Voor ons verblijf in de bibliotheek', lichtte Adrass toe.

Adhara stelde geen vragen. Ze moest hem vertrouwen, voorlopig. Die man was haar enige hoop op redding.

Binnen tien dagen kwam Makrat in zicht. Uit de hoogte gezien leek de wereld dezelfde van altijd. De bossen waren ongeschonden, de rivieren doorkruisten het land, en de gouden koepels van de stad glansden in het avondlicht. Misschien, schoot het even door Adhara's hoofd, viel de schade mee in dat gebied, misschien was alles mooi en intact gebleven. Maar dat was een domme illusie. Om te beginnen was zij niet meer dezelfde als vroeger, en Amhal ... nee, hoop was een luxe die ze zich niet meer kon permitteren.

Ze aten op een open plek in de buurt van de rivier. 'Vanaf hier gaan we te voet verder', verklaarde Adrass. 'De draak zou ons alleen maar tot last zijn.' Adhara knikte en streelde Jamila over haar snuit. Ze zou haar missen, maar ze moesten verder. Ze wist dat het verrottingsproces, zij het in een minder snel tempo dan eerst, verder ging.

Zwijgend liepen ze over wat ooit de hoofdweg naar Makrat was geweest. Een brede weg, waarvan het laatste stuk geplaveid was met grote, marmeren stenen. Hij was compleet verlaten. Geen spoor meer van de kampen van rampzaligen die Adhara had moeten doorkruisen toen ze de stad was uit gevlucht. In plaats daarvan schommelden er kleine zwarte vlekken in de wind, op regelmatige afstand van elkaar, vlak onder de kantelen van de vesting. Toen ze dichterbij waren, zagen ze dat er lansen in het steen waren geboord waar iets op gespietst was.

Adhara kreeg kippenvel en trok haar cape strakker om zich heen. 'Denk je dat het een probleem is om de stad binnen te komen?' vroeg ze.

'Ik heb geen idee', antwoordde Adrass. 'Maar we kunnen maar beter voorzichtig zijn.'

Eenmaal onder de muur begrepen ze de gruwelijke strekking van het vreemde tafereel. Een zoete en misselijkmakende stank sloeg hen op de keel terwijl tientallen verminkte lichamen en afgehakte hoofden uit de hoogte op hen neerkeken. Adhara voelde dat haar benen het begaven en zocht steun tegen de muur. Zelfs Adrass bleef stilstaan. De stad was door een spookachtige stilte omhuld. Het enige wat ze hoorden, was het tsjirpen van de vogels en het knarsen van de touwen onder het gewicht van de lijken.

Adhara deinsde achteruit en keek Adrass verward aan. 'We hebben geen keuze. Dit is de enige plek waar we een remedie kunnen vinden voor jouw aandoening. We *moeten* naar binnen.'

'Laten we in ieder geval wachten tot vanavond', zei Adhara.

Aan ieder lichaam was een biljet bevestigd waar in een krom, bijna onleesbaar handschrift iets op geschreven stond, hoogstwaarschijnlijk de reden voor het doodvonnis. Op één ervan las Amina: BELEDIGING VAN DE RAAD DER WIJZEN. Daar had ze nog nooit van gehoord. Die raad moest na haar vertrek uit de stad zijn opgericht.

Boven de stadspoort had altijd de naam van de stad geprijkt, in een marmeren plaat gegraveerd. Deze lag nu in diggelen op de grond en was vervangen door een houten bord met het opschrift: NIEUWE STAD.

Adrass en Adhara aten een sobere maaltijd, wachtten tot het helemaal donker was, en gingen toen op weg. Allereerst inspecteerden ze de muur. Hij leek onbewaakt. De poort was dicht, maar de vesting was aan de onderzijde op tal van plekken verbrokkeld. Het leken met opzet gegraven tunnels, waarschijnlijk met het doel om te vluchten.

Ze stopten voor een groot gat.

'Ik ga eerst.' Adhara bukte zich, zonder Adrass' antwoord af te wachten. Ze moest zich op haar buik op de grond door de glibberige modder voortbewegen. Omdat ze wist dat de muren wel drie of vier el dik waren, deed ze haar best om het gevoel van verstikking dat ze kreeg te negeren. Opeens stuitte ze op een obstakel. Ze kon niet verder.

'Wat gebeurt er?'

'Hij is geblokkeerd.'

'Kom terug en laat mij maar', zei Adrass vastberaden. Hij kroop het tunneltje in. Adhara volgde angstig zijn bewegingen. Omdat hij veel forser was dan zij, kwam hij met moeite vooruit en leek het steeds alsof hij bleef steken. Maar toen zag ze plotseling een zwak schijnsel en hoorde ze Adrass' gedempte stem die haar zei te komen.

'Leve de magie', fluisterde hij toen ze aan de andere kant uit het gat kroop. Ze waren binnen.

Adrass legde zijn hand op het handvat van zijn zwaard en gaf Adhara haar dolk terug. Er hing een huiveringwekkende stilte, die alleen door het suizen van de wind werd verstoord. Alles leek in orde, maar er brandde geen enkel licht in de huizen. De stad leek verlaten.

'Misschien is iedereen weggevlucht, of gecrepeerd', merkte Adhara op.

'Toch moet iemand de poort van binnenuit gesloten hebben. Bovendien waren een paar van die arme gehangenen pas een paar dagen dood.'

Behoedzaam slopen ze de stad in. In het eerste zijstraatje dat ze insloegen stuitten ze meteen op de eerste lijken. Er lag opgedroogd bloed op de grond en de lichamen zaten onder de zwarte plekken.

Adhara pakte Adrass bij zijn arm. 'Blijf uit de buurt. Jij bent niet immuun', zei ze. 'Weet je de plek te vinden waar we heen moeten?'

Hij knikte alleen maar, terwijl hij een paar stappen achteruit deed. Hij was duidelijk geschokt. Ook zij moest al haar zelfbeheersing aanspreken om niet hard weg te rennen.

'Laten we dan gaan', besloot ze.

Ze begonnen door het doolhof van straatjes te lopen. Aan de muren hingen pamfletten. Voor dit doel waren bladzijden uit oude boekwerken gescheurd en met zwarte verf beschreven.

AVONDKLOK VANAF ZONSONDERGANG.
WANNEER EEN BEWAKER VAN DE WIJSHEID OP UW DEUR KLOPT BENT U VERPLICHT HEM BINNEN TE LATEN.
WIE DE DAGELIJKSE TOL NIET BETAALT RISKEERT DE DOODSTRAF.

Adrass streek over een paar van de pamfletten.

'We hebben geen tijd om te stoppen', wees Adhara hem terecht.

Hij keek haar met een verloren blik aan. 'Je begrijpt het niet ... Dit is een antieke verhandeling over magie. Eén van de basiswerken. Het is minstens vijfhonderd jaar oud! Kijk, hier kun je nog lezen: *Shevraar zij geprezen* ..' En ondertussen beroerde hij het perkament met de lichte, liefdevolle aanraking van wie zijn hele leven tussen de boeken heeft doorgebracht.

Een geritsel achter hen. Adhara greep de Waker vast en duwde hem tegen de muur. Daarna maakte ze zichzelf ook zo plat mogelijk. Het geluid kwam dichterbij. Ze om-

173

klemde haar dolk, klaar om aan te vallen. Er schoot iets voorbij. Adhara kreeg bijna een hartverzakking. Een rat. Dat was alles.

Ze ontspande zich. 'Kom we gaan verder. We kunnen niet op elke hoek blijven treuzelen', zei ze kregel. 'Het is hier veel te gevaarlijk.' Maar op ratten en lijken na, leek de stad te zijn uitgestorven. Adrass keek om de haverklap zoekend om zich heen.

'Weet je de weg niet meer?' vroeg Adhara.

'Jawel! Maar ...'

'Maar wat?'

'Ik ben alles bij elkaar twee keer in deze stad geweest. En nog maar een keer in de bibliotheek.'

Adhara pakte hem bij zijn kraag. 'Je hebt me op goed geluk hierheen gebracht?'

'Alle Wakers hebben de routes om onze plaatsen te bereiken uit hun hoofd geleerd toen ze zich bij de sekte aansloten. We hebben de weg naar de andere zalen en dus ook de weg naar de ondergrondse bibliotheek geleerd, voordat we gedwongen werden ons te verstoppen in die zaal waar jij bent geboren. Het is een onderdeel van mijn opleiding. Voor mij is het een oefening van geloof. Ik *weet* waarheen ik op weg ben.' Zijn ogen straalden koortsachtig.

Zij vervloekte hem nogmaals, maar liet hem weer los. 'Als je maar opschiet', voegde ze toe. Op dat moment deed een schorre, hese stem afgewisseld door hevige hoestbuien hen opschrikken.

Adhara ontwaarde een zwarte schim die zich in hun richting sleepte.

'Help me ... breng me naar een priester ...' smeekte hij.

Plotseling werd zijn gezicht door een fakkel verlicht.

174

Ze zagen een man in vieze kleren die doordrenkt waren met bloed dat hij uit zijn mond en neus verloor. Hij keek hen zo smekend aan dat Adhara haar ogen niet van hem los kon maken. Toen het sidderende licht van een tweede fakkel, en een stem klonk vanuit het einde van het straatje.

'Lelijke ellendeling, je hebt de avondklok geschonden!' Een suizend geluid, en de man werd midden in zijn borst door een pijl geraakt. Hij wankelde en viel voorover. Adhara deed in een reflex een stap opzij, maar Adrass was niet snel genoeg. De man viel tegen hem aan, met zijn bloederige handen nog tegen zijn gezicht gedrukt. Hij gleed op de grond en blies zijn laatste adem uit. Adrass bleef als versteend staan. Er suisde weer een pijl voorbij. Deze raakte Adhara aan haar schouder. Ze kreunde, boog dubbel, maar begreep dat er geen seconde te verliezen was.

'Weg, weg!' gilde ze, Adrass met zich mee sleurend. Ze zetten het op een rennen, met hun achtervolgers op de hielen. Ze kwamen overal vandaan, vlug en heimelijk als nachtdieren.

Adhara schoot naar rechts. De pijn aan haar schouder werd steeds heviger. Drie mannen met een grijns op hun door fakkels verlichte tronies versperden haar de weg. Ze zwaaiden met min of meer verroeste en beschadigde zwaarden en droegen oude, slecht passende wapenrustingen waar, op borsthoogte, een zwart oog op was geschilderd.

Adhara probeerde uit alle macht hun achtervolgers van zich af te schudden, maar ze waren omsingeld. Ze konden geen kant meer op. Nog even en de verraders zouden hen te pakken hebben. Wie weet wat hun dan te wachten stond.

Ze voelde een wanhopige woede in zich opkomen. Ze had die gek helemaal tot hier gevolgd omdat ze geen andere keuze had, en dit was het resultaat. Bijna kwam ze in de verleiding om zijn arm los te laten en hem ter plekke te laten creperen, hem en zijn achterlijke cultus. Maar dat kon ze niet doen. Alleen Adrass wist hoe ze gered kon worden.

Toen ze zeker wist dat alle hoop verloren was, gebeurde het. Op het moment dat ze zich omdraaide, zag ze een gevlekt gezicht achter een spleet in een muur. De persoon in kwestie zei niets maar gebaarde haar om te komen. Dat liet ze zich geen twee keer zeggen. Adhara glipte moeiteloos door de smalle opening, maar Adrass dreigde klem te raken. Met veel moeite lukte het Adhara hem naar binnen te sjorren. Ze zagen hoe de laarzen van hun achtervolgers stil bleven staan.

'Waar zijn ze gebleven?'

'Weet je zeker dat ze die kant zijn opgegaan?'

'Ze was razendsnel, die slet, maar volgens mij rende ze die steeg in.'

'Ik heb haar met een pijl geraakt. Ze is gewond. Tegen de tijd dat het licht wordt ligt ze ergens voor dood op straat. Morgenochtend kammen we de stad uit. Jullie zullen zien dat we haar en die sukkel die ze bij zich heeft vinden. Maar mondje dicht, anders hangen de Wijzen ons op.'

Langzaam verwijderden hun voetstappen zich over het plaveisel. Pas toen durfde Adhara weer normaal adem te halen.

17
WAT ER VAN MAKRAT
GEWORDEN WAS

'Volg me.' Het gevlekte gezicht behoorde toe aan een smerig uitziende, in vodden geklede jongen. Hij voerde hen door de aardedonkere, stinkende kelder waarin ze terecht waren gekomen. Ze volgden hem door slecht begaanbare tunnels die onder de huizen, vaak dwars door muren en funderingen heen, waren gegraven. Het waren gevaarlijke, met geïmproviseerde middelen gevormde doorgangen. Adhara en Adrass moesten gehurkt lopen om de jongen bij te kunnen houden. Adhara raakte steeds meer uitgeput en de wond aan haar schouder brandde venijnig. Zo nu en dan ontsnapte haar een gesmoord gekerm. Na een bochtig stuk kwamen ze uit in een grote ruimte waar ze een groep personen aantroffen. Vooral mannen, maar ook kinderen en een vrouw met een vastberaden uitdrukking op haar gezicht. Kennelijk woonden ze in die enorme kelder want in een hoek waren provisorische slaapplaatsen ingericht. Op een paar houten kisten lag een klein arsenaal roestige wapens. Het was er schemerig en benauwd, en er hing een indringende, zure zweetlucht.

Toen de jongen eindelijk stil bleef staan, liet hij verbijsterd zijn blik over Adrass glijden. Pas toen zag ook Adhara dat haar reisgenoot onder het bloed zat. De oude man die dood tegen hem was aangevallen had hem er van boven tot onder mee besmeurd.

'Waar ben je gewond?' vroeg de jongen.

'Alles is in orde. Het is mijn bloed niet', antwoordde Adrass met bevende stem. Hij was duidelijk van streek, maar probeerde zichzelf te beheersen. 'Kan ik me hier ... kan ik me hier ergens wassen?'

Die vraag wekte de algehele hilariteit op.

'Haha, hoe verzin je het? We hier zijn allemaal vogelvrij verklaarden, vriend. We zijn gedwongen om onder te duiken voor de Wijzen, en kunnen alleen nog maar dromen van luxe zaken zoals een bad!'

Iemand wierp Adrass een tuniek in een onbestemde kleur toe.

'Als je wilt kun je je vieze kleren voor deze verwisselen.'

Hij keek om zich heen, maar zo te zien was de ruimte waarin ze zich bevonden het enige vertrek. Dus zocht hij een hoekje op en verkleedde zich haastig.

De jongen bestudeerde ondertussen de wond aan Adhara's schouder. 'Niets al te ernstigs', oordeelde hij.

'Ik weet het', zei ze. 'Maar hij moet wel schoongemaakt worden om infectie te voorkomen.'

'Dat is geen probleem, we hebben een priester onder ons.'

'Daar komt niets van in!'

Iedereen staarde Adrass verbaasd aan.

Hij kwam haast dreigend naar voren. 'Ik behandel haar', verklaarde hij.

De jongen stak berustend zijn armen in de lucht. 'Zoals je wilt.'

Adrass pakte Adhara bij een arm en leidde haar bezitterig bij de groep vandaan.

Terwijl Adrass zich met haar wond bezighield, had Adhara de gelegenheid om de gezichten om haar heen rustig te bekijken. Ze waren stuk voor stuk gevlekt, wat betekende dat alle aanwezigen de ziekte hadden gehad. Het was niet moeilijk te raden waarom de jongen hen als vogelvrij had betiteld. Dit waren mensen die geweigerd hadden te buigen voor de nieuwe wetten die de zogenaamde Bewakers van de Wijsheid hadden ingesteld. Er was dan ook niet veel voor nodig om een strafbaar feit te plegen in het nieuwe Makrat, gezien de tientallen pamfletten met regels of verboden die ze aan de muren hadden zien hangen.

Toen Adrass met haar klaar was, deelde de groep een stuk beschimmeld, gedroogd vlees en een snee oud brood met de nieuwkomers.

'Het lekkere eten houden ze uiteraard voor zichzelf. Dit maaltje hebben we een tijdje geleden geroofd van een van de karren vol levensmiddelen die voor de Raad der Wijzen bestemd was', lichtte de enige vrouw van de groep toe. Ze droeg mannenkleren en er hing een dolk aan haar riem. Ongetwijfeld vocht ze met de mannen mee.

'En jullie, wat is jullie verhaal?' vroeg een van de mannen, waarop alle hoofden in de richting van Adhara en Adrass draaiden. Ze keken elkaar onthutst aan. Ze waren er nooit aan toegekomen om een aannemelijk verhaal te verzinnen voor gevallen als dit. Maar deze mensen verdienden een uitleg. Ze hadden hun leven per slot van rekening gered.

'We komen van buiten de stad,' begon Adhara, 'en we zijn naar iets op zoek.'

Het vervolg was een mengeling van waarheid en leugens. Op missie voor de Broeders van de Bliksemschicht waren ze in Makrat beland, om boeken op te zoeken voor het onderzoek naar een remedie voor de ziekte. Een forse, atletisch gebouwde man deed een paar stappen naar voren. 'Er bestaat geen remedie voor de ziekte', verklaarde hij. Hij leek de leider te zijn. De anderen bejegenden hem met een soort eerbied. Hun redder had hem, meteen bij aankomst, nauwkeurig verslag uitgebracht van het gebeurde. 'Hebben jullie gezien wat er van Makrat geworden is? De ziekte heeft de stad totaal geruïneerd. Zo is het al weken. Er blijft niets van over.'

Adrass huiverde. Adhara kon wel raden waarom, maar desondanks kon ze geen greintje medelijden voor hem opbrengen. Tijdens hun gezamenlijke tocht was er totaal geen band tussen hen ontstaan. Hij bleef haar behandelen als het resultaat van een experiment, en zij beschouwde hem enkel als haar folteraar.

'Wat is er gebeurd? Ik ben al meer dan twee maanden uit de stad weg', vroeg ze. Er viel een doodse stilte over de groep. De haat was bijna tastbaar.

De leider nam het woord. 'Die vervloekte Neor en zijn familie. Hij heeft ons hier laten stikken. Zodra hij doorkreeg wat er aan de hand was, heeft hij de benen genomen naar Nieuw Enawar. In het begin heeft hij een zwakke poging gedaan om orde op zaken te stellen, maar daarna heeft hij ons laten vallen als een baksteen.'

'Neor is dood', verklaarde Adhara nauwelijks hoorbaar.

'Geprezen zij de held die hem vermoord heeft', antwoordde iemand en spuugde minachtend op de grond. 'Learco ... dat was nog eens een koning. Na zijn dood zijn de zaken steeds verder bergafwaarts gegaan. En na het

180

vertrek van de koningin is het leger verbrokkeld. Een deel van de stadswachten is naar het front vertrokken, en wij zijn hier met anderhalve man en een paardenkop overgebleven.'

Hun redder wees met een voldane grijns naar degene die het woord voerde: 'Dowan was een van hen, weten jullie dat? Toen ze hem bevalen naar het front te vertrekken, is hij gedeserteerd.'

'Mijn plek is hier. Ik ben bij het leger gegaan om Makrat te verdedigen, en ik zal Makrat verdedigen. Jullie kunnen je niet voorstellen wat een sfeer er hier heerste. Je kon nog niet niezen op straat of je werd al afgemaakt. Iedereen beschuldigde iedereen ervan dat hij de ziekte verspreidde.'

Hij staarde even zwijgend in het niets.

'Toen, op een nacht, werd de poort opengeramd. De rampzaligen die we de hele tijd buiten hadden gehouden, drongen doodsangst zaaiend de stad binnen. We hadden niet genoeg mankracht om ze te stoppen. Binnen de kortste keren overspoelden ze de stad.'

De blikken van de aanwezigen werden grimmig en het werd doodstil.

'Het was een nachtmerrie', ging Dowan verder. 'Ze plunderden de herbergen, drongen de huizen binnen, roofden alles wat ze vonden. Ze hadden zelfs geen medelijden met vrouwen en kinderen. Het leken net dol geworden beesten. De plaag, die eerst tot het hof verbannen was, verspreidde zich onbeheerst en we begonnen ziek te worden.'

'Dowan is de laatst overgeblevene', onderbrak de jongen hem. Hij wilde niets liever dan ook zijn bijdrage leveren en keek verwachtingsvol naar zijn held.

Dowan knikte welwillend.

'Mijn kameraden en ik probeerden ons op te werpen

181

tegen die gekte, maar toen zij arriveerden was het al te laat.

'Zij wie?' vroeg Adhara.

'De Raad der Wijzen. Ik heb nooit goed begrepen wie ze echt zijn. Van het front teruggekeerde soldaten misschien, of struikrovers. Ze riepen zichzelf uit tot bestuurders van Makrat, waarna ze net zo'n bende misdadigers als zijzelf bij elkaar zochten die ze pompeus de Bewakers van de Wijsheid noemden, om orde op zaken te stellen in de stad.'

'Een nobel streven', merkte Adrass op, met een zweem van sarcasme in zijn stem. Dowan keek hem schuins aan. De herinneringen zaten blijkbaar nog erg diep.

Adhara brak de spanning. 'Wat is er toen met u en uw groep gebeurd?'

'Ze hebben ons vermorzeld. Eenmaal aan de macht kondigden de Wijzen de staat van beleg af, en een ongelooflijke hoeveelheid regels waaraan we ons moeten houden om onze burgerrechten niet te verliezen. De angst deed de rest, en de weinigen die zich verzetten zijn opgehangen. Wie, zoals wij, erin slaagde te vluchten werd vogelvrij verklaard.' Dowan rechtte zijn rug. 'Maar de maat is nu vol', voegde hij toe. 'Wij, een mannetje of honderd verspreid over de hele stad, hebben ons in verlaten kelders verscholen om het verzet te organiseren. We hebben ons in kleine eenheden opgesplitst, zoals deze hier. We stelen voedsel en verdelen het onder de hongerigen. We proberen ons tegen massa-executies op te werpen, en voeren guerrilla operaties uit. We willen Makrat heroveren en terugkeren naar de oude orde. Aangezien de koning ons vergeten heeft, hebben we zelf de handen uit de mouwen gestoken', besloot hij ernstig.

Adhara zou hun hebben willen zeggen dat ze helemaal

niet vergeten waren, maar dat er een tekort aan mankracht was. Velen waren gesneuveld en van de resterende manschappen bevond het merendeel zich aan het front. Het handjevol soldaten dat overbleef, was bij lange na niet toereikend om de stad te heroveren. Maar ze voelde er niets voor om die mannen te bekritiseren wegens hun wantrouwen jegens de regering.

Er viel een wraakzuchtige stilte over de toehoorders, en Adhara voelde aan dat ze moest reageren. 'Ik zal dit aan het hof doorgeven, als ik weer in Nieuw Enawar ben', zei ze vastberaden. 'En ik zal erop aandringen dat ze jullie de nodige versterkingen sturen om de stad te heroveren.'

Dowan barstte in lachen uit. 'Meen je dat nou? We hoeven echt niets van hen te verwachten. Ze zijn ervandoor gegaan omdat het lafaards zijn. Alle machthebbers zijn hetzelfde. Egoïstische slappelingen zijn het.'

'Het is niet zoals je denkt ...'

'Zo is het wel, meisje. In ieder geval moeten we rekening houden met de huidige toestand, niet met wat er misschien komt. Sluit jullie bij ons aan, als jullie echt in onze zaak geloven. We zitten om nieuwe mensen verlegen.'

Dowan richtte zijn blik op Adhara's dolk, en ze voelde zich onbehaaglijk. Het was duidelijk dat ze hier zo snel mogelijk weg moesten. Wanhoop maakt mensen tot wolven.

'Jullie hoeven niet meteen een beslissing te nemen. Ga lekker slapen en laat me morgen weten wat jullie doen.'

Ze maakten zich klaar voor de nacht. Er waren niet genoeg slaapplaatsen voor iedereen, dus haalden ze een beetje stro bij de andere bedden vandaan en maakten daar twee dunne strozakken van. Adhara en Adrass gingen liggen, maar ze konden geen van beiden de slaap vatten. Zodra de fakkels gedoofd werden, viel er een diepe duisternis over de zaal. Een van de mannen ging op wacht staan bij de enige ingang, en het werd stil.

Adhara wachtte waakzaam luisterend, met haar hand op het handvat van haar dolk, totdat ze er vrijwel zeker van was dat iedereen sliep. De duisternis bedrukte haar, en de sterke, benauwde lucht die in de kelderruimte hing maakte haar nog beklemmender. Opeens hoorde ze een ritmisch, klagend geluid dat noch van een rat noch van een ander dier afkomstig was. Het was een stem, een stem die onbegrijpelijke woorden fluisterde. Adrass, vlak naast haar, lag te bidden. Zijn gejaagde ademhaling ging op in een smeekgebed. Tot haar voldoening kon Adhara duidelijk angst in zijn stem horen. Het lot had de rollen omgekeerd, en zo begane fouten en ondergane beledigingen met elkaar in evenwicht gebracht. Maar ze had meteen spijt van haar kleingeestige gedachten. Zeker, ze minachtte hem, en hij was haar vijand, maar hij werd wel door dezelfde angst verteerd als zijzelf.

Ze schopte hem zachtjes tegen zijn been. Zijn gebed stokte meteen.

'Morgenvroeg gaan we hier als de gesmeerde bliksem weg', fluisterde ze.

'Je bent gewond. Ik heb je niet helemaal hierheen gebracht om je dood te laten gaan aan een stomme infectie.'

'Die wond stelt niets voor', siste Adhara geërgerd. 'Deze mensen hier zijn gevaarlijk. Hun leider kon zijn ogen niet van mijn dolk afhouden.'

'Je hebt gelijk.'

'Dat is dan afgesproken. Morgenvroeg eten we iets en dan gaan we. Weet je de weg hiervandaan?'

'Ja.'

'Mooi zo', besloot Adhara, voordat ze zich weer in zwijgen hulde. Na een paar minuten begon het smeekgebed weer. Adrass bad met toewijding, zich verlatend op een vertwijfelde hoop. Zijn stem had iets vreselijk irritants, maar zijn gebed had ook iets diep menselijks, iets ontzettend herkenbaars. Iets wat haar en haar slavendrijver met elkaar verbond.

'Overdag komen we alleen buiten als we een belangrijke actie moeten ondernemen. Ze zouden ons kunnen herkennen. Er staat een beloning op ons hoofd. Het zou een onnodig risico zijn om jullie naar buiten te begeleiden.'

'Dat hoeft ook niet. We kennen de weg', antwoordde Adrass.

Dowan fixeerde hen langdurig.

'Wat jullie van plan zijn staat bijna gelijk aan verraad', vonniste hij uiteindelijk. 'Deze stad heeft alle beschikbare mankracht nodig om niet ten onder te gaan. En jullie hebben de moed om naar stomme boeken te gaan zoeken voor een remedie die niet bestaat.'

'Zonder die remedie eindigt de hele Verrezen Wereld snel zoals Makrat', wierp Adhara tegen.

Dowan haalde zijn schouders op. 'Er komt vanzelf een einde aan de plaag, net zoals dat met andere ziektes is gebeurd de afgelopen eeuwen. Maar de Wijzen gaan niet zomaar weg.' Hij zweeg even en ging toen verder: 'We hebben jullie gered uit naastenliefde, maar eerlijk gezegd had ik wel wat meer dankbaarheid van jullie verwacht.'

Adhara deed haar best zelfverzekerd over te komen. 'Iedereen heeft zo zijn eigen missie.'

Het was even stil, en Adhara begon te vrezen dat Dowan hen in die kelder vast zou houden. Maar hij deed een stap opzij en wees naar de uitgang. 'Verdwijn en laat jullie nooit meer zien.'

Ze glipten stilletjes weg, het bochtige ondergrondse gangenstelsel in. Adhara constateerde tot haar opluchting dat haar schouderwond goed aan het genezen was. Eindelijk waren ze buiten. De verlaten stad werd verlicht door een kille ochtendstond. Overdag was Makrat nog spookachtiger dan 's nachts. Overal hingen pamfletten en er was geen levende ziel op straat te bekennen. Een groot deel van de ramen en deuren was gebarricadeerd, andere stonden open, en keken als lege oogkassen de stegen in.

Adrass zag bleek, en Adhara werd achterdochtig. 'Ben je wel in orde?'

'Het werkt op mijn zenuwen om hier rond te zwerven', antwoordde hij, zijn pas versnellend.

Nadat ze de zoveelste hoek waren omgegaan, kwamen ze uit bij een waterput. Het kleine ronde pleintje waar hij zich bevond moest ooit schitterend geweest zijn. Nu hing de klimop verdroogd aan de gevels en lag er een vormeloze hoop rottend afval in een hoek. De stank was ondraaglijk.

Adrass hees zichzelf op de rand van de put, pakte het touw dat aan de katrol vastzat en liet zichzelf de diepte in zakken.

'Een van onze medebroeders ontdekte deze ingang bij toeval nadat hij in de put was gevallen', zei hij hijgend. Het was een nauwe schacht en Adrass paste er maar net door. 'Kom me achterna zodra ik beneden ben.'

Adhara keek over de rand. De stenen wanden werden onderin opgeslokt door een ondoordringbare duisternis.

Het geknars leek een eeuwigheid te duren. Als er op dat moment iemand aan kwam, zou dat het einde betekenen. Hoe zou ze zich hier in hemelsnaam uit kunnen praten? Toen hoorde ze doffe bons, wat wilde zeggen dat Adrass de bodem had bereikt. Nu was het haar beurt.

Ze liet zich langs het touw naar beneden glijden. Haar handen brandden door de wrijving. Ze kwam in een soort nauwe grot uit, die nauwelijks groot genoeg was voor twee personen. Adrass zat op zijn knieën met een magisch vuur in zijn hand waarmee hij zoekend de bodem bescheen. Adhara had geen idee waarom. Ze kon niets bijzonders aan de rotsvloer ontdekken. Adrass dacht daar blijkbaar anders over, want opeens hield hij zijn hand stil.

'Ga opzij', siste hij. Hij begon in zijn tas te rommelen en haalde er een krom, verroest sleuteltje uit.

In het lugubere schijnsel van het magische vuurtje was een onopvallend gaatje in de vloer zichtbaar. Adrass stak de sleutel erin.

'Alle broeders hadden er zo een', lichtte hij toe met een zweem van verdriet in zijn stem.

Toen hij het sleuteltje omdraaide, zakte een hele schijf van de vloer de diepte in. Daaronder, duisternis.

Adrass kwam overeind en bestudeerde de opening. 'De ingang naar de ondergrondse bibliotheek', verklaarde hij. Hij richtte zijn blik op Adhara. 'Volg me.'

18
DİLEMMA

Het flakkerende kaarslicht wierp onheilspellende schaduwen op de gezichten van de leden van de Raad. Het gezelschap bestond uit generaals die zojuist van het front waren teruggekeerd, Broeders van de Bliksemschicht, Theana en Kalth, met zijn gebruikelijke ernstige en gespannen gezicht.

Sinds Dubhe aan het hoofd van het leger stond, gingen de zaken iets beter. Ze verloren geen terrein meer. Maar ze hadden ook nog geen el terrein herwonnen. Ze bleven de weinige overgebleven voorposten verdedigen, maar slaagden er niet in de vijand op enige manier te verzwakken.

De aanwezigen hadden net een discussie over militaire strategieën beëindigd, toen Kalth zich tot Theana wendde: 'En de remedie?' vroeg hij plompverloren.

De magiër ging nerveus verzitten. Ze wist dat die vraag vroeg of laat zou komen, maar ze had hem niet zo snel verwacht. Alle ogen richtten zich op haar. Er viel een loodzware stilte in de zaal.

'We werken er met man en macht aan', antwoordde ze. Ze legde uit wat ze ontdekt hadden, dat de ziekte een machtig zegel was, dat zich verbreidde door middel van een soort besmette, met magie gecreëerde sporen.

'Zegels kunnen alleen verbroken worden door de magiër die ze opgeroepen heeft. Stel dat de magiër in kwestie dood is, bestaat er dan geen behandeling?' Theana was even uit het veld geslagen. De vraag was van Kalth afkomstig. Ze had niet gedacht dat die jongen zo goed op de hoogte was.

'Er zijn gevallen bekend van zegels die door andere, machtige magiërs verbroken zijn. Hoe dan ook, zelfs als de ziekte door een zegel veroorzaakt is, wil dat nog niet zeggen dat er geen remedie voor bestaat.'

Er ging een golf van opluchting door de zaal.

'Dus ik neem aan dat u in die richting werkt?' Theana aarzelde even. Kalth had haar in het nauw gedreven. Ze had nog geen uitsluitsel van Milo gekregen over het brouwsel van de gnoom. Ze wilde geen loze beloftes doen, en ze moest voorzichtig zijn met haar woorden.

'We zijn verschillende wegen aan het bewandelen. Enkele van mijn medewerkers zijn dag en nacht aan het zoeken naar een manier om de verspreiding van de ziekte te stoppen, anderen hebben verschillende brouwsels gedestilleerd waarmee we nu in de quarantaines aan het experimenteren zijn.'

'Resultaten, op dit front?'

De magiër slikte. 'Niets van betekenis. Een enkele stap in de goede richting, maar nog niets definitiefs.'

'U kunt dus niet met zekerheid zeggen of, en bovenal wanneer, we over een remedie kunnen beschikken.'

Kalth keek haar streng aan. Theana zou durven zweren dat de anderen haar al net zo kritisch opnamen en haar bekwaamheid als priesteres in twijfel trokken.

'Nee, ik kan geen enkele voorspelling doen', besloot ze gelaten.

Er steeg een afkeurend gemompel op uit de zaal. De teleurstelling was bijna tastbaar.

Nadat hij de raadsleden tot stilte had gemaand, ontbond Kalth de vergadering.

Kalth bleef Theana aankijken. Ze begreep dat het moment gekomen was om hem opheldering te verschaffen.

'Ik zou u graag even alleen willen spreken', zei ze, toen iedereen de zaal verlaten had.

De jonge vorst leek niet verbaasd. 'Gaat uw gang.'

Theana haalde diep adem en begon over Uro, de gnoom, te vertellen.

De toestand van de zieken die zijn drankje hadden ingenomen was duidelijk verbeterd. Enkelen waren zelfs genezen. Ze hadden vastgesteld dat het bijtijds toegediend moest worden, om nog betere resultaten te verkrijgen. Het probleem was dat zij nog niet helemaal overtuigd was van de onschuld van het middel. Daarom had ze Uro verboden het nieuws te verspreiden, alsmede om het drankje zonder haar toestemming uit te delen. In ruil daarvoor zou zij zijn zucht naar roem verzadigen. Dat bracht haar nog het meest aan het twijfelen. Er was iets aan hem - zijn manie om door het nageslacht als de redder geëerd te worden - wat niet klopte. Dus had ze besloten om de ontdekking voor zichzelf te houden zolang ze de resultaten van Milo's onderzoek niet binnen had. Om die reden had ze er ook voor gepast om tegenover de Raad te verklaren dat ze misschien de definitieve remedie gevonden had.

Kalth glimlachte welwillend. 'U heeft correct gehandeld.'

Theana voelde zich opgelucht. 'Over een paar dagen

heb ik de samenstelling en dan zal ik weten of mijn twijfels gegrond zijn.'

'Waar bent u in werkelijkheid bang voor?'

De magiër schudde haar hoofd. 'Het is maar een onderbuikgevoel, maar ik ben bang dat er iets lelijks schuilgaat achter deze geschiedenis van het drankje. Uro is veel te vaag gebleven toen ik hem naar de samenstelling van het brouwsel vroeg. Ik wil eerst duidelijkheid hebben voordat ik victorie kraai.'

Kalth knikte overtuigd. 'Dat lijkt me redelijk. Maar vergeet niet dat het stoppen van de besmetting absolute prioriteit heeft. Als dat nieuwe middel van nut is voor het rijk, zullen we het moeten gebruiken. Ik ben openhartig tegen u omdat u een van de weinigen bent die echt in mij geloven. Zoals de zaken er nu voor staan hebben we geen enkele hoop. De ziekte is ons aan het uitputten, we hebben een tekort aan soldaten, en de elfen zijn onstuitbaar. Het is *cruciaal* dat we geen manschappen meer verliezen.'

Theana bewonderde hem. Hoe scherpzinnig en onweerlegbaar zijn logica ook was, het kon niet anders of al die verantwoordelijkheid moest wel zwaar op hem drukken. Toch bleef hij beslissen en vechten voor zijn onderdanen, als een echte koning. Zij zou hém moeten steunen, in plaats van andersom.

Die gedachte greep haar zo aan, dat ze hem spontaan omhelsde. In eerste instantie reageerde Kalth niet, maar na een poosje ontdooide hij, en sloeg hij zijn armen om haar middel. Zo bleven ze een tijdje staan, als moeder en zoon, om moed bij elkaar te vinden in deze storm die hen beiden dreigde mee te sleuren. Nadat ze elkaar losgelaten hadden, bedankte Kalth haar met een glimlach, en verliet hij de zaal.

Het antwoord kwam twee dagen later.

Theana schrok op toen er op haar deur werd geklopt.

'Binnen', riep ze met een droge keel.

Milo's lange, magere gestalte verscheen in de deuropening. Theana probeerde van zijn gezicht af te lezen of hij goed of slecht nieuws bracht.

'En?'

Milo knikte alleen maar en ze wist al genoeg.

'Ik heb het medicijn onderzocht dat u me gegeven hebt. Het zit vol ingrediënten die ik volledig nutteloos acht: extracten van geneeskrachtige planten met een licht heilzaam effect, water en alcohol.'

'Uro had het over paars blad ...'

'Daar heb ik inderdaad sporen van aangetroffen, maar in een te verwaarlozen hoeveelheid.'

De magiër verschoof op haar stoel. 'Maar als het niets bevat wat een reëel genezend vermogen heeft, waarom werkt het dan?'

Milo schraapte zijn keel. Hij keek opeens ontzettend ernstig. Theana's hart sloeg op hol. *Nu komt het.*

'Omdat het nimfenbloed bevat.'

Ze was als versteend. Ze kende dat ingrediënt maar al te goed. Het was alsof alle puzzelstukjes plotseling op hun plek vielen. De nimfen waren immuun voor de ziekte, met als gevolg dat het verhaal rondging dat zij de ziekte hadden gebracht. Uro had dus gelogen. Het betrof geen ambrozijn, of een of andere zeldzame, onbekende plant. Het nimfenbloed had een genezende werking. Waarom had ze daar niet eerder aan had gedacht? Het lag zo voor de hand, dat het bijna gênant was. Ze huiverde.

Bij hun laatste ontmoeting had de gnoom gezegd dat hij verder zou gaan met de productie. Het beeld van zijn woning propvol met flesjes nimfenbloed deed haar gruwelen. Die gek had onschuldigen afgeslacht voor zijn eigen roem en glorie. En, wat nog erger was, zij had hem gesteund. Ze voelde zich duizelig worden en sloot haar ogen.

'O nee ... Dat is te erg voor woorden', prevelde ze.

'Maar het werkt wel', zei Milo. Er klonk een vreemde toon door in zijn stem.

Theana sperde haar ogen wijd open. 'Het doet er niet toe of het werkt of niet! We kunnen geen levens opofferen om er andere levens mee te redden!' krijste ze.

'Met het bloed van één nimf kunnen tientallen zieken gered worden. Het gaat om het opofferen van een paar levens voor de redding van de Verrezen Wereld!' Milo keek haar met koortsachtige ogen aan. 'Wat hebben we bereikt met al onze onderzoekingen? Niets. Alle kameraden met wie ik het onderzoek ben begonnen zijn gestorven, en ikzelf draag voor altijd de tekens van de ziekte op me. De bevolking sterft uit, hele steden zijn in chaos ondergedompeld, en alsof dat niet genoeg was, zijn de elfen bezig de wereld te veroveren. Dit zijn geen tijden om ons druk te maken om de moraal.'

Vroeger zou niemand van haar mensen het gewaagd hebben om zoiets tegen haar te zeggen. Ze beschouwden haar bijna een heilige. Vroeger zou haar woord wet zijn geweest.

'Hoeveel levens gaat het kosten als u nee zegt, als u besluit om Uro te straffen en zijn remedie te verbieden?' vervolgde Milo. 'Wat als dit de enige manier blijkt te zijn om de uitsterving te voorkomen van alle rassen die de Verrezen Wereld bewonen?'

Theana voelde zich verpletterd door zijn loodzware woorden.

'Vraag je me echt om moedwillig wie weet hoeveel onschuldige wezens om te brengen ...' siste ze.

'Is deze epidemie dan soms geen slachting? U heeft er geen problemen mee om duizenden personen ter dood te veroordelen, maar u schrikt ervoor terug om de nimfen te gebruiken voor een hoger doel.'

Theana zag dat zich een afgrond voor haar voeten opende. Opeens bekoorden Milo's woorden haar. Ze bevatten een verdorven logica, een logica die overeenstemde met wat Kalth gezegd had. Ze moesten, koste wat het kost, een remedie vinden. Maar de gedachte om bloed met bloed weg te wassen verlamde haar. Ze kon niet toegeven. Ze kon het gewoon niet.

'Zwijg!' gilde ze, opspringend. 'Het is je reinste waanzin! We sturen iemand naar Uro's huis om het materiaal in beslag te nemen, en daarna laten we hem arresteren. In de tussentijd ga ik me inzetten om een ander geneesmiddel te vinden!'

Milo keek haar scheef aan met een doffe blik in zijn ogen. 'Laat u deze kans niet ontglippen, mijne vrouwe.'

'Ik heb mijn besluit genomen. Ga nu, en doe wat ik je opgedragen heb', verklaarde ze autoritair.

Milo deed er verder het zwijgen toe. Hij maakte een buiging en liep op de deur af. Maar Theana hield hem tegen.

'Ik heb al een andere oplossing bedacht', zei ze met tegenzin.

Milo draaide zich niet eens om. Hij aarzelde even en liet haar toen alleen.

Pas na een paar minuten lukte het Theana om haar kalmte te herwinnen. Ze rilde van verontwaardiging. Het was zeer ernstig wat er zojuist gebeurd was. Ze moest het roer weer in handen nemen.

Derde deel

De ondergrondse bibliotheek

19
DE ONDERGRONDSE BIBLIOTHEEK

Adrass werd opgeslokt door een duisternis die muf en naar schimmel rook. Het was guur daarbeneden. Nadat hij een magisch vuurtje ontstoken had doemden de eerste drie treden van een wenteltrap voor Adhara's ogen op. Adrass begon de trap af te dalen, en al snel zag ze geen hand meer voor ogen. Dus nam zij ook haar toevlucht tot magie. Ze hoefde maar een paar woorden uit te spreken en er ontstond een kleine lichtbol op haar handpalm. Ze keek er onthutst naar, zich verbazend over het gemak waarmee de magische kunsten die in haar hoofd waren opgeslagen uit haar handen begonnen te komen. Ze keek naar beneden. Het was onmogelijk te schatten hoe ver de smalle wenteltrap de diepte inging. Pas na een paar minuten dalen kon ze het einde ervan onderscheiden. Adrass wachtte haar op de laatste traptreden op, bleker dan ooit, met een bezweet voorhoofd.

'Weet je zeker dat je verder kunt?' vroeg ze.

'Hou op met dat gezeur! Jij bent degene langzaam doodgaat', antwoordde hij bars.

Adhara kon zijn angst ruiken.

Ze waren in een grote ruimte aangekomen waarvan de

houten zoldering door een reeks steigers werd ondersteund. Op de geruïneerde, veelkleurige marmeren vloer verhieven zich groepjes dunne zuilen, waarvan sommigen halverwege afgebroken waren. Ze waren zwartgeblakerd, alsof de elegante schoonheid van die zaal door een ramp was weggevaagd. Om hen heen staken hier en daar de overblijfselen van indrukwekkende tafels en stoelen uit het puin.

'Dit was ooit de leeszaal', legde Adrass uit, terwijl hij wat meer licht maakte. Ze bleken zich in een onmetelijke ruimte te bevinden. De zuilen deden Adhara denken aan stammen in een magisch en tijdloos bos.

'Hoe groot is deze ruimte wel niet?' vroeg ze bewonderend.

Adrass haalde zijn schouders op. 'Dat is onmogelijk te zeggen. De muren hebben we nooit gevonden.'

De vloer was opgesierd met kunstige marmeren en zwart kristallen afbeeldingen van draken, en goden misschien. Adhara knielde op haar hurken om de laag stof en as weg te vegen. Het gezicht van een oude vrouw werd zichtbaar. Tussen haar ogen was een steen ingezet met een soort grijze weerschijn. De vrouw keek haar ondoorgrondelijk aan.

Adrass riep haar tot de werkelijkheid terug. 'Kom, we gaan verder.'

Dat was makkelijker gezegd dan gedaan. De vloer lag bezaaid met puin en flarden verbrand perkament.

'We hebben honderden zulke fragmenten gevonden', merkte hij op. 'Wij Wakers zijn hier oorspronkelijk afgedaald met het doel om een veilig onderkomen voor onszelf te bouwen. Omdat het ons een goed idee leek om de put te gebruiken als ingang voor onze Zaal, zijn we gaan graven. Na een paar meter stuitten we op een holte, ofwel de ruimte die je hier ziet.' Hij maakte een weids gebaar. 'We bleven graven, en ontdekten zo beetje bij beetje dat het om een bibliotheek ging, de grootste die ooit in de Verrezen Wereld bestaan heeft. Om het geheel meer stevigheid te geven bouwden we de houten steigers die je hebt gezien.'

Adhara keek nog eens bewonderend om zich heen. 'En de brand?' vroeg ze. 'Hoe is deze bibliotheek onder de grond terecht gekomen?'

'Dat weten we niet precies. Er zijn geen documenten over die periode. Voordat de elfen de Verrezen Wereld verlieten omdat ze zich door de anderen rassen verdrongen voelden, hebben ze in ieder geval geprobeerd elk spoor van hun aanwezigheid uit te wissen, waaronder deze plek en de uitzonderlijke kennis die hij bevatte.'

Adhara voelde een rilling langs haar rug lopen. Met hoeveel haat moesten de elfen bezield zijn geweest om zoiets te doen?

Ze liepen verder onder het lage en benauwende plafond, verdwalend tussen allemaal op elkaar lijkende donkere zijvertrekken. Zelfs Adrass leek niet meer zo zeker van de weg die hij moest volgen.

'Wat hoop je dan nog te vinden hierbeneden?' vroeg Adhara.

'Niet alles is verbrand', antwoordde hij haast verontwaardigd.

Ze hoorde hem zwaar ademhalen, en maakte zich steeds meer zorgen over hem. Het was niet normaal dat hij constant buiten adem was.

Nadat ze ruim een uur gedwaald hadden stopte Adrass. 'Toch was ik ervan overtuigd dat het hier was ...' prevelde hij, verward om zich heen kijkend. Adhara zag hem met de minuut zieker worden.

'Wat, om precies te zijn?' vroeg ze.

'De ingang naar de lagere verdiepingen ...'

'Hoe ziet die er uit?'

'Het is een koperen, opengewerkte sierrand, of zoiets. Toen de Wakers nog bestonden hielden we hem schoon, maar hij zal nu wel onder het stof zitten, zoals de rest.' Adrass haalde een dubbelgevouwen perkament uit zijn tas, en spreidde dat uit op de grond. Het was een met roodkrijt ruw geschetste plattegrond. In een hoek was een soort grote zon getekend.

'Hier, zie je?' zei hij met bevende stem.

Adhara herkende niets op de kaart. Het lage plafond - ze kon het met haar handen aanraken - verhinderde het uitzicht. Daarnaast was het zo donker dat er steeds, zelfs met het sterkste licht, maar een klein stukje van de omgeving te onderscheiden was. Omdat het woud van houten palen de hele zaal besloeg, was het onmogelijk enige regelmaat in de opstelling van de zuilen te ontdekken.

'Ik kan er geen wijs uit', antwoordde ze gelaten.

Maar Adrass gaf zich niet gewonnen. 'Jij blijft hier', beval hij, terwijl hij al aanstalten maakte om weg te lopen.

Adhara hield hem tegen. 'Als je me hier achterlaat, vind je me nooit meer terug.' Ze was echt bang. Er waren dan wel geen muren, maar de ongelooflijke chaos die er heerste, maakte de zaal nog geniepiger dan een doolhof. 'Laten we liever naar een manier zoeken om ons te oriënteren. Maar wel samen', stelde ze voor.

Lange tijd zaten ze tevergeefs over de plattegrond gebogen. Ze konden er geen enkel herkenningspunt op ontdekken. Hij leek zelfs een heel andere plek uit te beelden.

'Weet je zeker dat deze plattegrond bij deze ruimte hoort?' vroeg ze.

Adrass wiste het zweet van zijn voorhoofd. 'Ik weet

het niet ... Ik, ik ... Na die eerste keer ben ik niet meer in de gelegenheid geweest om terug te komen', stotterde hij. Perfect. Hij had gewoon geen flauw idee waar ze waren. Hij was hier nooit geweest, of zo goed als. Adhara keek hem moedeloos aan en ging op de grond zitten, om de inhoud van haar tas te controleren. Voordat ze de kelder van Dowan verlieten, had ze kans gezien om een voorraadje levensmiddelen bij elkaar te graaien. Terwijl iedereen nog lag te slapen had ze hun dekenkisten doorzocht. Samen met wat Adrass bij zich had, hadden ze net genoeg voor een week. Ze gooide haar reisgenoot een stukje gedroogd vlees toe.

'Kleine porties want we moeten zuinig zijn', zei ze.

Hij keek hoe ze haar tanden in het vlees zette. 'Nee, we moeten zo snel mogelijk de ingang vinden, anders zijn we verloren.'

'Maar daarom hoeven we niet te vasten!'

Ze aten in stilte, in een vijandige sfeer. Die reis werd steeds ondraaglijker. *Kon ze zelf maar een remedie vinden.*

Ze stond op en begon nerveus door de zaal te ijsberen, goed oplettend dat ze niet te ver uit Adrass' buurt raakte. Verstrooid veegde ze een stukje van de vloer schoon. Wat er onverwachts zichtbaar werd kwam haar bekend voor.

Het was een streng, gefronst gezicht. 'Adrass, kijk hier eens naar!'

Hij stond langzaam op, en liep moeizaam naar haar toe. Hoewel ze een aardig tijdje gezeten hadden, hijgde hij nog steeds. 'Wat is er?'

Adhara wees naar de afbeelding op de grond. Hij wierp er eerst een nonchalante blik op, maar raakte toen ongelooflijk geïnteresseerd.

'Dat is Thenaar ...' stamelde hij.

Samen veegden ze de rest van de tekening schoon. Hij

was het echt. Maar er was meer. Achter hem was iets getekend. Een soort plattegrond. Zowel zij als Adrass bukten zich om het stof en vuil met hun handen weg te vegen.

'Dat is Vuurland!' jubelde Adrass. 'Thenaar is een Elfse god, de elfen noemden hem Shevraar. Ze hadden vele godheden. Praktisch ieder land kwam overeen met een god. Dat zou je moeten weten, het is een onderdeel van de kennis die ik in je hoofd geprent heb.'

Het was waar. Naarmate hij praatte, kwam alles bovendrijven.

'Volgens mij heb ik Thooli ook al gezien', zei Adhara. Thooli, de godin van de tijd, de godin van Dagenland. 'Toen we nog maar net binnen waren', voegde ze toe.

'Het is één grote landkaart ... Deze vloer is versierd met een kaart van de Verrezen Wereld ...' dacht Adrass opgewonden hardop.

'Als het zo werkt, dan kan de koperen sierrand waar je het over had een manier zijn om Glai, de god van de zon uit te beelden. We hoeven alleen de plattegrond op de vloer te volgen tot aan Zonland om de ingang naar de lagere verdiepingen te vinden', concludeerde Adhara. Ze haalde zich de geografie van de Verrezen Wereld voor de geest. Vuurland was een van de verst van Zonland gelegen landen.

Ze begonnen allebei koortsachtig de vloer schoon te vegen en merkten al snel dat de kaart waarmee hij versierd was, oneindig groot was.

Het was ingewikkelder dan gedacht. Net zoals Adrass gezegd had, was de grote zaal voor een deel nog niet door de Wakers onderzocht. De helft van Rotsland, bijvoorbeeld, lag nog helemaal onder het stof, en ze moesten hard werken om het eerste, onduidelijke stukje van

Windland op te sporen. Waterland bleek helemaal te ontbreken. Het kostte hun bijna een uur om de vage grens met Zeeland te vinden, waarna ze eindelijk hun zo fel begeerde doel bereikten.

'Gevonden!' jubelde Adhara overeind komend.

'Nu hoeven we alleen nog de zon te vinden', zei Adrass. Hij deed een vergeefse poging om zijn lichtbol feller te laten schijnen. Toen Adhara voor hem in de plaats licht maakte, werd hun blik meteen getroffen door een verre gloed. Enorm, perfect rond, deels bedekt door een dikke laag as: een zon met een raadselachtig, sierlijk bewerkt gezicht, uit een enkel blok goud. Ondanks zijn smerigheid glansde het kunstwerk schitterend. Het had een doorsnee van minstens tien el. De elfen moesten wel een over een enorme metallurgische kennis beschikken om zoiets moois te kunnen maken.

Ze schrok op van een gedempt geluid. Adrass had zijn evenwicht verloren en was op zijn knieën gevallen.

'Wil je dat we stoppen?'

Hij wierp haar een dodelijke blik toe. 'De enige over wie ik me bezorgd maak ben jij.'

Adhara merkte dat ze geïrriteerd begon te raken. 'Ben je soms gek geworden? Is je experiment je dan zoveel waard? Heeft het geloof je zo verblind?'

'Het is niet alleen een kwestie van geloof. Het gaat om de redding van de Verrezen Wereld, en jij bent onze enige hoop.' Zijn stem verried een oneindige radeloosheid. 'Ik wil onze wereld redden', voegde hij toe.

Adhara zuchtte.

'En nu?' vroeg ze ten slotte gelaten.

Hij krabbelde overeind, halsstarrig alle hulp weigerend. 'De eerste keer dat we op dit kunstwerk stuitten, was het beschermd door een zegel. Twee van onze mensen hebben hun leven gegeven om het te verbreken. Vervolgens hebben we het een herkenningsmagie opgelegd, die nog steeds zou moeten werken.'

Hij liep er naar toe, legde zijn hand op de rand van de gigantische zon, en sprak moeizaam een korte zin in het Elfs uit.

Een scherpe klik, en de zon begon met een oorverdovend lawaai opzij te draaien. De hele zaal schudde op zijn grondvesten, en de houten palen schommelden zo vervaarlijk heen en weer dat Adhara vreesde dat de hele boel zou instorten. Daarna kwam alles tot stilstand en kon je weer een speld horen vallen. Op de plaats van de zon bevond zich nu een diepe put waarin een tweede trap zichtbaar was, van metaal dit keer. Adrass ging zoals altijd voorop.

'Volg me', zei hij bars.

Adhara gehoorzaamde. Ze hoefden maar een paar treden af te dalen of ze stonden in een brede, licht aflopende gang. Links werd hij begrensd door een lage muur, waarop wijde bogen op dunne, zwartkristallen zuilen stonden. Erachter was een bodemloze diepte. Toen Adhara over de rand keek, voelde ze een warme windvlaag langs haar gezicht strijken die een ondefinieerbare geur met zich meebracht. Hij bevatte iets van zwavel, maar ook van vocht en schimmel. Aan hun rechterhand vormden esdoornhouten kasten met hun lichte kleur een vreemd contrast met de rest. Ze waren minstens tien el hoog en stonden nokvol met boeken. Adhara had nog nooit zoiets gezien. Bovenaan markeerden sierlijke bordjes met Elfse opschriften de verschillende afdelingen. De gang liep als een spiraal rondom die spookachtige afgrond naar beneden, terwijl de boekenkasten aan hun rechterhand werden afgewisseld door leeszaaltjes die in het gesteente waren uitgehakt. In wezen was de bibliotheek één grote, eindeloos diepe put.

Adrass leunde hijgend tegen de muur. 'De hele bibliotheek ziet er zo uit. De boeken bevinden zich in de zijvertrekken en langs deze aflopende gang. We hebben geen idee hoe diep hij is. De paar broeders die hem helemaal uit wilden lopen zijn nooit meer teruggekeerd', vertelde hij. 'Veel van deze zijruimtes zijn ingestort, andere overstroomd. Het is een gigantische constructie.'

Adhara keek verbijsterd om zich heen. Deze plek kwam in niets overeen met haar voorstelling van een bibliotheek. En verder had hij iets angstaanjagends, verschrikkelijks. Die afgrond in het midden bijvoorbeeld, trok haar aan maar stootte haar tegelijkertijd af. Hoe diep waren de elfen de aarde binnengedrongen? En waarmee hadden ze haar volgestouwd?

Het plafond was versierd met schitterende mozaïeken. Goud, robijnrood, smaragdgroen, kobaltblauw. Een triomf van kleuren die de ellende van donkere eeuwen van ballingschap zonder schade leek te hebben overleefd.

'Weet je waar we moeten zoeken?'

'Ik heb een kaart van het ons bekende gedeelte, maar wat wij zoeken bevindt zich dieper, in een afdeling waar we niets over weten. We moeten nog een heel eind verder.'

Al snel verloren ze iedere notie van tijd. Er moesten luchtkokers in de constructie zijn ingebouwd, want hoewel de atmosfeer drukkend was, konden ze moeiteloos ademhalen. Hun enige maatstaf voor de afstand die ze aflegden was de vermoeidheid in hun benen. Het was onmogelijk te zeggen hoeveel keer ze in de rondte waren gelopen. Het magische vuur verlichtte hooguit twee verdiepingen boven hen en twee onder hen. Voor het overige ging de bibliotheek op in een dichte duisternis.

'Zo is het genoeg', zei Adhara opeens.

'Ben je moe?' vroeg Adrass.

'*Jij* bent uitgeput.'

'Nee, we gaan verder', protesteerde hij, zich omdraaiend.

Adhara greep hem bij zijn kraag. 'Je bent mijn enige hoop om iets te vinden hier en ook mijn enige redding. Je hebt rust nodig, dus we moeten stoppen.'

Adrass had holle wangen en hij was nat van het zweet. Hij knikte onwillig en liet zich naar een van de zijruimtes begeleiden.

GESCHIEDENIS stond er op het bordje boven de deur. Ze stonden voor een ellipsvormige ruimte. Hij was door kasten vol boeken in zoveel verschillende hokjes verdeeld dat het een soort doolhof was geworden. Ze verplaatsen zich langs de muren, om zo min mogelijk het risico te lopen om te verdwalen, en stopten pas toen ze in een iets groter hokje terechtkwamen waar ze naast elkaar konden liggen.

Zowel de boeken als de kasten waren door schimmel aangetast, die griezelige kronkelingen op het plafond en de vloer had getekend.

'Denk je dat er hier gevaar op de loer ligt?' vroeg Adhara.

Hij schudde zijn hoofd. 'We zijn nog steeds in het ons bekende gedeelte. Je kunt rustig gaan slapen.'

Hij had de woorden nog niet uitgesproken of hij viel zelf in een diepe slaap. Terwijl ze naar zijn rochelende ademhaling luisterde, vroeg Adhara zich af hoelang hij het nog vol zou houden. Het ging duidelijk niet goed met hem. Ze wierp een blik op haar verbonden hand. De vlekken begonnen vanonder het verband op haar pols te verschijnen. Het was nog niet afgelopen. Ze voelde zich dan wel beter, maar haar aandoening sloop stilletjes verder.

Haar hand klopte hevig, als een aansporing om op te schieten, omdat haar anders, aan het einde van de reis, enkel de dood wachtte. Pas na urenlang woelen viel ze in een onrustige slaap.

20
WEZENS IN DE DIEPTE

De volgende dag schrok Adhara van iets wakker. Ze wist niet meteen waar ze was. Het was zo aardedonker dat ze begon te twijfelen of ze haar ogen echt wel geopend had. In het diepe zwart hoorde ze een hardnekkig geluid, een krampachtig gehijg, een soort ingehouden gerochel. Het duurde even voordat haar hoofd helemaal helder was, maar toen schoot haar het beeld van de zieke Adrass te binnen.

Ze ging rechtop zitten, en riep hetzelfde magische vuurtje op dat hen de vorige dag had bijgelicht. De man naast haar sidderde over zijn hele lichaam. Hij haalde moeizaam adem alsof zijn longen er niet in slaagden lucht vast te houden. Zijn handen lagen slap op de grond, en onder zijn nagels was een dun streepje bloed zichtbaar.

Adhara wist het meteen. Adrass had de ziekte opgelopen. Ze bleef een tijdje bewegingloos naar hem kijken, bijna geboeid door zijn lijden. De handen die haar aangeraakt hadden, die haar *gemaakt* hadden en zolang gemarteld hadden, zouden binnen afzienbare tijd de verschrikkingen van de dood ontdekken. Ze zou blij moeten zijn.

Het ging per slot van rekening om de vijand, of beter gezegd *haar* vijand bij uitstek. Maar ze kon het niet. Ze voelde een heimelijk medelijden met de man die vóór haar op de grond lag, dat veel verder ging dan haar instinct tot zelfbehoud. Hoezeer ze hem ook haatte, hoe graag ze hem ook aan zijn lot zou willen overlaten, op dit moment zag ze hem als iemand die leed. Een lotgenoot.

Adrass werd wakker en opende langzaam zijn ogen. De betovering verbrak. Adhara ging bij hem zitten. Hij maakte aanstalten om overeind te komen, maar ze legde een hand op zijn borst. 'Blijf liggen. Je bent doodziek.'

Toen hij haar weg wilde duwen, zag hij zijn hand, en merkte meteen het bloed onder zijn nagels op. Z'n schouders schokten even. Maar hij beheerste zich en deed een tweede poging om op te staan. 'Niets bijzonders.'

'Heb je je nagels gezien? Weet je wat dat betekent?'

Hij keek haar vluchtig aan. Adhara zou durven zweren dat ze even een oerangst in zijn ogen las, dezelfde die haar die dag aan de bosbeek bekropen had.

'We moeten verder, de tijd dringt.'

'Nee. Je hebt veel te veel koorts.'

Adrass deed alsof hij haar niet hoorde. Hij haalde een gerimpeld appeltje uit zijn tas. 'Deze kunnen we zo meteen onder het lopen samen delen.'

'Je hebt toch gehoord wat ik zei?'

'We gaan verder!' brulde hij.

Adhara schrok van zijn driftige reactie. *Dan moet hij het zelf maar weten en doodgaan waar hij wil. Hij is toch hopeloos verloren*, dacht ze geërgerd. Ze pakte de appel aan, at hem voor de helft op, en gooide hem het restant toe. Hij liep al voor haar uit.

Met onzekere pas daalden ze steeds verder af. Iedere laag was kleiner dan de vorige, en het werd steeds warmer. De lucht vulde zich met het klateren van iets in de diepte. De veelkleurige mozaïeken van de hogere lagen maakten plaats voor ingewikkeld beeldhouwwerk van allerlei goden en monsters, die in elkaar gevlochten waren tot kronkelige, griezelige decoraties. Een geheimzinnige wereld ontrolde zich voor hun ogen. Schimmel en lattescentia bloemen alom. Adhara had erover horen praten. Deze klimplant was de meest voorkomende plant in Nachtland, een van de weinige die in het donker kon groeien. Hij had donkerblauwe, vlezige bladeren en bolvormige bloemen die een lichtblauw, spookachtig licht uitstraalden. Eerst kwamen ze sporadisch een exemplaar tegen dat op de een of andere raadselachtige manier uit het terrein opgeschoten was. Maar naarmate ze dieper kwamen tierde de plant steeds weliger. Hij tekende kronkels op het plafond, slingerde zich om de zuilen en kroop over de vloer. Als Adhara zo nu en dan per ongeluk op zo'n bloem trapte, kwam er een naar dood en verderf stinkend lichtgevend sap uit. Ze bevonden zich ook niet meer in de afdeling GESCHIEDENIS. Het opschrift boven de deuren van de zijruimtes luidde nu: EPIEK, MYTHOLOGIE, VERHALEN.

Al vrij snel bleek Adrass niet meer in staat om zijn magische vuur brandend te houden. Adhara moest die taak van hem overnemen. Vanaf nu liep zij voorop. Vóór haar strekte zich de oneindige gang uit, terwijl Adrass zich achter haar voortsleepte. Toen een bons. Adhara draaide zich geschrokken om. Hij lag op de grond. Zijn handen zochten wanhopig naar een houvast, maar slaagden er niet eens in de ranken van de lattescentia vast te grijpen.

Hij had alleen de kracht nog om zijn ogen op te slaan. 'Help me', smeekte hij.

De verleiding om hem daar ter plekke te laten sterven was groot, maar ze was onmogelijk in staat om eraan toe te geven. Ze liet de lichtbol los, pakte Adrass bij een arm en hees hem als een zak meel op haar schouders. Dit was de allereerste keer dat ze hem echt aanraakte, zonder dat er sprake was van een gevecht of een ritueel. Ze huiverde. Het kwam haar vreemd, haast onnatuurlijk voor. Ze liep een van de zijvertrekken binnen. GEDICHTEN stond er boven de ingang.

Het bleek een rechthoekige zaal te zijn die van onder tot boven behangen was met zwartkristallen platen. Het licht van haar lichtbol werd er duizenden keren in weerkaatst. Ooit moesten de platen zo glanzend als spiegels zijn geweest. Zelfs nu de glans gedoofd was door een dikke laag stof, was een deel van hun pracht bewaard gebleven. Adhara legde Adrass op de grond, tussen de boekenkasten.

'Als je niet uitrust, komen we nergens.'

Ze scheurde een reep van haar tuniek af en goot daar wat water uit de veldfles op, wat niet meeviel met maar een hand. Haar linkerhand was inmiddels praktisch gevoelloos. Ze slaagde er nog net in om haar vingers te buigen.

Adrass probeerde haar tegen te houden. 'Dat water heb je straks nodig ...'

'Op dit moment heb jij het nodig', antwoordde ze.

Ze legde het natte kompres op zijn gloeiende voorhoofd. Het bloeden was begonnen. Zijn mond was omrand met bloed. De ziekte vorderde snel.

Ze wist niet wat ze moest doen. Hoogstwaarschijnlijk bestond er niet eens een remedie. Degenen die de ziekte overleefden hadden gewoon geluk.

211

Ze zat uren bij hem te waken. Het enige wat ze kon doen, was de natte doek op zijn voorhoofd verwisselen om de koorts ietsje te laten zakken. Hij werd steeds bleker, wat betekende dat de ziekte onverbiddelijk zijn loop vervolgde. De absolute stilte van de bibliotheek werd alleen verbroken door het verre klateren van water.

'Ga weg ... laat me hier achter', fluisterde Adrass rochelend.

'Je weet heel goed dat ik dat niet kan.'

'Je *moet*.'

'Jij bent de enige die me kan redden. Je hebt *gezworen* dat je dat me zou redden, en ik wil niet sterven.'

Hij opende zijn ogen, die ook omrand waren door kleine pareltjes bloed. 'Er is een man ... mijn leraar voordat ik me bij de Wakers aansloot.' Hij haalde diep adem, kuchte. 'Hij ... kan je redden ... als je hem het boek brengt ...'

'Waar vind ik dat boek?'

Adrass draaide zich naar haar om, probeerde zijn mond in een glimlach te plooien. 'Zoals ik al zei ... in het gedeelte dat ik niet ken. Maar jij kunt er komen.' Hij slikte. 'Ga ermee ... naar Meriph, de kluizenaar van Vuurland. Hij ... zal je redden ... in mijn plaats ...'

Hij sloot zijn ogen en leek zijn bewustzijn te verliezen.

Adhara bleef peinzend naast hem zitten. Ook zonder Adrass was er dus redding mogelijk. Ze kon hem achterlaten zonder zelf een wisse dood tegemoet te gaan. Ze had maar een paar verwarde aanwijzingen, maar ze kon hem vinden, deze Meriph, als hij ten minste niet aan de ziekte gestorven was. Hoewel een kluizenaar niet veel gevaar voor besmetting liep.

Als ik wegga, zal ik vrij zijn. Van Adrass en van de ziekte. Na alles wat hij me heeft aangedaan hoef ik me echt niet schuldig te voelen.

Ze wierp een laatste blik op zijn steeds bleker wordende gezicht, de bloedtranen die over zijn wangen gleden. Toen stond ze op.

Verdomme!

Ze rende. Het geluid van haar voetstappen weerkaatste tegen de muren. De lattescentia bloemen ontploften onder haar voeten en de scherpe geur van hun sap prikte in haar neusgaten. Een paar keer dreigde ze te vallen. Ze wierp een haastige blik op de bordjes boven de deuren. GEDICHTEN HELDENVERHALEN FABELS EN SPROOKJES KRONIEKEN VAN DE GODEN Niets over medicijnen. Het was allemaal zo verwarrend. De elfen hadden de ziekte gebracht, en wisten naar alle waarschijnlijkheid ook hoe ze haar konden genezen. Maar de nimfen kregen de schuld om de simpele reden dat ze immuun waren. Het was moeilijk, of zelfs onmogelijk, om wijs te worden uit die wanhopige situatie. Toch bevond het antwoord zich ergens in deze oneindige en labyrintische bibliotheek. Maar waar?

Ze moest even stoppen om het zweet van haar voorhoofd te vegen. De lucht was opeens erg vochtig, en de klimplanten waren verdwenen. Daarvoor in de plaats doken er overal stalagmieten en stalactieten op, spits als siertorentjes of lomp als boomstammen. Ze kwam nevelsluiers tegen, en dreigend boven haar hoofd stromende rotswatervalletjes. Het water drong overal doorheen. Via spleten in de rotswand drupte het op de grond, terwijl het geklater steeds meer overheersend in haar oren galmde.

Er stonden geen boeken meer langs de wanden, maar zware gegraveerde marmeren platen. Het water was hier blijkbaar altijd aanwezig geweest, en de elfen hadden hun oudste teksten in het marmer gegrift.

GENEESKUNST

Het opschrift trof haar onverwachts. Ze was er. Ze stormde halsoverkop de zaal binnen, een natuurlijke grot zo te zien. Het interieur werd beheerst door rotsformaties. Het was onmogelijk te bepalen of ze van vóór of na het Elfse bouwwerk dateerden. Ze vormden fantastische sculpturen waar weer andere beelden bovenop stonden, die onherkenbaar vervormd waren door het stromende water. Het leken wassenbeelden, met onherkenbare gezichten en verdraaide verhoudingen. De zaal bevond zich onder het niveau van de gang, en lag half onder water. Het water kwam binnen via een groot gat in het plafond, waarschijnlijk veroorzaakt door een onverhoopte instorting. De elfen hadden de waterstroom destijds vast omgeleid, maar hij had in de loop der eeuwen revanche genomen. Adhara vroeg zich af hoe de rest van de bibliotheek zo droog kon zijn. Ze hadden sporen van vocht gevonden op de hoger gelegen lagen, maar dieper in de schacht waren de boeken ongelooflijk goed bewaard gebleven. Misschien werden de manuscripten door de een of andere betovering beschermd tegen waterschade. Zonder twee keer na te denken, liep ze tot aan haar borst het water in. Moeizaam waadde ze naar de overstroomde boekenkasten.

Ze begon tussen de platen te zoeken. Toen ze er een uittrok, ontdekte ze dat ze de Elfse taal machtig was. Nog een geschenk van Adrass.

Aan de hand van de verschillende bordjes probeerde ze zich te oriënteren. MAAG. NIEREN. LONGEN. Van illustraties voorziene anatomische teksten over de verschillende organen. Er bevond zich hierbeneden een schat aan kennis. Een priester zou er een moord voor plegen.

Adhara probeerde haar kalmte en helderheid te bewaren. Als ze zich door haar angst en haast zou laten meeslepen, zou ze geen stap verder komen. Toen ze de zichtbare planken had afgewerkt, waren die onder water aan de beurt. Het was geen eenvoudige opgave. Er stond een sterke stroom, die haar dreigde mee te sleuren naar een opening in de wand. Lezen was al helemaal onmogelijk. Ze beperkte zich tot een blik op de bordjes om te zien of er iets van haar interesse bij stond. Zo nu en dan stak ze haar hoofd boven water om adem te halen. Pas bij de derde kast vond ze de afdeling besmettelijke ziekten. Alles zat onder de algen, en op veel punten waren de gravures uitgewist door de tijd. Ze slaagde erin een plaat te pakken, en nam hem mee naar boven. Met een beetje geluk herkende ze een paar symptomen van de ziekte. Ze kon er niet zeker van zijn dat het dezelfde ziekte betrof, maar het was de enige weg die ze kon volgen, haar enige hoop.

Er dient tijdig ingegrepen te worden, binnen twee dagen na het uitbreken van de ziekte. Zo niet, dan zal het enorme bloedverlies vrijwel zeker tot de dood leiden.

Ze was nog op tijd. Maar ze moest zich haasten. Ze las zo snel als ze kon, terwijl ze probeerde de ingrediënten in haar geheugen te prenten, hopend dat Adrass ze bij zich had. Voor zichzelf had ze nog niets gevonden, maar voor hem en alle anderen die met de ziekte besmet waren, bestond er misschien een remedie.

215

... nimfenbloed. Dit bloed, dat zo fris en zuiver is als bronwa-
ter, heeft het vermogen de koorts te verminderen en de bloedin-
gen tot bedaren te brengen.

Het gebeurde in een seconde. Iets doorboorde haar enkel
en trok haar achterover. Adhara eindigde weer onder water, niet in staat boven en onder van elkaar te onderscheiden. Ze voelde dat ze weggesleurd werd, maar had de te-
genwoordigheid van geest om haar dolk te trekken en
zich om te draaien. Ze zag dat er iets bleeks om haar voet
gewikkeld zat, en raakte het zo hard als ze kon. Eenmaal
weer boven water haalde ze diep adem en probeerde ze
al hoestend zo snel mogelijk te uitgang te bereiken. Er
woonde iets in die grot, iets vraatzuchtigs, wat ze alleen
maar zo snel mogelijk wilde ontvluchten. Een felle pijnsteek dwong haar om zich weer om te draaien. Toen zag
ze hem, een soort doorzichtige slang, met een lengte van
minstens drie el. Onder zijn huid was een lange graat
zichtbaar, die een zwak schijnsel uitstraalde, waardoor ze
de vage contouren van moeilijk te herkennen inwendige
organen kon zien. En dan zijn kop: twee grote blinde
ogen, aan weerszijden van de enorme kaken die hij om
haar kuit gesloten had.

Adhara probeerde zich te verdedigen door met haar
dolk te zwaaien, maar het dier glipte behendig tussen
haar houwen door, en beet zich alleen maar nog steviger
vast in haar vlees.

Dus haalde ze diep adem, en dook ze onder water om
hem beter te bekijken. Het was een monsterlijk wezen dat
rechtstreeks uit de hel afkomstig leek. Ze had geen idee
hoe het daarbeneden terecht was gekomen, noch hoe het
zichzelf in leven hield. Ze verloor geen tijd. Met twee
vastberaden houwen hakte ze zijn kop af, die echter ste-

216

vig om haar kuit geklemd bleef zitten. Rillend van pijn en kou kwam ze weer boven. Terwijl ze op adem kwam probeerde ze tevergeefs de walgelijke kop van haar been te rukken.

Haar ogen vingen een beweging op. Witte en groenige schijnsels. Nog meer wezens. Een, twee, tien. Veel te veel voor haar alleen. Ze sprong op, en strompelde in paniek naar de uitgang. Haar lichtbol, die al sinds een tijdje zwakker scheen, ging helemaal uit. Het donker werd enkel doorbroken door het schijnsel dat de monsters uitstraalden die dreigend op haar afsnelden. Met veel moeite trok Adhara haar dolk en riep ze het magische vuur weer op. Ze kreeg de uitgang in zicht. Bij iedere stap die ze deed verging ze van de pijn. Haar natte kleren hingen zwaar om haar lijf, en de stroom leek steeds sterker te worden.

De uitgang was een droombeeld, terwijl ze rond haar benen beweging in het water begon te voelen. Ze waren vlakbij. Gebruik makend van haar armen versnelde ze haar tempo. Even later trok ze haar voeten op en begon ze te zwemmen.

Haar vingers beroerden het steen van de traptreden al die ze afgedaald was om binnen te komen. Toen ze eindelijk houvast vond, hees ze zich op en tuimelde ze op het droge. Nadat ze een hele tijd nahijgend, met gespreide armen, op haar rug had gelegen, kwam ze overeind en bekeek ze haar been. De kop van het dier zat er nog steeds omheen: een bek als uit een nachtmerrie met lange, puntige, haarscherpe tanden. Ze moest kracht zetten om zijn kaken open te breken. Ze gilde het uit van de pijn tijdens de operatie. Toen haar been eindelijk vrij was bekeek ze de wond. Een lelijke beet, maar niets ongeneeslijks. Adrass had vast wel iets bij zich om hem te behandelen.

Adrass.

Op de plaat stond geschreven dat er bijtijds ingegrepen moest worden. Ze had hem verloren tijdens de worsteling maar dat maakte niet uit. Ze herinnerde zich alles nog. Half hinkend nam ze dezelfde weg terug die haar naar die vervloekte plek had gebracht.

21
EEN VASTBERADEN KLEINDOCHTER

Dubhe hield Amina's herstel nauwlettend in de gaten. Haar kleindochter had een sterk karakter, en liet zich niet ontmoedigen. Ze volgde braaf de voorschriften van de priester op en deed dagelijks haar oefeningen. Tot Dubhes vreugde ging het iedere dag beter met haar. Ze had een nieuwe genegenheid voor haar ontembare en gekwelde kleindochter opgevat. Ze had altijd van haar gehouden, maar was nooit in de gelegenheid geweest om haar echt goed te leren kennen. Haar drukke bezigheden aan het hof en Amina's overbeschermende moeder hadden een hechte band tussen hen in de weg gestaan. Toch had ze altijd een zwak voor Amina gehad, en iets van zichzelf in haar herkend. Nu begreep ze eindelijk wat.

Amina leek ontzettend veel op haar, te veel. Ze hadden dezelfde kijk op de wereld. Allebei voelden ze zich vaak een vreemde eend in de bijt. Zij had Learco gehad om haar te steunen, maar Amina was alleen. Bovendien zat ze in een moeilijke leeftijd.

Na hun gesprek leek ze veranderd.

Ze had haar rebelse houding laten varen en leek een

definitieve beslissing over haar leven te hebben genomen. Dubhe vroeg zich af of ze haar al naar huis moest sturen. Ze bevonden zich per slot van rekening in oorlogsgebied. Zijzelf begaf zich zo nu en dan in de strijd, vooral bij hachelijke operaties, om de legers aan te voeren. Maar wat wachtte Amina als ze weer eenmaal in Nieuw Enawar terug was? Kalth schreef haar vaak en vertelde dan over Fea, die inmiddels helemaal de kluts kwijt was en nauwelijks in staat was om voor zichzelf te zorgen. Laat staan dat ze opgewassen zou zijn tegen het rebelse karakter van haar dochter, of haar zelfs maar bij kon staan. Haar kleinzoon werd veel te veel in beslag genomen door de plichten van het hof om zich om zijn zus te kunnen bekommeren. Het paleis was een dode plek geworden. Het was niet verwonderlijk dat Amina besloten had om weg te lopen.

Maar hier is het in ieder geval te gevaarlijk, concludeerde Dubhe iedere keer. Het probleem bleef onopgelost.

Het duurde tien dagen voordat Amina weer goed in staat was om te reizen. Toen kon Dubhe haar beslissing niet langer uitstellen. Ze moest met haar kleindochter praten.

Normaal gesproken at ze samen met haar manschappen. Deze betitelden haar inmiddels ironisch met *generaal,* waarmee ze aangaven hoezeer ze haar als een van de hunnen beschouwden. Maar deze keer nodigde ze Amina uit in haar tent. Dit was de laatste avond die haar kleindochter in het kamp doorbracht, en Dubhe wilde een paar uur alleen met haar zijn.

Ze aten met smaak en praatten veel. Amina was nieuwsgierig naar de organisatorische aspecten van het kamp en wilde alles over de oorlog weten. Dubhe gaf haar haar zin door al haar vragen in geuren en kleuren te beantwoorden. Ze was zelf ook altijd verzot geweest op wapens en gevechten.

'Ik heb je herstel gevolgd en ik heb gezien dat je weer goed op de been bent', zei Dubhe op een gegeven moment.

Amina's gezichtsuitdrukking veranderde opeens. Ze ging rechtop zitten en keek haar ernstig aan. Het was een bijdehante meid. Ze had vast al begrepen waar haar grootmoeder op aanstuurde. Dubhe bedacht dat ze de waarheid verdiende, zonder al te veel omhaal van woorden.

'Ik denk dat het tijd is dat je naar huis teruggaat', verklaarde ze, terwijl ze uit haar ooghoek Amina's gezicht in de gaten hield. Ze had op z'n minst een scène verwacht, of in ieder geval duidelijke tekenen van protest.

Maar haar kleindochter bleef haar ernstig aankijken. 'Is het goed als ik je uitleg waarom me dit geen goed idee lijkt?' vroeg ze.

Dubhe knikte, verrast.

Ze moest dit betoog dagenlang voorbereid hebben, want ze dreunde het zelfverzekerd en zonder haperen op, bijna alsof ze het uit haar hoofd had geleerd.

'Ik weet dat jij denkt dat ik bij mijn moeder en broer thuishoor. Misschien heb je daar gelijk in. Vanuit jouw standpunt gezien in ieder geval. Na wat ik heb uitgehaald, is het normaal dat je me niet vertrouwt. Maar ik weet gewoon dat ik niet meer naar het paleis terug kan. Ik voel dat mijn bestemming een andere is.'

Dubhe zuchtte. Misschien was ze dus helemaal niet veranderd. 'We hebben het al over wraakneming gehad en al die andere dwaasheden die door je hoofd spoken. Ik dacht dat je me begrepen had.'

'Daar gaat het niet om. Ik ben nog niet uitgepraat.'

Amina haalde diep adem en ging onverstoorbaar verder: 'Je zei laatst dat jij en ik op elkaar lijken, dat wij het nodig hebben om in actie te komen als er iets ergs gebeurt. Ik heb veel aan die woorden gedacht want ze zijn heel waar.'

Haar kleindochter had kennelijk haar zwakke punt ontdekt.

'Sinds mijn vader dood is barst ik van woede en verdriet. Ik ben op reis gegaan met het idee om wraak te nemen om die woede te koelen en de pijn te laten stoppen. Maar dankzij jou heb ik begrepen dat dit niet de juiste manier is. Geloof me, ik heb mijn lesje geleerd. Maar, mijn woede is nog steeds even groot.'

'Dat is iets waarmee je moet leren leven', onderbrak Dubhe haar. 'Je zult zien dat je boosheid mettertijd afzwakt en dat de dingen beter gaan.'

Amina schudde haar hoofd. 'Daar geloof ik niet in en diep in je hart jij ook niet.'

Het was waar. Dit keer had ze Dubhe afgetroefd.

'Je hebt het ook over Kalth gehad,' ging Amina verder, 'en wat je zei heeft me geraakt. Ik heb nooit veel met mijn broer opgehad. En toch heeft ook iemand als hij zijn eigen manier gevonden om iets goeds te doen. Alle uren die hij over zijn boeken gebogen zat, die mij een grote tijdverspilling leken, heeft hij benut om koning te worden. En dus kwam het in me op dat hij ook barstte van de woede, dat hij zich misschien net zo voelde als ik. Hij heeft gereageerd door zijn mouwen op te stropen om het rijk van onze vader te redden.'

Dubhe luisterde inmiddels aandachtig. Ze voelde dat er een nieuw besef tot uiting kwam in haar betoog. Misschien had Amina echt goed nagedacht over het gebeurde en had ze begrepen wat haar te doen stond.

'Ik heb de verkeerde weg gevolgd', vervolgde ze. 'Ik

heb me halsoverkop in het eerste gestort wat mijn pijn op een afstand kon houden, en dat was een grote fout. Geloof me, ik meen het echt. Ik schaam me ervoor.' Ze bloosde, maar ging toch verder. 'Maar nu gaat het over mij en over wat ik wil doen. Het belangrijkste is volgens mij dat ik me nuttig maak om het erfgoed van mijn vader te redden.'

'Ik ben heel blij dat je tot deze conclusie bent gekomen', zei Dubhe goedkeurend. 'Ik denk er precies zo over.'

Amina glimlachte verlegen, maar vervolgde meteen: 'Dat kan wel zijn, maar jij wilt dat ik naar Nieuw Enawar terugga. Ik weet hoe het daar zal gaan. Ze begraven me in het paleis, zonder enige mogelijkheid om in actie te komen. Ik zal net zo eindigen als mijn moeder, opgesloten in mijn kamer. Dat weet ik zeker omdat het ook zo was voordat ik wegliep.'

'Je kunt je ook vanuit een paleiskamer nuttig maken.'

'Zeg geen dingen die je zelf niet gelooft. Ik heb goed nagedacht over wat ik wil gaan doen', hervatte Amina. 'Studeren is nooit iets voor mij geweest, net zo min als al die vrouwendingen die mijn moeder zo belangrijk vindt. Ik heb altijd een grote voorliefde voor het zwaard gehad, zoals je weet. Dus mijn plaats is hier.'

Haar grootmoeder schudde haar hoofd. 'Ik heb je alleen hier bij me gehouden omdat je niet in staat was om te reizen. Dit is geen geschikte plek voor je. Het is oorlog. Je hebt vast wel gemerkt dat ik ook actief meedoe. We bevinden ons op de frontlinie en, geloof me, de harde werkelijkheid is heel wat anders dan het lezen van een spannend boek. We hebben het hier over bloed, doden, mensen die beesten worden. Er is niets heldhaftigs aan dit alles. Ik wil niet dat jij moet zien wat mijn ogen iedere dag moeten aanschouwen.'

'Dat weet ik, en ik geef je gelijk. Ik heb de halve wereld rond gereisd om hier te komen. Ik heb de oorlog van dichtbij gezien. Ik weet wat hij inhoudt.'

Iets in haar blik deed Dubhe denken dat ze met verstand van zaken sprak.

'Ze zijn ons aan het aanvallen en wij verdedigen ons. Ik *voel* dat ik me nuttig zou kunnen maken.'

'Jij denkt dat je moet vechten, maar dat zie je verkeerd. Je hebt gezien hoe je duel met Amhal geëindigd is.'

'Ik zeg ook niet dat ik kan vechten. Daarom vraag ik je juist om me hier te houden en me op te leiden.'

Ze haalde diep adem en hield eindelijk haar mond. Ze had alles gezegd wat ze wilde. Nu was het aan haar grootmoeder om te beslissen. Dubhe was oprecht getroffen. Want er zat logica en wijsheid in die redenering van haar kleindochter. Het was een duidelijk bewijs dat ze echt veranderd was. Veel van wat ze gezegd had, had ze zelf ook al bedacht. Het was waar dat het hof geen geschikte plek voor haar was, dat ze daar langzaam maar zeker zou wegkwijnen, ingeklemd tussen plichten en geijkte opvattingen. Het was ook waar dat iemand met een karakter als het hare actie nodig had. Ze had het vuur van de strijd in zich. Dat had ze gezien vanaf het eerste moment dat Amina gewond het kamp werd binnengebracht. Haar stijfkoppigheid en volharding zouden, in goede banen geleid, een uitstekende krijgsvrouw van haar maken.

'Nee,' zei ze tenslotte, haar hoofd schuddend, 'dat kun je niet van me vragen.'

'Waarom niet? Heb je geen zin om me te trainen?'

'Je weet best dat het dat niet is. Ik wil niet dat jij dezelfde weg volgt als ik.'

Terwijl ze het zei voelde Dubhe een rilling langs haar rug lopen. Want met diezelfde woorden had Sarnek, haar

Meester, geprobeerd haar ervan te weerhouden een moordenares te worden. Amina was net zoals zij destijds, maar sterker en zelfbewuster. Ze zag hoe de geschiedenis zich herhaalde, zich in bochten kronkelde om steeds weer bij het beginpunt uit te komen. 'Het is niet zo dat jij me jouw weg opdringt of dat ik jouw weg kies. Het is ons karakter dat voor ons besluit. Ik weet dat het leven, zelfs als jij nu nee tegen me zegt, een manier zal vinden om mijn wensen te vervullen. Het is mijn lotsbestemming, oma. Die kun jij niet veranderen.'

Zo was het helemaal, en Dubhe was tot in het diepst van haar hart geroerd.

'Alsjeblieft, denk erover na. Begraaf me niet levend in het paleis.' Uit haar ogen, haar gezicht sprak een oprechte en diepgevoelde smeekbede.

'Geef me wat tijd', zei Dubhe tenslotte, verward.

Amina glimlachte, een lieve en dankbare glimlach. Ze ging voor haar staan en omhelsde haar. Eerst geneerden ze zich allebei een beetje, maar al snel lieten ze zich gaan. Dubhe omklemde Amina's smalle schouders, en Amina sloeg haar armen om haar grootmoeders nek. Ze hadden elkaar eindelijk gevonden.

De koningin nam een paar dagen de tijd om na te denken. Het was een moeilijke kwestie, en ze wilde een weloverwogen besluit nemen. Maar het viel niet mee om haar emoties tot zwijgen te brengen. Amina herinnerde haar opeens pijnlijk en levendig aan haar verleden. Ze had zichzelf nooit afgevraagd hoe het voor Sarnek geweest was toen zij, klein en verlaten, voor hem had gestaan en hem gevraagd had een moordenares van haar te maken. Nu stond ze in zijn schoenen. Ze herinnerde zich hoe zij zich gevoeld had destijds en vroeg zich af of Amina hetzelfde ondervond, of ze háár als haar enige steun en toeverlaat zag. Haar kleindochter was bij lange na niet zo eenzaam en wanhopig als zijzelf toen, maar ze was door dezelfde hel gegaan. Dubhe voelde een enorme verantwoordelijkheid op zich drukken.

Zoals altijd besloot ze helemaal in de strijd op te gaan. Ze zette zich nog meer in dan anders, maar dat hielp niet. De frustratie die ze vanaf het begin had gevoeld over de aftakeling van haar lichaam werd alleen maar groter, ook omdat er een vervelend voorval plaatsvond. Ze had een missie tot in de kleinste details voorbereid. Het betrof een sabotageactie tegen een nabijgelegen vijandelijk kamp waaraan ze zelf ook mee zou doen. Uit haar beste manschappen stelde ze een groep samen. Ze vertrokken 's nachts, het beste moment om een verrassingsaanval uit te voeren. Dubhe had bepaald dat zij de schildwacht zou afleiden, een eenvoudige onderneming die ze al tientallen malen verricht had. Ze hoefde hem alleen naar buiten te lokken en vervolgens uit te schakelen. Alles was exact uitgekiend. Er mocht niets fout gaan.

Haar manschappen stonden al opgesteld, klaar om in actie te komen. Ze gooide een steen in de richting van de schildwacht om zijn aandacht te trekken. Zoals verwacht tuurde hij in het duister, en bewoog zich even later in de richting van het geluid. Dubhe maakte zich gereed voor de aanval. Ze zou hem bij zijn nek grijpen, tegen de grond werpen en daarna met één lange haal zijn keel doorsnijden. Een kwestie van een minuut en de weg zou vrij zijn.

Ze zag hem naderen, ze zag hem voorover buigen om de struiken te inspecteren waartussen ze zich verstopt had. Op dat moment schoot ze overeind. Maar er ging iets mis. Misschien maakte ze te veel lawaai, misschien

226

was ze niet snel genoeg. Feit was dat ze mis greep, en de elf schreeuwend in de richting van zijn kamp vluchtte. Binnen de kortste keren had ze hem te pakken en stak ze hem midden tussen zijn longen, maar het was al te laat. Het alarm was geslagen. Ze moesten onverrichter zake terugkeren.

Ze zat er de hele volgende dag over te piekeren. Haar lichaam was minder snel, haar greep zwakker. *Vechten is niets meer voor mij. Ik ben niets waard in de strijd.* Die gedachte maakte haar kwaad, en haar frustratie maakte haar emotioneel. Te emotioneel, voor iemand in haar functie.

Een dag of wat later arriveerde het konvooi met de nieuwe voorraden in het kamp. Eens per maand verzorgde een koopman het transport van wapens, manschappen en proviand uit Nieuw Enawar. Terwijl Dubhe die ochtend toezicht hield op de verdeling van de voedingsmiddelen, zag ze opeens een bekend gezicht. Het leek rechtstreeks uit haar verleden te komen. Dat lange, in vlechtjes gebonden haar, die bruinverbrande huid waren uniek. Ze liep naar de eigenaar van het gezicht toe en klopte hem op zijn schouder.

'Tori ...' prevelde ze. De gnoom die haar vergiffen en drankjes verkocht toen ze in Makrat als dievegge aan de kost kwam, was geen steek veranderd.

Het duurde even voordat hij haar herkende. 'Mijne koningin ...' stamelde hij tenslotte en hij begon te stralen.

Dubhe nodigde hem uit in haar tent. Daar haalden ze uitgebreid oude herinneringen op. Ze stelden vast dat de tijd gevlogen was. Toch was het vijftig jaar geleden dat ze elkaar voor het laatst gezien hadden.

'Ik kon mijn ogen niet geloven toen ik u aan Learco's arm zag.'

'Zeg maar gerust jij tegen me', zei Dubhe. 'Ik mag dan inmiddels wel bejaard zijn, maar je bent altijd nog ouder dan ik.'

Tori knipoogde. 'Dat is zowel onze zegen als onze vloek, het lange leven van ons gnomen!' riep hij uit, terwijl hij zijn kroes bier hief.

Het viel hun allebei moeilijk om over het heden te praten. Ze waren totaal verschillende wegen ingeslagen, en het leek alsof er niets meer over was van de personen die ze waren geweest.

'Ik werk alleen nog met het leger. Ik had de situatie kunnen uitbuiten door brouwseltjes te verkopen die zogenaamd de ziekte genazen, maar dat is niet mijn stijl', verklaarde Tori.

'Nog even en je werkt zelfs niet meer met ons samen', zei Dubhe bitter.

Onbevangen vertrouwde ze hem haar zorgen toe. Tori was de enige persoon geweest die ze van het begin af aan vertrouwd had. Zijn eerlijkheid, zijn bereidwilligheid om haar steeds weer te helpen als dat nodig was, waren dingen die ze zich goed herinnerde, en waarvoor ze hem nog steeds dankbaar was.

'Het probleem is dat de jaren hun tol eisen', besloot ze met een vermoeide glimlach. 'De oorlog is een zaak van de jongeren.'

Hij haalde zijn schouders op. 'Wat telt is de ervaring en daar ontbreekt het je niet aan. Je mensen geven hoog van je op. Je hebt de strijdkrachten uit het slop gehaald.'

Dubhe wendde haar blik af. 'Maar op deze manier winnen we de oorlog niet. Natuurlijk stellen de manschappen het op prijs dat de koningin hen terzijde staat, en zelfs met hen meevecht. Maar ik ben niets meer waard op het slagveld.' Ze tilde een hand op, en bekeek de duizenden rimpels die haar huid ontsierden. 'Ik ben oud en zwak. Mijn lichaam is niet meer geschikt voor bepaalde zaken. Kon ik mijn jeugd maar terugkrijgen ... En dat is geen kwestie van ijdelheid. Ik zou alleen de kracht en de lenigheid van vroeger terug willen hebben', verzuchtte ze moedeloos.

Tori draaide langzaam zijn kroes tussen zijn handen. 'Denk je echt dat je dat nodig hebt?'

Dubhe keek hem vragend aan.

Hij zette zijn kroes op de tafel en boog zich samenzweerderig naar haar toe. 'Ik heb veel gelezen en gestudeerd, deze jaren. En mijn kennis is uitgebreid. Laten we zeggen dat ik ... bepaalde dingen ontdekt heb.'

Ze bleef hem niet-begrijpend aanstaren.

'Ik heb nieuwe toverdrankjes uitgevonden, met andere eigenschappen dan de vergiffen die ik jou verkocht. Ik heb mijn werkterrein uitgebreid om het zo te zeggen. Zo heb ik interessante brouwsels verkregen. Waaronder een paar die iemand zijn verloren kracht kunnen teruggeven.'

Dubhes hart maakte een sprong. Ze wist dat er zulke drankjes bestonden. Toen ze nog voor het Moordenaarsgilde werkte, had Rekla, de verschrikkelijke Bewaker van de Vergiffen, er ondanks haar hoge leeftijd altijd heel jong uitgezien.

'Ik heb wat monsters bij me,' zei Tori, 'al is er op het moment weinig vraag naar dit soort middeltjes. In mijn kar ligt een flesje ... Volgens mij heb je het niet nodig', voegde hij toe. 'Maar als je wilt ...'

Hij ging afwachtend rechtop zitten.

Dubhe nam een slok bier en overwoog zijn voorstel.

'Wat kost het?' vroeg ze ten slotte.

'Voor jou is het helemaal gratis', glimlachte Tori. Daarna werd zijn blik ernstig. 'Het effect duurt maar even, de tijd van een veldslag. En het vraagt een hoge prijs. Als het middeltje eenmaal is uitgewerkt, verouder je sneller dan eerst. Hoe meer je ervan inneemt, des te sneller takel je af.'

'Een soort pact met de duivel dus.'

'Ja, daar heeft het wel wat van weg.'

Dubhe kon zichzelf niet ontkennen dat ze in de verleiding kwam. Maar ze besefte ook dat het dwaasheid was. Wat als het midden in de strijd opeens niet meer werkte? Wie zou haar manschappen aanvoeren als zij er opeens niet meer was?

Maar ik zou het wel hier kunnen houden. Voor noodgevallen …

'Het is een laatste redmiddel, maar dat besef je zelf ook wel', onderstreepte Tori.

'Breng me een flesje', zei ze vastberaden.

'Zoals je wilt', antwoordde de gnoom. Hij goot zijn laatste teug bier naar binnen en stond op.

Die avond zocht Dubhe Amina in haar tent op. Het meisje lag al in bed, maar ze sliep niet.

'Oma …' zei ze slaperig.

Dubhe ging op de rand van haar bed zitten en keek haar aandachtig aan.

Het kon Tori's bezoek zijn geweest, dat haar had teruggebracht naar de tijd dat ze de Amina's leeftijd had, of misschien de wrede ontdekking dat haar lichaam aan het aftakelen was. Wie weet.

'Ik heb een beslissing genomen.'

Het meisje was opeens klaarwakker. Ze kwam op haar ellebogen overeind.

'Je blijft bij me en ik ga je opleiden.'

Er verscheen een ongelovige glimlach op Amina's gezicht.

Dubhe hief haar vinger op. 'Maar op twee voorwaarden: je gaat het slagveld pas op als ik zeg dat je er klaar voor bent, en je gehoorzaamt zonder te morren al mijn bevelen. Afgesproken?'

Amina knikte enthousiast. 'Dank je', riep ze uit, terwijl ze haar omhelsde.

Dubhe legde een hand op haar hoofd. 'Bedank me niet te snel', zei ze nauwelijks hoorbaar en ze hoopte dat ze nooit spijt van haar besluit zou krijgen.

22
CHANDRA OF ADHARA?

Het viel allesbehalve mee om vooruit te komen. De zeeslang had doorgebeten in haar kuit. Iedere stap veroorzaakte een scherpe pijnsteek. Ondanks de hoge temperatuur rilde Adhara van de kou.

Als ik niet opschiet is alles voor niets geweest.

Hijgend en uitgeput kwam ze de zaal binnen waar ze Adrass had achtergelaten. Hij was niet meer bij bewustzijn en er liepen twee dunne straaltjes bloed over zijn mond en kin.

Gejaagd begon ze zijn tas te doorzoeken. Hij zat vol met allerlei potjes, flesjes, bundeltjes kruiden en perkamenten. Gelukkig was alles geëtiketteerd. Ze deed haar best om te bedaren en helder na te denken.

Concentreer je. Probeer je precies te herinneren wat je gelezen hebt.

Allereerst had ze een mengbeker nodig. Ze vond hem vrij snel, maar onder het zoeken stuitten haar vingers op een bekend voorwerp: het leren hoesje met de instrumenten die Adrass tijdens het ritueel op haar gebruikt had. Ze verstijfde bij de herinnering aan de pijn, aan de vreselijke ervaring.

Waar ben je mee bezig? Besef je wel dat je je folteraar aan het redden bent?

Ze schudde haar hoofd. In wezen had ze geen keuze. Gebruik makend van het beetje water dat nog in de veldfles zat, begon ze. *Valkruid.* Koortsachtig liet ze de etiketten op de potjes de revue passeren. Ze vond het en deed het in de mengbeker. *Vingerhoedskruid, zonnedauw, wolfskers.* Er had een speciaal advies betreffende de wolfskers bijgestaan. Wat ook alweer? De pijn en haar angst leidden haar af. Haar oude herinneringen schoten haar te hulp. Het kon een vergif zijn. Het werd in kleine hoeveelheden gebruikt.

Hoe klein?

Ze deed er een minimale hoeveelheid van bij, hopend dat het genoeg zou zijn. En nu was het hoofdingrediënt aan de beurt. *Nimfenbloed.* Ze wist dat er een fles van in de tas zat, maar toen ze die tevoorschijn haalde zag ze tot haar schrik dat er haast niets van over was. Ze knarsetandde.

'Verdomme!' schreeuwde ze terwijl ze met haar vuist op de grond bonkte. Ze had haar leven gewaagd om een kuur voor Adrass te vinden en nu bleek het enige wat hem echt kon genezen te ontbreken.

Dan, de lumineuze ingeving. Ze herinnerde zich het voorval tot in de kleinste details. Amhal die haar in haar vinger prikte, op haar vingertop drukte tot er een ronde, glanzende druppel bloed ontstond. Ze voelde weer zijn lippen op haar vinger, de warmte die ze had ervaren.

Je hebt nimfenbloed.

Ze ging even helemaal op in het beeld en het was alsof ze thuiskwam. Met een schok keerde ze tot de werkelijkheid terug. Dat was voorgoed verleden tijd. De Amhal van vroeger zat ergens diep weggestopt, verborgen door het meedogenloze wezen dat haar bijna vermoord had. Dit was niet het moment voor dagdromerijen. Ze moest Adrass redden.

Ze bekeek de wond aan haar been. Nee, dat bloed kon ze beter niet gebruiken. Het kon wel besmet zijn door het speeksel van het monster, en dat zou op het tegengif kunnen inwerken.

Ze trok haar dolk, en keek even hoe het glansde in het zwakke licht van haar lichtbol. Ze koos voor de linkerarm, met de gevoelloze hand. Haar treffen met het monster was meteen de laatste keer geweest dat ze met die arm kon vechten.

Ze verzamelde al haar moed, drukte het lemmet tegen haar huid en sneed. Vervolgens zette ze de mengbeker onder de snijwond en liet haar bloed erin sijpelen, druppel na druppel. Ze had geen idee hoeveel er nodig was. Misschien wel heel veel. Amhal had haar gezegd dat ze een klein percentage nimfenbloed had. Daarom wachtte ze geduldig, haar opkomende duizeligheid negerend. Ze vroeg zich af of ze snel genoeg geweest was. Ze had inmiddels alle notie van tijd verloren, als in een eeuwige maanloze nacht.

Toen de mengbeker voor de helft vol was, bond ze haar handverband om het wondje op haar arm om het bloeden te stelpen. Haar hand was duidelijk aan het afsterven. Ze had er nauwelijks nog gevoel in. Ze had er een tijdje niet naar gekeken en hij was onmiskenbaar achteruitgegaan. De huid was gebarsten en de aderen uitgedroogd. De gewrichten en vingerkootjes waren duidelijk zichtbaar. Ze kon nog net haar vingers een stukje buigen.

Ik ben hem kwijt, bedacht ze geschokt. Een druppelend geluid bracht haar naar het heden terug. Er kwam nog steeds bloed uit de wond. Ze trok het verband strakker aan. Als het bloeden niet stopte zou ze later haar toevlucht nemen tot een spreuk. Ten slotte mengde ze het beetje nimfenbloed dat Adrass nog overhad door het mengsel, en het drankje was klaar.

Ze ging bij zijn bewusteloze lichaam zitten en tilde zijn hoofd op. Zijn vlees leek zachter dan eerst, alsof het al langzaam aan het vergaan was. De eerste vlekken waren ook al verschenen. Ze waren nog licht van kleur, maar zouden binnen de kortste keren zo zwart als roet zijn.

'Adrass', riep ze. Geen reactie. 'Adrass, ik heb je nodig. Ik ben door de hel gegaan om je te redden. Vraag me niet wat me daartoe gedreven heeft. Als je niet wakker wordt, kan ik je niet behandelen.'

Hij schudde zwak met zijn hoofd. Adhara sloeg hem een paar keer op zijn wangen.

'Kom op, verdomme, reageer.'

Eindelijk opende hij zijn ogen. Ze waren wazig, bijna hol. 'Adhara', prevelde hij nauwelijks hoorbaar. Het was de allereerste keer dat hij haar bij die naam noemde en ze kon een glimlach niet onderdrukken.

'Doe je mond open en drink alles op.'

Ze bracht de beker naar zijn kurkdroge lippen en hield hem schuin. Er sijpelde een straaltje langs zijn kin op de grond, maar zijn instinct won het. Langzaam begon hij het mengsel door te slikken.

'Goed zo …' zei ze bemoedigend.

Zodra hij alles had opgedronken, legde ze zijn hoofd weer zachtjes op de vloer, en leunde zelf afgemat achterover op haar ellebogen. De pijn was een wig geworden die iedere gedachte uit haar hoofd verjoeg. Ze was duizelig en de wereld om haar heen leek te vervagen. Ze zuchtte. Ze kon alleen nog maar hopen dat alles goed zou gaan, en bidden, zoals Adrass gezegd zou hebben.

Ze moest twee dagen wachten, of althans zolang leek het. Ze baseerde zich op de signalen van haar maag om de tijd enigszins bij te houden. Adrass bleef buiten kennis, maar na een paar uur stopten de bloedingen. Dat was een fantastisch teken. De koorts zakte gestaag en zijn ademhaling werd regelmatiger. Kortom, het leek beter met hem te gaan. Adhara veroorloofde zich om haar verwondingen te verzorgen. Die op haar kuit was verreweg het ernstigst. Ze ontsmette hem met de kruiden van Adrass en behandelde hem daarna met magie. De snijwond op haar arm was al opgehouden met bloeden. Dit oponthoud was precies wat ze nodig had om weer op krachten te komen. Om haar geest bezig te houden, besloot ze te gaan lezen. Ze bevond zich in het gedeelte van de verhalenboeken, en ontdekte dat ze er niet genoeg van kon krijgen. De verhalen gingen vooral over oorlog, en over helden. Het goede zegevierde altijd. Op de een of andere manier werkte het vertroostend om in die fantasieverhalen te duiken. De hoofdrolspelers moesten eerst met het kwaad afrekenen, maar leefden daarna altijd lang en gelukkig. Ze werden niet constant, zoals zij en Amhal, heen en weer geslingerd tussen liefde en strijd, gekweld door een hogere lotsbestemming. Ze vroeg zich of er ooit zo'n tijd bestaan had, waarin alles simpel en overzichtelijk was, waarin de wegen recht en de doeleinden voorspelbaar waren.

De derde dag werd hij wakker.

'Chandra', prevelde hij, toen hij haar in zijn gezichtsveld kreeg.

Adhara schrok op. 'Was je niet begonnen me bij mijn echte naam te noemen?'

Hij leek het niet te begrijpen. Blijkbaar wist hij het niet meer.

Ze ging bij hem zitten en legde een hand op zijn voorhoofd. 'Hoe voel je je?'

Adrass wachtte even voordat hij antwoordde.

'Goed ... Waarom? Hoe zou ik me dan moeten voelen?'

'Als iemand die aan de ziekte is ontsnapt.'

Nadat ze hem alles verteld had, op het monster na, zag ze een langzaam groeiend besef in zijn ogen oplichten. Hij probeerde rechtop te gaan zitten, maar daarvoor was het blijkbaar nog te vroeg, want hij werd meteen dodelijk bleek.

'Je hebt dagenlang niets gegeten. Je bent verzwakt.'

Adhara pakte een lapje gedroogd vlees en hield het hem voor.

'We moeten zuinig aan doen, anders redden we het nooit', protesteerde hij.

'Dit komt jou toe omdat je drie dagen niets gegeten hebt.'

Adrass kauwde er langdurig op, zonder iets te zeggen. Hij leek niet op zijn gemak. Pas toen hij uitgegeten was besloot hij zijn hart te luchten.

'Als ik het me goed herinner, had ik je opgedragen me achter te laten', zei hij.

'Jij bent de enige die me kan redden', weerlegde Adhara, terwijl ze hem haar zwart geworden hand liet zien. 'Kijk hier eens naar.'

'En Meriph?'

Ze haalde nonchalant haar schouders op. 'Ik kon je hier niet achter laten'

Adrass fronste zijn voorhoofd. 'Ik dacht dat ik duidelijk was geweest. Jouw voortbestaan is alles. Jij hebt dat op het spel gezet om mij te redden. Heb je nog steeds niet begrepen hoe belangrijk je bent? En wat is dat voor verband om je kuit?'

Adhara bloosde. Ze was gedwongen hem de waarheid te vertellen.

'Ben je gek of wat? Hoe haal je het in je hoofd om een dergelijk risico te nemen?'

Adhara voelde zich diep gekwetst. 'Ik heb zojuist je leven gered. Een beetje dankbaarheid zou wel op zijn plaats zijn.'

'Dankbaarheid voor wat? Je had me achter moeten laten en je eigen weg volgen!' Hij schreeuwde zo hard dat hij bijna stikte in een hoestbui.

Adhara keek hem verontwaardigd aan. 'Weet je waarom ik het gedaan heb? Omdat ik anders ben dan jij. Ondanks alles wat jij me hebt aangedaan voor je doelen, voelde ik medelijden voor je. Personen zijn voor mij geen dingen die ik naar believen kan gebruiken, nooit!' Ze liet hem haar arm zien, met de snee waar inmiddels een korst op zat. 'Ik heb je mijn bloed gegeven, snap je? En ik zou het zo weer doen, verdomme. Machines, dingen zonder ziel, laten de zwakken achter terwijl ze recht op hun doel afgaan. Personen hebben medegevoel.'

Ze zweeg, buiten adem. Nu schaamde ze zich. Over haar uitbarsting, over haar actie die haar bijna het leven had gekost. Maar het was wel de waarheid. En ze bedacht dat ze, voor het eerst sinds ze op dat veld wakker was geworden, iets gedaan had wat haar als een echte persoon kenmerkte. Hoe tegenstrijdig het ook leek, het leven van haar vijand redden was het beste geweest wat ze ooit gedaan had.

Adrass wist niet wat te antwoorden. Hij opende een paar keer zijn mond, zonder een woord uit te kunnen brengen. Ten slotte sloeg hij zijn ogen neer, ging op zijn rug liggen en draaide zich om.

Jij verandert nooit, ging het door Adhara heen. Ze pakte een boek en verliet de zaal.

Ze moesten nog een tijdje geduld hebben. Adrass knapte zienderogen op, maar hij was nog te zwak om verder te gaan. Hoe meer tijd er verstreek, hoe meer zorgen Adhara zich maakte over de gevaren die hen op de ondergelegen verdiepingen wachtten. De overstroomde zaal was nog maar een voorproefje geweest.

Twee dagen lang zeiden ze praktisch geen woord tegen elkaar. Adhara zat de hele tijd over haar boeken gebogen, terwijl Adrass perkamenten bestudeerde. Ze had de indruk dat de vijandigheid die er altijd tussen hen bestaan had was toegenomen.

Pas op de laatste dag verbrak Adrass de stilte.

'Je moet het recept voor me opschrijven van het drankje dat je me gegeven hebt', zei hij op ernstige toon.

Adhara keek hem uitdagend aan. 'En waarom als ik vragen mag? Ik heb je toch al verteld wat het hoofdingrediënt is?'

'We hebben een remedie voor de ziekte gevonden. Denk je ook niet dat we die met de rest van de Verrezen Wereld moeten delen?'

Adhara was sprakeloos. Dit had ze nooit van hem verwacht. Hij was zo ontzettend toegewijd aan zijn missie dat ze verondersteld had dat de rest van de wereld hem nauwelijks interesseerde.

Hij wierp haar een glimlachje toe. 'Wat denk je, dat ik de doden langs de wegen niet heb gezien? Dat ik niet met hun nabestaanden meeleef? Je hebt geen idee hoe ik me voelde toen ik de ingrediënten verzamelde die ik voor jouw ritueel gebruikt heb. De betreffende nimf was afgeslacht door mensen die haar bloed wilden drinken. Een godsgruwelijk schouwspel.'

Adhara zag dat zijn handen beefden. Ze sloeg haar ogen neer. 'Je bent niet bepaald iemand die zulke gevoelens toont', zei ze, bijna verontschuldigend.

Hij keek haar aan. 'Het was het eerste wat ze ons leerden toen we Wakers werden. Ieder gevoel van medelijden voor jullie onderdrukken. We moesten jullie als een verzameling ledematen zien zonder wil of ziel. Wie dat niet kon werd bij voorbaat uitgesloten. Je hebt geen idee hoeveel slapeloze nachten ik de eerste tijd heb doorgebracht. Hoeveel pijn ik heb gevoeld toen ik een van de meisjes tussen mijn armen zag wegkwijnen terwijl ik Sheireen trachtte te creëren.'

'Waarom ben je dan een van hen geworden? Wat dreef je om je bij zulke mensen aan te sluiten?'

Adrass schudde zijn hoofd. 'Een doel. Ik had een doel nodig. Ik was de jongste in een gezin van militairen. Mijn vader en broers waren Drakenridders. Mijn zus was een bekwame magiër. Ik kon niets van dat alles. Ik voelde me een nul en ik had het gevoel dat mijn leven op een dood spoor zat. Dakara, de oprichter van de Wakers, gaf me een doel. Ik zag iets machtigs en meeslepends in zijn ogen wat me overtuigde om me bij hen aan te sluiten. Toen ik hem voor het eerst ontmoette, zei hij: "Thenaar heeft een plan voor jou. Thenaar heeft een plan voor iedereen. En jij gaat ons helpen in de grootste onderneming die de Verrezen Wereld ooit gekend heeft." Hij wilde dat ik bij hen kwam omdat ik meer dan wie ook over kruiden en hun geneeskrachtige werking wist. Voor die tijd had ik nooit iets met die kennis gedaan, maar zij zagen het als iets noodzakelijks en waardevols. Ik bleek een uitstekende kruidendokter te zijn, en over een talent te beschikken waar anderen alleen maar van konden dromen. Een Waker worden, was de werkelijke ommekeer in mijn leven. Het geloof gaf me de overtuiging dat mijn bestaan ook een zin had. Dat gevoel had ik nooit eerder gekend. Het stimuleerde me om mezelf een onderdeel van een groter plan te voelen, een radertje in een mechanisme dat geschiedenis schreef. Het was fantastisch. Zij vertelden me wat ik zou worden, wat ik moest geloven en voor wie ik me moest buigen. Er was geen plaats meer voor twijfels in mijn leven. Alles stond vast. Alles was uitzonderlijk duidelijk en vooraf geregeld.'

Adhara, die maar al te bekend was met zulke dilemma's, begreep wat hij wilde zeggen. 'Maar toen je zag wat ze je dwongen te doen, heb je je niet teruggetrokken.'

Adrass glimlachte weemoedig. 'Ik beschouwde het als de prijs die ik moest betalen voor dat fantastische gevoel. Je wilt niet weten hoe gemakkelijk het is om ieder gevoel uit te sluiten, en je medemens enkel als een instrument te zien, als je zeker weet dat je het goede doet.'

'Dus het was gemakkelijk voor je om geen medelijden met mij te voelen?' vroeg ze met bevende stem.

Hij keek haar lang, bijna opgelaten aan. 'Het was voor een hoger doel', prevelde hij tenslotte.

'Zag je me echt alleen als een experiment terwijl je al die vreselijke dingen met me deed?'

Ze zag, voor het eerst, een zweem van twijfel in zijn ogen.

'Jij bent mijn creatie, het kostbaarste wat ik heb', antwoordde hij.

Adhara zuchtte.

Ze besloten eensgezind om de volgende dag op weg te gaan naar de lagere verdiepingen. Toen ze allebei waren gaan liggen en het magische vuur gedoofd was, hoorde

Adhara Adrass fluisteren: 'Het was allesbehalve gemakkelijk en dat is het nog steeds niet.' Woorden die haar diep raakten, en die iets in haar losmaakten. 'Dank je, Adhara, dank je dat je mijn leven gered hebt', fluisterde hij ten slotte.

Daarna werd het stil.

23
VERLIEZEN EN VERWORVENHEDEN

Een frisse wind streelde zijn haren. Het landschap onder hem was een aaneenrijging van warme kleuren en kale bomen. Vroeger zou dat schouwspel hem de adem benomen hebben, maar nu wekte het geen enkel gevoel bij hem op. Sinds hij het medaillon droeg, voelde Amhal zich leeg en vrij van welke emotie dan ook. *Een last minder*, dacht hij terwijl hij naar het sieraad staarde dat bij elke vleugelslag van de wyvern op zijn borst bungelde.

Hij had de reis op aanraden van San ondernomen. Nadat deze zijn verslag over zijn duel bij Kalima had aangehoord was zijn leraar onverbiddelijk geweest: 'Adhara is een Sheireen. Daarom is ze weer op je weg gekomen. Je weet heel goed dat het jullie lotsbestemming is om elkaar te bestrijden op leven dood. Als ze, zoals je zei, gewond is, kun je het beste nu gebruik maken van haar zwakheid voordat het te laat is. Sheireens zijn de enige wezens op de wereld die in staat zijn ons te vernietigen. Het is je plicht om haar uit de weg te ruimen.'

Hij had er geen enkele moeite mee. Amhal wist nog heel goed dat hij ooit van haar gehouden had. Maar nu was Adhara gewoon een vijand. Dat was het enige wat telde.

Hij trok zijn dolk uit de schede en bekeek hem aandachtig. Kryss had hem het wapen gegeven, voordat hij vertrok. 'Het is een handwerksproduct dat sinds de nacht der tijden de Marvash in zijn taak begeleidt', had de elfenkoning glimlachend gezegd. 'Dus het behoort je, in zekere zin, rechtmatig toe. Het dient om de Gewijde op te sporen. Maak er gebruik van zoals je voorouders gedaan hebben, en keer als overwinnaar terug.'

Amhal bekeek de lichtstreep die vanaf het wapen in de verte opging, in de richting van Makrat. Iets in hem verzette zich nog steeds tegen zijn nieuwe aard. Dit keer zou hij echter niet van gedachten veranderen. Hij wist het zeker. Hij zou Sheireen zonder enig medelijden doden. Dan zou ook die laatste slavernij tot het verleden behoren.

Het was tijd om recht op zijn doel af te gaan. Hij spoorde de wyvern aan om sneller te vliegen. Het was tijd voor de afrekening.

'Kunnen we nu gaan?' Adhara bestudeerde de uitdrukking op Adrass' gezicht terwijl hij haar wonden controleerde.

Hij keek bezorgd. De beet en de snee in haar arm waren praktisch genezen, maar haar hand ging snel achteruit. 'Je algemene gezondheidstoestand lijkt in orde. Waar ik me zorgen om maak is je hand. Ik dacht dat het ritueel het proces meer zou vertragen, maar ik heb me kennelijk vergist.'

Adhara had al aangevoeld dat er iets mis was, maar ze kreeg de rillingen toen haar vermoedens bevestigd werden. 'En als je het ritueel nog eens overdeed?' vroeg ze met ingehouden stem. Die ervaring nog eens meemaken was het laatste wat ze wilde, maar om haar leven te redden was ze tot alles bereid.

Adrass schudde zijn hoofd. 'Ik kan me hier onder de grond niet de nodige ingrediënten verschaffen.

'Dus?'

Er viel een loodzware stilte. Adrass werd heel serieus en woog zijn woorden nauwkeurig voordat hij verder ging. 'We moeten in ieder geval snel verder', zei hij ten slotte. 'Als er in de tussentijd geen verbetering optreedt, moeten we radicale oplossingen in overweging nemen.'

Adhara beet op haar lip. Die inleiding beloofde niet veel goeds.

'Het is maar een hypothese, maar ik ben bang dat het zieke weefsel bezig is het gezonde weefsel aan te tasten. Dat is een proces dat ik niet kan stoppen.'

'Wat probeer je me duidelijk te maken?'

Adrass boog zich naar haar toe. Tot haar verrassing las ze medelijden in zijn ogen. 'We moeten de mogelijkheid overwegen om je hand te amputeren.'

Ze week achteruit, instinctief haar zieke arm vastgrijpend. 'Je zei dat het maar een hypothese was', siste ze.

'Inderdaad. Maar we hebben tijd nodig om een kuur voor je te vinden. Deze operatie zou tijdwinst opleveren.'

'Er moet een andere oplossing zijn.'

'Die is er niet. Geloof me nu eens één keer op mijn woord!'

Ze zwegen weer, overrompeld door hun eigen opgewonden stemmen, die als donderslagen door de zaal dreunden.

'Geloof me alsjeblieft. Die hand is in ieder geval verloren. Hij zal nooit meer worden zoals vroeger. Dat besef je toch hopelijk?'

Adhara keek naar de grond. Ze had van het begin af aan geweten dat het een wanhopige reis zou worden. Ze hadden zich de hele tijd aan een onzinnige hoop vastgeklampt, maar nu begon de prijs voor dat twijfelachtige vertrouwen te hoog te worden.

'Maar het is mijn hand ...' fluisterde ze.

Hij begreep haar radeloosheid maar wist niet wat hij verder nog kon zeggen. Hij stond op en stak zijn hand uit om haar te helpen opstaan. Adhara gaf hem haar linkerhand. Ze kon de droge huid en handbeentjes duidelijk horen kraken onder zijn onvaste greep.

'Laten we voorlopig maar gaan. Anders is alle hoop echt verloren', merkte Adrass op, een glimlach forcerend die zij niet kon beantwoorden.

Het kostte hun bijna een hele dag om de weg af te leggen die Adhara al eerder gelopen had. Ze kon zich niet herinneren dat ze zo'n eind afgedaald was. De angst om te laat te komen had haar kennelijk vleugels gegeven.

Ze wisselden nauwelijks een woord. Na alle vertrouwelijkheid van die ochtend, leek het alsof ze allebei hun oude rol weer opgepakt hadden.

'Zover ben je dus gekomen', zei hij, toen hij de eerste stalactieten zag.

'Nog een klein stukje verder', antwoordde Adhara, naar het geluid van het water luisterend. 'Het was in de buurt van een soort bron.'

Adrass bleef peinzend stilstaan.

'Volgens mij moeten we er nog eens een kijkje gaan nemen.'

'Maar het is er levensgevaarlijk. Je hebt gezien wat er met mijn been is gebeurd ...'

'Er kan wel iets bijstaan wat voor jou van belang is.'

'Ik heb het je niet eerder gevraagd, maar in welke afdeling denk je te vinden wat we zoeken?'

Adrass bloosde. 'Een bibliotheek heeft veel weg van

een botanische tuin', verklaarde hij. 'Er staan sierplanten in, heilzame en genezende planten maar ook giftige. Zo staan er in een bibliotheek ook ... gevaarlijke boeken. Je zou moeten weten dat de Verboden Magie een uitvinding van de elfen is.'

'Ja, dat weet ik.'

'Al die kennis bevindt zich volgens mij ergens diep beneden, in het donkerste en meest verholen gedeelte van de bibliotheek. Zij noemden het Occulte Magie. Daar zoeken we naar.'

'Ben ik met behulp van Verboden Magie gecreëerd?'

Adrass knikte opgelaten.

'Wat denk je dan in de afdeling geneeskunst te vinden?'

'We hebben een grote verscheidenheid aan kennis toegepast om de Sheireens te creëren, waaronder de klassieke geneeskunst. Er zou iets tussen kunnen staan, voor je hand misschien.'

Adhara keek hem strak aan. 'Ik ga daar niet nog eens naar binnen', verklaarde ze resoluut. 'Zelfs niet om mijn hand te redden.'

'Dan ga ik wel alleen.'

'Die monsters vallen alles aan wat beweegt.'

'Dat wil zeggen dat jij voor rugdekking zorgt', antwoordde hij grijnzend.

Adhara stelde zich bij de ingang op, met een lichtbol in haar handen. Adrass ging het water in. Het was allemaal precies hetzelfde als op de dag dat zij doodsbang door het water waadde. Het water stroomde ogenschijnlijk kalm tussen de kasten door. Iemand die niet wist wat die plek verborgen hield zou zich bijna in een sprookjesgrot wanen.

Even later schrok ze op van een schijnsel. Ze reageerde meteen: één woord, en de slang werd omhuld door een magisch net, en op het droge getrokken om daar te sterven. In het licht van het magische vuur zagen de monsters er nog weerzinwekkender uit dan in haar herinnering. 'Schiet op!' riep ze, toen er al drie exemplaren voor de ingang op het droge lagen te zieltogen.

Adrass kwam hijgend boven, met een marmeren plaat in zijn handen. 'Hier hebben we misschien wat aan', riep hij terug.

Adhara kreeg een brok in haar keel. Ze vroeg zich af of die plaat haar hand zou redden.

Ze kregen al snel in de gaten dat de gang steeds smaller werd. Door de kristallen bogen aan hun linkerhand konden ze nu de andere zijde van de spiraal zien. Dit betekende dat hij naar beneden toe kleiner werd.

'Deze plek is een trechter', verklaarde Adrass. 'Hoe lager we komen, hoe nauwer hij wordt.'

'Denk je dat het gedeelte dat we zoeken zich helemaal op de bodem bevindt?' vroeg Adhara, over het muurtje leunend.

'Laten we hopen van niet', antwoordde hij. Hij wiste het zweet van zijn voorhoofd. Het werd steeds warmer en er hing een zwavellucht.

Ze hadden geen flauw idee hoeveel tijd er verstreken was sinds ze in de put waren afgedaald. Het was alsof ze altijd daarbeneden waren geweest, in het donker, en ze begonnen te vrezen dat er geen einde aan de afdaling zou komen.

Ze kwamen door een nieuwe afdeling. Boven de deuren naar de verschillen zijvertrekken stond het opschrift: TOVERDRANKEN.

'Het wordt steeds spannender', merkte Adrass met een sarcastische grijns op. Zowel de zware, ebbenhouten kasten als de vloer waren bedekt met enorme, gordijndikke spinnenwebben die het lopen bemoeilijkten. Adhara dreigde een paar keer te vallen.

'Houd je aan mij vast', bood Adrass aan, terwijl hij haar door het labyrint leidde. Adhara nam een bijna vaderlijke warmte in zijn omarming waar. Hij wees haar voorzichtig de weg, na eerst zelf de vloer met zijn voeten te hebben afgetast.

Door mijn toewijding aan de missie ingegeven bezorgdheid, hield hij zich voor, maar hij geloofde het inmiddels zelf niet meer.

Toen ze halt hielden om iets te eten, keek Adrass haar anders aan dan anders, bijna met genegenheid. 'Wat is er met je gebeurd nadat San onze Zaal had verwoest? Ik weet praktisch niets over die periode ...' vroeg hij.

Adhara vertelde hem over haar ontwaken op het grasveld, over haar eerste indrukken. En over Amhal. Ze was inmiddels zo ver dat ze probeerde niet meer te denken aan wat er tussen hen geweest was, noch aan de gevoelens die hij bij haar had opgeroepen. Iedere keer als haar gedachten naar hem afwaalden, riep ze het beeld op van zijn gezicht toen hij Amina meedogenloos te lijf ging. Dat, meer dan wat dan ook, maakte het haar mogelijk om iedere vorm van medelijden te onderdrukken, en de liefde die ze voor hem gevoeld had diep in haar hart te begraven.

'Hij ... hij heeft me een naam gegeven', zei ze ten slotte. 'Dat was voor mij alsof ik eindelijk echt op de wereld kwam. Ik was niet meer het onbekende gezicht dat ik weerspiegeld in het water had gezien. Ik was eindelijk iemand.'

Ze had niet de moed om verder te gaan.

'Het spijt me ...' prevelde Adrass.

'Het is niet jouw schuld dat Amhal zijn keuze heeft gemaakt', zei ze.

'Maar het was wel mijn schuld dat je geen naam had.' Hij keek haar strak, bijna vertwijfeld aan. Daarna pakte hij haar linkerhand. 'Adhara ...'

Het was de derde keer dat hij haar zo noemde. Iedere keer voelde ze zich echter, reëler worden. Amhal had haar een naam gegeven, maar Adrass was geleidelijk bezig gewicht aan die naam te geven.

'Ik weet het', zei ze, terwijl ze zachtjes haar hand uit zijn greep bevrijdde. 'Hoelang hebben we nog?'

'Nog één dag', antwoordde hij. 'Maar we kunnen nu beter eerst uitrusten.'

Ze gingen liggen en gleden langzaam in een onrustige slaap.

Ze besloten dat ze het tegen de avond zouden doen. Als ze zuinig met hun voedselvoorraadje waren, konden ze nog een dag of wat vooruit. Wat betekende dat er geen tijd overschoot om op krachten te komen na de operatie.

'Ik zal proberen je zo min mogelijk pijn te doen, maar het blijft een amputatie.'

Adhara klemde haar lippen op elkaar en knikte. Ze stond op het punt een deel van zichzelf te verliezen. Wat zou er veranderen daarna? Wat zou ze nog meer moeten missen, vóór het einde?

Ze bleven afdalen. Bij iedere stap die ze deden werd de lucht drukkender. De spinnenwebben verdwenen, samen met de dikke, harige spinnen die ze in de schemering hadden zien bewegen. Op de rotswanden tekenden zich kleuren af. Er waren vreemde, bloedrode tekens in gegrift.

'Duistere runen', verklaarde Adrass. 'Symbolen van Verboden Magie.'

Naarmate ze dieper kwamen, werden de tekens op de muren steeds vlammender rood, terwijl er uit de diepte een gloed opsteeg. Toen ze naar beneden keken waren ze met stomheid geslagen. De bodem was zichtbaar. Een felgele, pruttelende vlek. De roodgloeiende rand eromheen eindigde in een zwarte, kartelige omlijsting.

'Lava', fluisterde Adhara.

'Dat kan haast niet anders hier', voegde Adrass toe. Hij keek haar aan, met een koortsachtige opwinding in zijn ogen.

'We zijn er bijna.'

Al snel werd duidelijk waarom de tekens in de wanden ook in het donker zichtbaar waren. Ze bestonden uit lava. Misschien werd het door de een of andere magie in de muren vastgehouden. Het was fascinerend en afschrikwekkend tegelijk. Alles om hen heen leek te bruisen van het leven. Wie weet wat hun op de bodem van de trechter wachtte.

Ze stopten voor een zijvertrek. Het opschrift luidde: VERDEDIGINGSPREUKEN. De ruimte stelde niet veel meer voor dan een ruw uitgehakte grot. Dezelfde symbolen en spreuken die op de muren stonden, werden op de vloer gevormd door aderen in het zwarte kristal. De boeken stonden achter dikke ijzeren tralies, wat betekende dat hun inhoud allesbehalve onschuldig was.

Adrass at iets, maar Adhara kon geen hap door haar keel krijgen. Ze wist wat haar te wachten stond, al was ze niet meer bang zich door hem te laten aanraken. Ze wist inmiddels zeker dat hij haar niets aan zou doen.

Toen hij uitgegeten was, stond Adrass met een ernstig gezicht op en begon hij de instrumenten voor de ingreep bij elkaar te zoeken. Adhara huiverde. Canules, operatiemessen, zaagjes. Ze kende ze van het laboratorium, de plek waar ze geboren was.

'Doe je ogen dicht. Dat is beter.'

Adhara vertrouwde hem. Maar het donker bevolkte zich met onheilspellende, metaalachtige geluiden. Ze voelde hoe het koude zweet langs haar ruggengraat gleed en geleidelijk haar hesje doordrenkte.

'Niet bang zijn.'

Ze slikte. 'Dat ben ik ook niet.'

'Voel je iets?'

Adrass' stem leek uit een andere dimensie te komen. Ze schudde haar hoofd.

Hij begon. Tot haar afschuw ontdekte ze dat ze ieder gevoel in haar linkerhand verloren had. Ze hoorde het geluid van het zaagblad dat door het dode vlees trok, en het knarsen van haar botten onder het zaagje. Maar geen greintje pijn, alsof haar hand haar al niet meer toebehoorde.

Ze begon te huilen. De tranen rolden langzaam over haar wangen. Ze voelde hoe Adrass ze met zijn warme hand opving. Even groef ze haar gezicht in zijn hand. Voor het eerst bedacht ze dat Adrass meer was dan haar folteraar. Hij had haar gecreëerd, uit het graf gehaald. Hij had haar het leven geschonken. Dat scheen haar nu niet meer het heiligschennend gebaar van een gek toe, maar eerder het bewijs van liefde van een vader. Want dat was Adrass, op een vreemde en verdraaide manier, voor haar aan het worden.

Ze kneep haar ogen dicht en wachtte tot hij klaar was. Op een gegeven moment hoorde ze dat hij zijn instrumenten weglegde.

'Dit was het pijnloze gedeelte', zei hij met trillende stem. 'Nu moet je je vermannen, goed?'

'Wat ga je doen?'

'Ik heb het afgestorven stuk weggehaald, maar nu moet ik het weefsel nog verwijderen dat door de ziekte is aangetast. Dat is levend weefsel. Ik ga gebruik maken van magie. Ik heb iets dat verdooft, maar ik wil je niet voorliegen, het gaat pijn doen.'

Adhara verzamelde al haar moed.

Adrass hield een flesje met een bittere vloeistof aan haar lippen. Ze dronk het helemaal leeg, en verloor praktisch meteen het bewustzijn. Begeleid door zijn hand belandde haar hoofd zachtjes op de vloer.

Door de pijn kwam ze weer bij. Ze voelde dat haar vlees door iets verteerd werd en ze gilde het uit. Ze hoorde haar eigen stem schreeuwen, voelde haar benen uit zichzelf bewegen, voelde Adrass' stevige greep om haar linkerarm. En daarna een deuntje, ver weg, maar duidelijk hoorbaar. Iets waaraan ze zich uit alle macht vastklampte.

'Het is bijna gebeurd. Het is bijna gebeurd. Het is bijna gebeurd.'

Ze merkte dat de greep van zijn hand verslapte. De pijn was overweldigend. Ze opende haar ogen.

'Het is gebeurd', verzekerde Adrass haar, niet minder beproefd dan zij.

Adhara sloot haar ogen weer. Op de snijdende pijn na voelde alles net als eerst. Toch was haar hand weg.

Ze huilde zoals ze nog nooit eerder gehuild had, als een klein meisje, en omklemde Adrass' hand, de hand van haar vijand, de hand van haar vader. Hij sloeg een arm om haar heen en drukte haar hoofd tegen zijn borst. Ondanks alle radeloosheid voelde Adhara een zweem van warmte in zijn omhelzing, waardoor ze zich minder eenzaam voelde.

24
VERGİFFEПİS

De soldaten die Theana en Dubhe naar het huis van Uro hadden gestuurd, hadden een martelkamer aangetroffen. Met groeiende walging hoorde de magiër hun verslag aan. Er stonden potten vol met nimfenbloed. Er lagen lijken die door middel van magische processen intact werden gehouden. In het souterrain waren tientallen levende nimfen opgesloten, bij wie regelmatig bloed werd afgetapt. Uro had al die waanzin helemaal in zijn eentje uitgedacht en in de praktijk gebracht.

Toen de soldaten de gevangenen begonnen te bevrijden, leek de gnoom gek te worden. 'Jullie snappen er niets van! Ik ben de redding van de Verrezen Wereld! Ik ben de held van deze tijden!'

Hij moest met geweld worden afgevoerd.

Nu stond de Hoofdpriesteres tegenover Kalth in het Raadspaleis. Uro werd een paar verdiepingen lager gevangen gehouden. Theana had de gnoom het liefst dood geweten, ook omdat zij in een bepaald opzicht zijn medeplichtige was geweest. Ze had hem niet meteen tegengehouden, maar hem haar vertrouwen geschonken. En ze had zijn brouwsel gebruikt, ten koste van wie weet hoeveel levens. De gedachte alleen al maakte haar misselijk. De koning zat tegenover haar achter de grote tafel in zijn studeerkamer, op de bovenste verdieping van het Raadspaleis. Daar trok hij zich terug wanneer de last van de wereld hem te zwaar werd. Zonder een spier te vertrekken las hij Theana's rapport.

'Prima werk', was zijn enige commentaar toen hij het eindelijk voor zich neerlegde.

Theana ontspande haar vuisten. 'Ik ben van mening dat die man zo snel mogelijk gestraft moet worden.'

'Daar zal ik voor zorgen. Na een rechtvaardig proces.'

Theana leek verbaasd.

'Ik ga niet voor rechter spelen', verklaarde Kalth.

'Maar de tijden ...'

'Zeker, de tijden, de plaag, de oorlog ... Juist in tijden zoals deze is het zaak dat we ons strikt aan de wet houden en hem op onberispelijke wijze toepassen. De wereld glijdt af naar chaos juist omdat er geen enkele regel meer bestaat. Als we willen overleven, moeten we aan onze regels vasthouden.'

Theana deed een stap naar voren. 'Dat is waar, maar ik geloof niet dat deze geschiedenis openbaar gemaakt moet worden. De nimfen worden op de straathoeken vermoord omdat het volk hen ervan beschuldigt de ziekte te verspreiden. Als bekend zou worden dat hun bloed genezende eigenschappen heeft, zou dat hun einde betekenen.'

'Ik ben het helemaal met u eens. Dit zal tussen deze vier muren blijven. Het proces zal met de grootste discretie gevoerd worden.'

Theana slaakte een zucht van verlichting. Daarna keek ze de koning weer aan. 'Er is nog iets wat ik met u wil bespreken.'

Kalth luisterde aandachtig.

Theana vertrok de volgende dag voor dag en dauw. Kalth had haar een draak bezorgd en haar verzekerd dat haar missie naar Waterland geheim zou blijven. Maar hij had er wel iets voor teruggevraagd.

'Ik weet dat u van plan was om Uro's brouwsel te laten vernietigen, maar ik heb mijn mensen opdracht gegeven het in beslag te nemen.'

Theana had hem vragend aangekeken.

'Dit zijn moeilijke tijden, en de ziekte heeft al veel te veel slachtoffers geëist. Als de plaag zich nog verder verspreidt, zou dat het einde betekenen.'

Theana had het begrepen. De woorden van Kalth hadden haar zelfs even redelijk geleken.

'De nimfen die zijn afgeslacht kunnen op geen enkele manier tot leven worden gebracht. De misdaad is gepleegd, en Uro zal streng gestraft worden. Maar er is geen reden om hun offer te verspillen. Denk eens na. Door het mengsel te vernietigen zouden er tientallen onschuldigen voor niets zijn gestorven.'

'Maar dat zou gelijkstaan met het goedkeuren van Uro's wandaden!' protesteerde Theana.

'Het is enkel een kwestie van de gelegenheid te baat nemen. Het zou heel wat anders zijn als we het brouwsel zelf gingen produceren volgens Uro's methode.'

Na een lange woordenstrijd was Theana gezwicht. Aangelokt door zijn logica, afgemat door het schuldgevoel dat haar de afgelopen jaren had verteerd, had ze toegestemd.

Toen ze naar haar kamer was gegaan om wat spullen in te pakken, waren Uro's potten al verdwenen. Terwijl ze op de draak door de lucht vloog, had zich een gapende afgrond in haar binnenste geopend, die haar leek te willen opslokken.

Eenmaal boven Waterland ging er een rilling door haar heen. Wat zou ze zeggen? Waar zou ze de moed vandaan halen om de nimfen onder ogen te komen, na wat ze gedaan had, en nog steeds aan het doen was? Ze sloot haar ogen en probeerde te bidden. Dat had altijd geholpen, in het verleden. Iedere keer dat ze zich in een moeilijke situatie bevond, of in twijfel verkeerde, had ze Thenaar om hulp gevraagd. Keer op keer had hij haar hart met een sprankje vrede verlicht. Ze moest, voor het eerst sinds lange tijd, aan haar vader denken. Hij had Thenaar het ultieme offer gebracht. Hij, die altijd aan zijn principes had vastgehouden, was de dood tegemoet getreden. Ze herinnerde zich de liefde en het geduld waarmee hij haar de geheimen van de priesterkunsten had bijgebracht, de tijd die ze samen hadden doorgebracht.

Ze bad met hart en ziel. Maar dit keer kwam er geen vrede van boven. De hemel leek haar verschrikkelijk leeg. Thenaar liet zijn stem niet horen.

Ze werd overweldigd door woede en frustratie, samen met een diep berouw. Wat had ze fout gedaan? Hoe en wanneer had ze alles verloren wat ze had?

Na vijf dagen bereikte ze haar reisdoel, niet ver van de grens met Zeeland. Op een smal reepje land aan de grens na, was heel Waterland inmiddels door Kryss in bezit genomen. Maar voordat de elfen kwamen hadden de nimfen het koninklijk paleis van Laodamea al moeten verlaten. Het Eenheidsleger had de taak op zich genomen om hen te beschermen want de nimfen zelf hadden nooit over enig leger beschikt. De mensen waren gevaarlijk voor hen geworden, en ze konden onmogelijk meer met hen samenleven. Daarom waren ze in een kamp ondergebracht, waar dag en nacht bewaking aanwezig was.

Het was daar dat Theana landde. Ze droeg burgerkleren, want het was van beslissend belang dat haar missie geheim bleef.

Het kamp was niets meer dan een houten omheining waarbinnen, tussen een dichte begroeiing, de warwinkel van beekjes stroomde die typisch voor Waterland was. Behalve de grote tent die in een hoek van het kamp voor de soldaten was opgezet, stond er geen enkele constructie. Dat was niet nodig omdat de nimfen zich in bomen incarneerden. Daar sliepen ze, dat was hun huis. Alleen als ze met menselijken trouwden, wat nog maar zelden gebeurde, berustten ze erin om tussen stenen muren te leven. In dat geval verlieten ze hun onderkomens en leefden ze volgens de gebruiken van de mensen. Maar ze bleven altijd naar de bossen terugverlangen.

Theana liep onzeker het kamp binnen. Ze had geen idee waar ze moest zijn.

Opeens hoorde ze een stem achter zich. 'Welkom, Hoofdpriesteres.'

Het was een van hen. Beeldschoon, doorschijnend, gemaakt van zuiver water. De nimf bracht haar handen naar haar borst en boog haar hoofd ten teken van groet. Maar toen ze weer opkeek, bespeurde Theana iets van hardheid in haar ogen.

'Deze kant op', nodigde ze haar uit.

Theana hield haar tegen met een handgebaar. 'Ik zie hier noch tenten noch gebouwen. Omdat ik nogal gevoelige zaken met jullie wil bespreken, zou ik dat liever niet in de open lucht doen.'

'Deze kant op', herhaalde de nimf enkel en ze liep verder. Theana volgde haar. Ze kon zich maar het beste zo onderdanig mogelijk opstellen. Haar missie was toch al moeilijk genoeg.

Ze kwamen op een kleine open plek uit, met in het midden een plat, cirkelvormig rotsblok. De nimf gebaarde Theana plaats te nemen. Aarzelend gehoorzaamde ze. Even later was de nimf verdwenen. De takken boven haar bewogen in de wind, tegen de achtergrond van een loodgrijze hemel. Ze was alleen. In de hoop erachter te komen wat er van haar verwacht werd, keek ze om zich heen. De boomstammen om haar heen begonnen te kreunen. Vervolgens leek het alsof ze zich uitrekten. Eerst dacht ze dat het verbeelding was. Maar even later zag ze hoe de stammen langer werden, doorbogen en van vorm veranderden. Ten slotte klampten ze zich aan elkaar vast om samen een soort knus koepeltje te vormen. Het zonlicht filterde enkel nog door de in elkaar gevlochten takken naar binnen.

Theana hoefde niet lang te wachten. Stil en sierlijk maakte de ene nimf na de andere zich los uit de koepel van boomstammen. Ieder keer dat een van hen gestalte kreeg, bracht ze haar handen naar haar borst en boog ze groetend haar hoofd. Theana beantwoordde de groet acht keer. De negende nimf kwam uit de grootste boom tevoorschijn. Theana boog. Ze had haar nog maar een paar keer ontmoet, maar ze herkende haar meteen: Calipso, de huidige koningin.

'Welkom', zei ze. Haar haren reikten tot aan de grond. Ze was iets langer dan de anderen en had iets verhevens over zich wat haar onmiddellijk kenmerkte als de koningin. 'Waaraan hebben we dit bezoek te danken?'

'Uiterst belangrijke kwesties die de overleving van deze wereld betreffen.'

Calipso ging zitten en Theana volgde haar voorbeeld.

De nimf leek bijna kwaad. 'De overleving van de wereld van de mensen, zul je bedoelen, want ons lot is al bepaald.' Ze maakte een wijds handgebaar. 'Dit is wat er van het hof van Laodamea over is, van het rijk dat we met zo veel moeite hadden opgebouwd. Een houten hut en een kamp waarin we opgesloten zitten als gevangenen.' Theana sloeg haar ogen neer. Het zou misschien nog moeilijker worden dan ze gedacht had. 'We doen al het mogelijke om jullie te helpen.'

Het gezicht van de koningin klaarde op. 'We weten dat jij en de andere machthebbers aan onze kant staan. Het is het volk waar we bang voor zijn. Hun haat en laaghartigheid hebben ons volk ernstig uitgedund. Recentelijk zijn er velen van ons verdwenen. We hebben geen idee wat hen overkomen is.'

Theana slikte. Het moment was gekomen. 'Misschien kan ik jullie daar wel mee helpen.'

Zonder een detail te verzwijgen vertelde ze over Uro, hopend dat haar uiting van goede wil op prijs gesteld zou worden. Toen ze klaar was, viel er een zware stilte over haar toehoorders.

'Is het al zo erg?'

'De desbetreffende gnoom is gearresteerd, zijn laboratorium is vernietigd en de nimfen die hij gevangen hield zijn vrijgelaten. We zijn hen aan het behandelen, zodat ze weer gezond en wel naar jullie kunnen terugkeren.'

'We willen hem', vonniste Calipso kil. 'We willen dat jullie degene die dit op zijn geweten heeft aan ons uitleveren.'

'Uro heeft een gruwelijke misdaad begaan waarvoor hij in Zonland gerechtelijk vervolgd zal worden.'

'Hij heeft deze tegen ons begaan. Het is dus aan ons om hem te straffen.'

'Maar een dergelijke wandaad, tegen welk ras dan ook, is een misdrijf tegen de Verrezen Wereld. Daarom wil onze koning Uro vervolgen. Jullie overleving en welzijn

zijn geen zaken die alleen jullie aangaan. Ze vormen een gemeenschappelijk probleem.'

Calipso leek erover na te denken. 'Ik wil in ieder geval dat een delegatie van ons het proces bijwoont en over het vonnis meebeslist.'

Theana knikte. Kalth had zoiets al voorzien. 'Uw delegatie kan met mij terugkeren als u dat wilt.'

Opnieuw stilte.

'Is dat de enige reden van je bezoek?'

Theana schudde haar hoofd en ging zonder nog langer te talmen over tot haar verzoek.

'Het door de gnoom uitgevonden geneesmiddel werkt. Jullie zijn immuun voor de ziekte. Het geheim van die immuniteit ligt kennelijk in jullie bloed verborgen. Het is de enige remedie waar we op het moment over beschikken. Hoe we ons ook ingespannen hebben, we hebben niets anders gevonden.'

Ze voelde dat ze door een golf van vijandigheid werd overspoeld. De nimfen hadden al begrepen waar ze op aanstuurde.

'Wat Uro gedaan heeft is te verschrikkelijk voor woorden. Zoiets mag nooit meer gebeuren. Maar jullie bloed bevat nog steeds onze enige redding.'

'Zeg wat je van ons wilt en doe het snel.'

'Ik zou jullie willen vragen om ons te helpen. Ik zou graag hebben dat jullie ermee instemmen om ons op regelmatige basis een kleine hoeveelheid bloed te doneren voor de productie van het geneesmiddel. Niet veel, zodat jullie er geen enkel nadelig gevolg van ondervinden.'

Calipso zat zwijgend en zo roerloos als een standbeeld tegenover haar. Theana wachtte af. Ze had niet de moed om verder te gaan. Ze wist dat ze veel vroeg en dat haar woorden gewogen werden.

'Sinds het begin van deze geschiedenis hebben jullie niets anders gedaan dan ons aanwijzen als de oorzaak van de ziekte. Julie zijn begonnen ons te vermoorden, ons bloed te drinken en jullie hebben ons naar dit kamp verbannen, de enige plek waar we ons nog veilig voelen. En nu kom je ons vragen jullie te helpen. Wat hebben wij daaraan? Waarom zouden wij onze slavendrijvers te hulp schieten?'

'Niemand van ons heeft jullie vervolgd, niemand van ons heeft jullie als de oorzaak van de ziekte gebrandmerkt. Wij hebben juist geprobeerd om jullie te beschermen en om deze misdrijven te bestrijden. Maar het ontbreekt ons aan voldoende mankracht. We hebben zelfs niet genoeg soldaten om het paleis te bewaken. De Verrezen Wereld gaat langzaam ten onder aan de plaag en aan de oorlog.'

Theana knielde neer.

'Ik kan me alleen maar verontschuldigen voor wat er gebeurd is, uit naam van alle volken van de Verrezen Wereld. Ik neem hun schuld op me, omdat ik er ook niet vrij van ben. Ik heb Uro mijn vertrouwen geschonken. Door zijn geneesmiddel te gebruiken heb ik mezelf medeplichtig gemaakt aan zijn misdaad. Daarom smeek ik u mij te vergeven.'

Ze voelde een lichte aanraking op haar schouder. Toen ze haar ogen opsloeg zag ze Calipso voor zich staan, beeldschoon en trots. Ze las geen boosheid in haar blik, alleen een afgrond van verdriet.

'Sta op', zei ze. 'Jou treft geen blaam.'

Theana had het gevoel dat een frisse wind opeens de wolken uit haar hart verdreef. Ze kwam bevend overeind.

'Wat gebeurt er als we nee zeggen?' vroeg de koningin, weer met een stalen gezicht.

'Niets', antwoordde Theana. 'Dan geven we de hoop op en zullen we allemaal sterven. Maar ik zweer u dat, wat uw beslissing ook zal zijn, ik niet zal toestaan dat jullie enig kwaad wordt aangedaan. Daar zal ik persoonlijk op toezien. Het nieuws over de ontdekking van een remedie, en zijn ingrediënten, is niet openbaar gemaakt en dat zal ook nooit gebeuren.'

Een oneindig lijkende stilte volgde.

Calipso maakte een einde aan het lange wachten. 'Je kunt gaan. We gaan in beraad en zullen je zo snel mogelijk van onze beslissing op de hoogte stellen.'

Diezelfde middag nog werd ze geroepen. Toen ze de kleine koepel betrad, leek het alsof er niets veranderd was. De negen nimfen waren niet van plaats gewisseld. Calipso's blik was nog steeds ondoorgrondelijk.

'Neem plaats.'

Theana gehoorzaamde.

Het duurde even voordat de koningin het woord nam. 'Meer dan duizend jaar geleden zag deze wereld er heel anders uit. Er was toen nog geen spoor van de warboel van rassen die hem nu bevolken. Alleen bossen zover het oog kon reiken, wij nimfen, en de elfen. Ik weet niet of het betere tijden waren. Vast staat dat er geen oorlog noch wanhoop was. We waren vrij. We waren heersers over onze wereld. Het was geen enkel probleem om een boom te vinden om ons in te incarneren en we hoefden nergens bang voor te zijn. Maar toen kwam de plaag. Niet helemaal dezelfde maar wel net zo'n soort ziekte als die nu heerst. Wij merkten er niets van omdat we toen, net als nu, immuun waren. Maar we begonnen de lijken van de elfen op te merken, en hun verdriet. Zij kwamen ons echter niet om hulp vragen, wierpen zich niet op hun knieën, vroegen ons geen toestemming. Ze vielen de plekken binnen waar we leefden, trokken ons uit de bomen en namen ons bloed. Ze kwamen steeds vaker, net zolang totdat ze genezen waren. De elfen richtten een slachting onder ons aan. Zij hebben ons nooit om vergiffenis gevraagd.'

Theana zweeg. Ze voelde dat hier geen woorden voor waren.

'Daarom zullen we je geven wat je wilt. Op onze voorwaarden en onze tijden. Omdat ik een oprecht hart in je heb gezien, en je verdriet heb gevoeld. Omdat het de elfen zijn geweest die ons met deze gesel hebben getroffen, en wij de hardvochtigheid van hun ziel kennen. Omdat jouw liefde het wint van de haat van wie ons heeft vervolgd.'

De magiër keek haar verloren aan, niet in staat om te spreken.

Calipso stond op en liep op haar toe. 'Kunnen we erop vertrouwen dat jouw beloftes van vandaag zullen worden nagekomen?'

Ze knikte heftig. 'Ik zweer het op mijn leven.'

Het doorzichtige gezicht van de nimf plooide zich in een stralende glimlach. 'Wees dan niet bang, en vergeet het. Jou treft geen schuld.'

Theana sloot haar hand om die van Calipso en voelde zich meteen een stuk lichter. De brok angst in haar hart loste op in tranen.

25
OP DE BODEM VAN DE BIBLIOTHEEK

Adhara herstelde snel van de operatie. Door het gebruik van magie bleef het bloedverlies tot een minimum beperkt en was infectie praktisch uitgesloten. Ze durfde niet naar haar handloze arm te kijken en in het begin voelde ze ook niets. Maar toen begon de pijn, eerst wat vaag, maar daarna steeds kloppender, dwingender, ondraaglijker. Ze moesten twee dagen halt houden. Die twee dagen bracht Adhara liggend in de foetushouding door, haar verminkte arm wiegend.

Het levensmiddelenvoorraadje was zo goed als op en ze hadden geen idee hoe dat op de terugweg moest.

De eerste keer dat ze het stompje zag, barstte ze in huilen uit. Haar arm zag er afgrijselijk uit. Er was geen spoortje bloed te zien, alleen een enorme brandplek waar de stomp was dichtgeschroeid. Als ze de moed had gehad om het uiteinde aan te raken, zou ze haar onderarmbeenderen kunnen voelen. De zwarte plekken waren verdwenen, wat haar de illusie gaf dat alles achter de rug was, dat ze weer een gezond persoon was, met een perfect functionerend lichaam. Maar ze wist dat de aandoening, geniepig en onstuitbaar in haar bleef voortwoekeren. En alles wat ze konden doen om haar te stoppen was nog verder afdalen, tot aan die lavaput, in het binnenste van de aarde.

'Laten we gaan', zei Adhara op de derde dag. 'Weet je het zeker?' vroeg Adrass. Hij keek haar ernstig aan. 'We zouden ook nog even kunnen wachten.' 'Ik weet het zeker. Als ik niet nog een stuk van mezelf wil kwijtraken, moeten we opschieten', antwoordde ze met een geforceerde glimlach.

Eenmaal weer terug in het oranje licht vervolgden ze de afdaling. Beiden hadden de indruk dat de gang steiler naar beneden liep. Het werd ook steeds heter en de magische tekens op de wanden werden steeds vlammender. Ze hadden geen magische lichtbollen meer nodig. Alles was immers gehuld in een rossig schijnsel dat een onwerkelijke sfeer creëerde. Het was een zware afdaling en ze waren allebei drijfnat van het zweet.

De tweede dag eindigde de gang abrupt en liep uit op een stenen bruggetje dwars over het lavameer, een el of dertig erboven. Het leek tegen een grote rotswand aan te eindigen die, op een groot gegraveerd opschrift na, glad was. OCCULTE MAGIE stond erop. Adhara en Adrass bleven als verstijfd stilstaan. Ze waren er.

'En nu?' vroeg Adhara.

Adrass nam de situatie in ogenschouw.

'Nu moeten we nog uitvinden hoe we binnen kunnen komen.'

Hij maakte al aanstalten om de brug over te steken, maar ze greep hem bij zijn arm om hem tegen te houden.

'Het bevalt me niet. Het is een verplichte doorgang.'

'Dat klopt, maar het is er wel één die naar ons doel leidt. We hebben geen keuze als we het gedeelte van onze interesse willen bereiken.'

Adhara was niet overtuigd. Het barstte van de spanning op die plek. Het was er *gevaarlijk*. Maar Adrass had ook gelijk. Ze konden moeilijk rechtsomkeert maken, net nu ze hun doel zo dicht genaderd waren.

Ze liet hem los, en hij schuifelde behoedzaam het smalle bruggetje op. Adhara keek met ingehouden adem toe. Toen hij eindelijk aan de overkant stond, gebaarde hij dat alles veilig was.

'Laat eens even kijken ...' zei hij, de angst van zich afschuddend. Hij deed zich duidelijk luchthartiger voor dan hij zich voelde, want zijn handen trilden.

Onderzoekend betastte hij de rotswand. Adhara zag hoe hij iets uit zijn onuitputtelijke tas pakte, en met kruiden aan de gang ging.

Een geluid.

Een soort onderdrukt gepruttel, onderin de traag borrelende lava.

Adhara schrok op. Ze trok snel haar dolk en keek om zich heen. Niets. Stilte.

'Adrass, schiet op!' riep ze bang.

'Maak je geen zorgen. Dit gedeelte is beveiligd met een herkenningsspreuk, maar ik denk dat ik hem zonder veel problemen kan forceren.'

Weer dat geluid, nu dichterbij. Adhara tuurde het kokende meer af. Er bewoog iets in de lava. Ze waren praktisch weerloos.

Ze richtte haar blik weer op Adrass, die nog steeds met de kruiden bezig was. Ze kon nog net een kreet slaken.

Met een hels kabaal kwam er een monsterlijk wezen uit de lava tevoorschijn. Zijn langgerekte lichaam bestond uit zwartstenen ringvormige segmenten met daartussen kalkafzettingen en gezwellen. De ringen werden bij elkaar gehouden door een soort bleek, slijmerig vlies. Er droop gesmolten steen van af. Toen het monster zich in zijn volle lengte opgericht had, torende het minstens vijftig el boven hen uit. Zijn hoofd was pas van de rest te onderscheiden toen het zijn bek wijd opensperde in een oorverdovende schreeuw.

Adhara moest haar handen tegen haar oren drukken om niet gek te worden.

Het hoefde alleen zijn kop nog maar te buigen om zijn vlijmscherpe tanden in haar te zetten, en haar vervolgens via zijn strot in een eindeloze diepte te laten verdwijnen. Maar de gigantische worm liet zich plotseling weer in het meer vallen. Hij sleurde de stenen brug met zich mee.

Adrass, achter hem, was lijkbleek geworden. Hij had zich tegen de muur aan gedrukt om niet te vallen. Van de brug was alleen nog maar een uitstekend randje van hooguit een halve el over, waarop hij zich in evenwicht hield.

'Je zwaard!' gilde Adhara.

Maar Adrass was als verlamd.

'Gooi je zwaard naar me toe!' riep ze zo hard ze kon. Hij leek bij zinnen te komen. Houterig trok hij het wapen onder zijn riem vandaan en wierp het naar de overkant. Adhara slaagde erin het op te vangen. Het gruwelijke borrelen was weer begonnen, wat betekende dat er een tweede aanval aankwam. Ze voelde dat die fataal zou zijn.

'Jij probeert die deur open te krijgen, goed? Ik houd het monster bezig!' gilde ze. Instinctief bracht ze haar linkerarm naar het handvat van haar zwaard, om het met twee handen vast te houden. Maar haar arm zwaaide er voorbij.

Verdomme!

Vanuit een kolkende maalstroom dook de worm weer op uit de lava en stortte zich rechtstreeks op Adrass.

'Nee!' gilde Adhara.

Maar zijn bek ketste af op de dunne, zilverachtige barrière die Adrass net op tijd opriep. Ze slaakte een zucht van verlichting. Daarna deed ze het eerste wat er in haar opkwam. Ze gilde een vuurspreuk, waarop het rode schijnsel doorbroken werd door een blauwe lichtflits. De worm leek geïrriteerd.

'Pak me dan!' gilde ze uitdagend.

Het was, zachtjes uitgedrukt, een wanhopige onderneming. Maar het was ook hun enige kans.

Het wezen boog zich in haar richting, al zijn razernij uitkrijsend. Het was een indringende, schelle en onverdraaglijke roep. Adhara riep een dunne, magische barrière rondom zichzelf op. Ze begon met haar zwaard tegen zijn taaie huid te beuken, om hem af te leiden en op een afstand te houden. Bij iedere stoot kwamen er duizenden vonken vrij. Het was waanzin om te denken dat ze hem zo kon verslaan.

Er is geen andere oplossing, zei ze tegen zichzelf. Ze nam een aanloop, zette zich hard af, en nam toen schreeuwend een sprong. Terwijl ze over het meer van vuur vloog, hoopte ze dat de barrière haar zou beschermen tegen de hitte. Ze botste tegen het wezen aan, en begon meteen te glijden. Ze deed haar best niet in paniek te raken, terwijl ze naar beneden stortte, in de richting van de lava.

Nu!

Ze stak toe. Haar zwaard ondervond nauwelijks enige weerstand op de plek waar twee ringen van zijn monsterlijke lichaam samenkwamen. De huid ertussenin was boterzacht en ze boorde er zo doorheen.

Het wezen bokte krijsend.

Adhara spande haar dijbenen om haar evenwicht te bewaren, aangezien ze haar rechterhand nodig had om het zwaard vast te houden. Ze rukte het wapen los en stak nogmaals toe zo hard als ze kon.

'Schiet op, schiet op!' gilde ze geradbraakt naar Adrass. Het was veel erger dan ze gedacht had. De hitte werd steeds ondraaglijker, de wilde bewegingen van het beest deden haar maag ondersteboven keren, en zijn huid was spekglad van het zwarte, stroperige bloed dat hij verloor.

Eindelijk werd ze verblind door een lichtflits. Een paar tellen lang was alles wit. Even was Adhara haar oriëntatie kwijt. Alles om haar heen ging op in een verblindend schijnsel. Ze kreeg het gevoel dat ze zweefde. Zelfs het monster spartelde niet meer onder haar woeste houwen.

'Laat los! Ik heb de deur open gekregen!'

Adrass' stem. Hij had voor die lichtflits gezorgd. Adhara voelde hoe de worm onder haar steeds sneller de lava ingleed. Op hetzelfde moment dat hij eronder verdween, zou het onherroepelijk afgelopen zijn met haar. Er zou niets van haar overblijven.

'Laat hem los, zeg ik je!'

Ze was op, begreep helemaal niets meer. Ze verslapte haar greep. De hitte werd ondraaglijk, de val naar de diepte onafwendbaar. Gelukkig kwam de bewusteloosheid. Het bespaarde haar de bloedstollende aanblik van het vuur dat haar vlees zou verteren.

Adrass was snel. Eén woord, één woord maar, en Adhara's val stopte op minder dan tien el van de lava. Een klein stukje lager, en ze zou vlam hebben gevat.

Vliegensvlug trok hij haar met magische krachten omhoog, en wierp haar in de donkere ruimte achter de deur die hij zojuist geforceerd had.

De reuzenworm verdween in de lava. Opeens was het weer stil, op het borrelen van de kokende lava en Adrass hijgende ademhaling na. De magie was ingewikkelder geweest dan voorzien, en het oproepen van de barrière en de vliegspreuk hadden hem afgemat.

Hij sleepte zich naar Adhara toe, die voor dood op de stenen lag. Hij schudde aan haar schouders in een poging haar bij kennis te laten komen, maar ze reageerde niet.

'Adhara? Alsjeblieft Adhara, het is allemaal voorbij.'

De magische barrière had op het laatste moment niet genoeg bescherming tegen de hitte geboden. Haar kleren waren verschroeid, haar huid was rood en ze had sporen van bloed van het monster op haar lichaam. Wat als dat giftig was?

Adrass pakte haar hoofd met beide handen vast en bracht zijn gezicht naar het hare.

'Adhara! Laat me nu niet in de steek … Adhara!'

Ze opende haar ogen! Toen Adrass haar irissen zag, kon hij wel huilen van geluk. Hij omarmde haar innig.

'Wat heb jij me laten schrikken!' zei hij schor, terwijl hij een snik in haar hals smoorde. Onder de brand- en zweetlucht kon hij de aangename geur van zijn creatie, zijn kind, ruiken. Hij voelde hoe ze zachtjes in zijn zij kneep.

'Jij ook', prevelde ze.

Het was een immense zaal. De wanden waren bezaaid met symbolen waar lava vanaf droop, de vloer was één reusachtige, ononderbroken gravure. Het leek alsof er een gek gevangen had gezeten. De zoldering, die minstens tien el hoog was, werd ondersteund door de beenderen van gigantische dieren. Adhara zou niet kunnen zeggen tot welk ras ze behoorden. Haar ogen gleden langs de enorme ribben, lange scheenbenen en indrukwekkende dijbenen.

'Heb je enig idee wat dat voor botten zijn?'

Adrass schudde zijn hoofd. 'Het zou een of ander zeemonster kunnen zijn of een wezen uit de tijd van de elfen.'

Langs de wanden stond een oneindige opeenvolging ebbenhouten kasten. De boeken stonden achter dichte deuren die verstevigd waren met metaalbeslag. De ruimte boven de kasten was opgesierd met mysterieuze en angstwekkende botstructuren.

Ze gingen meteen aan de slag.

Het kostte hun een paar uur om alleen al een grove plattegrond van de zaal en de honderden afdelingen te maken. Alle kennis over de verboden formules was er bijeengebracht, een oneindig stalenboek van de gruwelijkheden waartoe de elfen in staat waren geweest tijdens hun overheersing van de Verrezen Wereld.

Het openbreken van de kasten was geen probleem omdat ze in de loop der eeuwen veel van hun stevigheid verloren hadden. Adrass herkende meteen een groot deel van die boekwerken.

'Hiervan had ik een kopie in mijn laboratorium staan. O, en dit boek kende ik alleen van horen zeggen.'

Hij raakte ze vol eerbied aan, en streelde ze zoals hij een geliefde zou strelen. Hij was en bleef, bedacht Adhara, een man die de Verboden Magie bedreef en afschuwelijke misdaden had begaan. Toch zag ze hem met heel andere ogen dan eerst, na alles wat ze samen hadden doorgemaakt.

Toen de eerste opwinding voorbij was, verdiepte Adrass zich in de inhoud van de boeken. Hij moest een uitzonderlijk goed geheugen hebben. Hij bladerde ze snel door, las alleen de passages die hem interesseerden, en maakte daar aantekeningen van op een perkament dat hij altijd binnen handbereik hield. Zodra hij met een boek klaar was, ging hij verder met het volgende. De eerste avond moest Adhara hem letterlijk bij de boeken wegsleuren.

'Wat een schat aan kennis staat hier. In deze paar uur heb ik meer geleerd dan in heel mijn studietijd.'

'Het zijn Verboden Boeken, Adrass ...'

Hij keek bijna verbijsterd op, en begon te blozen. 'Ik weet het ... Maar ook van het kwaad kunnen we iets leren, denk je niet?'

Dat was een zin die zeer zeker op hun verhouding van toepassing was. Een groot deel van de reis was Adrass voor haar de personificatie van ieder kwaad geweest. Maar hij had haar ook, indirect, blijk van zijn menselijkheid gegeven.

'Je weet dat ik gericht naar iets op zoek ben', antwoordde hij op ernstige toon.

'Dank je ...' mompelde ze, opgelaten.

'Ik ben het je schuldig.'

Al op de tweede dag vond hij het antwoord op al hun vragen. Adhara had het beetje voedsel dat ze nog hadden voor zich uitgestald. Ze konden nog twee dagen vooruit, misschien drie of vier als ze de rantsoenen tot een minimum beperkten. Water was geen probleem, dat was hier volop aanwezig. Toen ze haar ogen opsloeg, zag ze dat Adrass tegenover haar stond met een boek in zijn hand. Hij was lijkbleek. De schrik sloeg haar om het hart.

'Ik heb het gevonden', zei hij.

Het duizelde haar. Haar hart stond stil. Ze was gered.

'Zo te zien hebben we een grote fout begaan toen we je gecreëerd hebben. We hebben lichaam en geest niet met elkaar verenigd.'

'Oftewel?' vroeg Adhara.

'Het is niet zozeer je vlees dat weer terug wil naar het graf, als wel je ziel die op de een of andere manier wordt beschouwd als vreemd aan je lichaam.'

Adhara grijnsde bitter. 'Dat wil dus zeggen dat ik een ziel heb? Dat ik meer ben dan een voorwerp, het resultaat van een experiment?'

De ernst waarmee Adrass haar aankeek, de pijn die ze in zijn ogen las, smoorde haar sarcasme in de kiem.

'Ik heb veel begrepen in de tijd die ik hier onder de grond met jou heb doorgebracht. Ik heb dingen *gezien* die ik eerst weigerde te zien. Wil je dat ik berouw voel over mijn daden? Ik voel berouw. Ik voel berouw over het leed dat ik je heb aangedaan, over de manier waarop ik naar je keek toen ik je leerde kennen. Maar mijn aanmatigende daad heeft je wel tot leven gebracht, en daarover, alleen daarover, voel ik geen berouw.'

'Ga verder', fluisterde Adhara.

'Er bestaat een ritueel waarmee dit alles een halt toegeroepen kan worden, maar dat kan alleen op een Sheireen zoals jij worden toegepast.'

'Waarom?'

'Omdat om het Zegel van Shevraar gevraagd moet worden.'

Adhara vatte het niet.

Adrass probeerde duidelijker te zijn. 'Er moet een soort zegen van de god over jou worden uitgesproken, op een plek waar hij sterk aanwezig is. Feit is dat ik, door jou te creëren, heiligschennis gepleegd heb. Jij bent het resultaat van een Verboden Magie. Dit zou voor de god een reden kunnen zijn om je zijn zegen niet te verlenen.'

Hij zweeg. Zijn handen beefden.

'Maar …?' vervolgde Adhara voor hem in de plaats.

'Maar jij bent Sheireen, de Gewijde. Jij behoort hem toe. Jij bent zijn creatie. Daarom zal het werken.'

'En als het niet werkt?'

Hij balde krampachtig zijn vuisten.

'Dan sterven we allebei', antwoordde hij categorisch.

Adhara bekeek haar stompje. Ze had niet veel keuze.

'Of dit, of een zekere dood?'

Adrass knikte alleen maar.

Adhara staarde hem nadenkend aan. 'Goed. Waar moeten we heen?'

'Niet ver weg', glimlachte hij met een vreemd licht in zijn ogen.

26
DE GEWIJDE

'We moeten naar een Elfse tempel, een aan Shevraar gewijde tempel, om precies te zijn', lichtte Adrass toe.

'Hoe kun je dan zeggen dat het niet ver weg is?'

'Die tempel is juist heel ver weg, maar wij hoeven niet ver te reizen. We zijn er zo.'

Adhara begreep er steeds minder van, wat Adrass nogal leek te amuseren. Hij vond het kennelijk leuk om haar te verrassen.

'De tempel waar ik het over heb bevindt zich in werkelijkheid niet in de Verrezen Wereld. Hij bevindt zich in een soort magische ruimte waarheen de elfen hem verbannen hebben toen ze deze wereld verlieten.'

'Maar de heiligdommen, waar Nihal de acht stenen van de amulet van de macht gevonden heeft, hebben ze wel in de Verrezen Wereld achtergelaten.'

'Die werden als minder heilige plaatsen beschouwd, hoewel ze een grote kracht in zich borgen. Bedenk wel dat ze op een andere manier beschermd waren. De stenen konden alleen worden aangeraakt door wie elfenbloed bezat.'

Dat was waar. Adhara herinnerde het zich. Nihal had de stenen alleen bijeen kunnen garen omdat ze een halfelf was.

'De plek die wij moeten vinden is onzichtbaar gemaakt. Hij is alleen bereikbaar via een magisch portaal dat zich hier, in deze bibliotheek, bevindt.'

'Magisch portaal? Bestaat zoiets echt?'

Adrass knikte. 'Het is een heuse poort, die toegang geeft tot heel verre plekken in de ruimte, of onzichtbare, zoals deze tempel. Ze werken als volgt', zei hij, terwijl hij gemakkelijker ging zitten. Hij was duidelijk opgewonden, en genoot van zijn rol als leraar. 'Op de plekken die met elkaar verbonden moeten worden, dienen twee zwart kristallen portalen te worden gebouwd, gelijktijdig, anders werkt de magie niet. Daarna wordt het kristal een zegel opgelegd, dat het leven van een magiër vereist.'

'Het leven?' riep Adhara ongelovig uit.

Adrass knikte. 'Op dat punt wordt een tweede zegel opgeroepen, en het portaal is klaar.'

'En wij zijn naar zoiets op zoek.'

Adrass knikte nogmaals.

Het bleek moeilijker dan gedacht om het te vinden. In de grote zaal was geen enkel aanwijzing te vinden voor een doorgang of een geheime kamer die een portaal kon verbergen. Ze speurden de wanden handpalm voor handpalm af. Niets.

Uiteindelijk gingen ze uitgeput middenin de zaal zitten.

'Weet je echt zeker dat we hier moeten zijn?' vroeg Adhara.

'Het staat duidelijk in een van de boeken hier. Geen twijfel mogelijk.'

Moe en ontmoedigd liet ze haar kin op haar handen rusten. Nu ze hun doel zo dicht genaderd waren, konden ze toch niet opgeven?

Ze liet haar blik verstrooid langs de muren glijden. De symbolen fonkelden levendiger dan ooit. Het viel haar op dat hun afmetingen onderling verschilden. Sommige waren net iets groter dan de rest. Opeens kreeg ze een ingeving. 'Adrass …' zei ze, terwijl ze de afwijkende tekens een voor een aanwees.

Aanvoelend wat ze bedoelde, kwam hij meteen overeind en bekeek de symbolen nog eens aandachtig. Daarna pakte hij zijn perkament en begon hij de grotere runen op te tekenen. Omdat de zaal zo groot was, vroeg hij Adhara de andere helft voor haar rekening te nemen.

Toen ze elkaar aan de overzijde van de zaal weer tegenkwamen, legden ze hun lijstjes naast elkaar. Het ging om hooguit enkele tientallen runen. Adrass had ontdekt dat de zaal als het ware in grote afdelingen was verdeeld, die stuk voor stuk één extra groot runenteken bevatten. Hij had meteen vermoed dat het een code zou kunnen betreffen, en zijn vermoeden werd bevestigd toen hij ontdekte dat die runen samen bepaalde woorden vormden, in de taal die de elfen gebruikten voor hun Occulte Magie. Vreemd genoeg leek datzelfde niet te gelden voor de symbolen op Adhara's lijst.

'Weet je zeker dat je ze allemaal genoteerd hebt?'

'Absoluut!'

'In de juiste volgorde?'

'Zeker weten. Klopt er iets niet?'

Adrass legde haar de situatie uit, waarop Adhara verward om zich heen keek. Hoe was het mogelijk dat haar runen niets betekenden, terwijl ze allebei dezelfde methode gebruikt hadden? Ze draaide zich om, en nam dezelfde weg terug om de symbolen opnieuw te controleren. Bij de vijfde rune begreep ze het. Ze keek achterom. Ze liep dit keer in dezelfde richting die Adrass net ook gevolgd had.

'Mijn runen vormen net zo goed woorden', zei ze.

'Ik heb ze bekeken en herbekeken, maar ik kan je verzekeren dat *lehemsarvaliarht* niets betekent.'

'Ik geloof je op je woord,' zei Adhara grijzend, 'maar wat dacht je van *thrail avras mehel*? Omdat we allebei op hetzelfde punt zijn begonnen, hebben we in tegengestelde richtingen gelopen, waardoor ik alles achterstevoren gelezen heb.'

'Je hebt gelijk! Waarom heb ik daar niet aan gedacht? We zijn er!' riep Adrass uit.

Hij schreef de hele zin op het perkament, en las hem vertaald voor.

'*Met vernuft bereikt men zijn doel* … Niet bepaald verhelderend.'

Adhara probeerde zich te concentreren op de vertaalde zin. 'Met het doel wordt vast het portaal bedoeld.'

'Ongetwijfeld. Maar het inzicht?'

Ze tastten in het duister.

'Het vernuft hebben we al gebruikt. We hebben het geheim van de grotere symbolen ontdekt.'

Adrass keek haar aan. 'Wat wil je daarmee zeggen?'

'Dat het misschien niet zozeer om de betekenis van de zin gaat, maar om de zin zelf. Misschien is de zin de sleutel om het portaal te openen.'

'Het portaal gaat echt niet met magie open. Het is van oerstevig zwart kristal gemaakt.'

'Dan is het misschien de sleutel om de ruimte binnen te komen waarin het zich bevindt, of zoiets … Lees de zin eens in het runisch op', stelde Adhara voor.

Adrass bleef sceptisch, maar deed wat ze zei. '*Ersha tras avelya ru wyrto gol anthrail avras mehel*' las hij weinig overtuigd.

Ze hoorden direct het geluid van iets dat op zijn scharnieren draaide, ergens ver weg in de zaal.

'Het werkt ...' prevelde Adrass ongelovig. Samen renden ze in de richting van het geluid. Ze waren doodsbang dat, wat er ook was opengegaan, zich weer zou sluiten. Een van de boekenkasten bleek om zijn as te zijn gedraaid. Het stuk muur erachter was opengegaan als een heuse deur, en bood toegang tot een nauw, in het steen uitgehouwen gangetje.

Adrass boog om het te bekijken. 'Dit moet het zijn!' besloot hij voordat hij, ongeduldig als altijd, naar binnen glipte.

Ze liepen een heel eind door de benauwde tunnel. Hoe verder ze kwamen, hoe nauwer hij werd, zodat ze hun hoofden steeds dieper moesten buigen. Het was er aardedonker. Geen symbolen of lava meer. Ze waren gedwongen om weer hun toevlucht tot magie te nemen om te zien waar ze hun voeten neerzetten. Niet dat er enig gevaar bestond om te verdwalen. De tunnel liep steil naar beneden, en maakte allerlei vreemde bochten. Maar hij bestond uit één lange weg zonder kruisingen of splitsingen. Je kon je onmogelijk vergissen.

Op een bepaald punt moesten ze op handen en voeten verder. Het kostte Adhara heel veel moeite om in die houding vooruit te komen. Iedere keer als ze haar stompje op de grond wilde zetten, gleed het weg.

'Ik zie een lichtpuntje. We zijn er bijna', zei Adrass opeens. In de verte was een gedempt schijnsel zichtbaar dat gaandeweg steeds feller werd, en de vorm van een ronde opening aannam. Zodra ze er waren stopte Adrass abrupt.

'Wat gebeurt er?' vroeg Adhara.

'We zullen nogmaals de vliegspreuk moeten gebruiken', antwoordde hij. Even later zweefde hij langzaam naar beneden. Adhara vloog vlak achter hem aan.

Ze bevonden zich ongeveer tien el boven de vloer van een ruw in de rotsen uitgehouwen koepel. Het portaal verhief zich midden in de zaal: een enorme ellipsvormige ring van zwart kristal die bijna de hele ruimte in beslag nam. Langs de rand waren runen getekend, en dieren die Adhara nog nooit gezien had. Het zwarte kristal straalde een bloedrode gloed uit, alsof het bezield werd door een inwendig licht.

'Dat is het effect van het zegel', legde Adrass uit toen ze ervoor waren geland. 'Het is opgelegd met het bloed van de magiër die zijn leven gegeven heeft om het te activeren. *Al* zijn bloed.'

Adhara rilde. Nu begreep ze waarom ze nooit over portalen had horen spreken, en waarom ze niet meer gebouwd werden.

De ellipsvormige opening binnen de zwartkristallen omlijsting werd helemaal opgevuld door een soort deinend, doorschijnend groen vlies. Er trokken golven doorheen die zich ontwikkelden, in elkaar verstrikt raakten en weer wegebden. Ze lichtten op in een wisselend kleurenspel. De constructie had iets moois en iets verschrikkelijks tegelijk.

'Denk je dat het nog werkt?' vroeg Adhara.

'Jazeker. De tijd doet er niet toe', antwoordde Adrass. Hij draaide zich om. 'We hebben wel de sleutel nodig.'

'Oftewel?'

'Bloed', verklaarde hij droog. 'Jouw bloed om precies te zijn.'

Adhara bekeek het portaal. 'Mijn Sheireenbloed bedoel je zeker?'

'Zonder dat kan het zegel niet geopend worden, en zouden we een wisse dood tegemoet gaan. De elfen waren nogal bezitterig op hun geheimen', probeerde Adrass te schertsen.

Adhara strekte haar arm naar hem uit. 'Doe wat je moet doen.'

Hij haalde een glazen flesje tevoorschijn en een dun scalpel waarmee hij een minuscule insnijding in haar huid maakte. Ze voelde het nauwelijks. Nadat hij een paar druppels bloed in het flesje had opgevangen deed hij een gaasje op het wondje.

Op hetzelfde moment dat hij het flesje tegen het portaal slingerde, loste het vlies op, om een paar seconden later als een dichte, azuurblauwe waternevel terug te komen. Bijna uitnodigend.

Adrass pakte haar stevig bij haar hand. 'Laten we gaan', zei hij. Zonder aarzelen wierpen ze zich tegen de opening van het portaal. Adhara kreeg een vreemde sensatie. Een gevoel van kou, alsof ze in een ijskoud meer terecht waren gekomen, maar ook van hitte alsof er een verwoestend vuur aan hun ledematen likte. Alles werd een paar seconden licht, en ze bevonden zich aan de andere kant, in een plek zonder ruimte en zonder dimensie. Ze waren in de tempel. Hij was cirkelvormig. De vloer stond in vuur en vlam, maar toch voelden ze totaal geen hitte. De wanden waren opgetrokken uit zwart kristal en bezaaid met wapens: lansen, zwaarden, pijlen, kruisbogen, knotsen, bogen. Aan het koepelgewelf, dat zich dreigend boven hun hoofden uitstrekte, hingen ontelbare vlijmscherpe zwaarden. De ruimte werd in tweeën verdeeld door een zuilenrij die een soort galerij langs de wanden vormde. Rondom iedere zuil slingerden zich felle lichtflitsen. Die schoten vanaf de vloer omhoog, waarna ze weer even snel doofden als ze opgevlamd waren. Alles straalde een onheilspellende sfeer uit. Het was de perfecte plek om de god van de oorlog, van de vernietiging en van de schepping te eren, het begin en het einde van alles.

In het midden van de zaal, omgeven door bliksemschichten en vlammen, stond het altaar. Het had een ronde vorm en bood plaats aan een zwaard waar zich, op de een of andere raadselachtige manier, een groene, bloeiende rank omheen slingerde, getooid met geurende, bloedrode bloemen.

'Thenaar ...' fluisterde Adrass, vroom neerknielend. Hij was in het huis van zijn god, aan wie hij zoveel jaren van zijn leven gewijd had.

Adhara kon de kracht van zijn geloof en zijn toewijding voelen.

'Voel je zijn aanwezigheid, Adhara? Het is *onze* god!' riep hij. Stralend kwam hij weer overeind. 'Hij zal je redden, snap je? Hij zal je bevrijden van de slavernij waaronder je gebukt gaat!'

Adhara liet zich bij de hand nemen en naar het altaar voeren.

'Kniel neer.'

'Wat ga je met me doen?'

'Ik zal je zegenen met het zwaard. Ik zal je besprenkelen met het sap van de bloem van de flamia, de plant die je hier ziet. Hij is aan de god gewijd. Dan zul je gered zijn.'

Adhara keek naar de bliksemschichten en de vuurtongen rondom het wapen. 'Moet je het oppakken?'

Adrass knikte glimlachend.

'Maar ...'

283

Verdere woorden waren overbodig.

Hij keek haar langdurig aan, onophoudelijk glimlachend. Toen werd alles haar duidelijk.

'Zoals zelfs een middelmatige magiër weet, vereist magie altijd een prijs. Wat ik gedaan heb, zelfs al heb ik je het leven geschonken, en heb ik de persoon gecreëerd die je bent, het is en blijft heiligschennis.'

'Wat gaat er met jou gebeuren?' prevelde Adhara, terwijl ze het antwoord al voelde aankomen.

'Vergeet niet', vervolgde hij, haar vraag negerend, 'dat ik gebruik heb gemaakt van Verboden Magie, en daarom ver van mijn god verwijderd ben. Tot voor kort dacht ik dat iedere laagheid geoorloofd was voor de overwinning van het goede. Sterker nog dat, hoe verder ik zou gaan, hoe meer Thenaar mijn blinde geloof zou waarderen.'

'Adrass ...'

'Want dat hadden de Wakers me verteld. Ik geloofde hen. Maar in deze dagen heb ik de verwijdering van het geloof ervaren. Mijn ziekte, mijn onbeantwoorde gebeden, en nu dit. Het zijn tekens. Thenaar heeft nooit gewild dat ik gewetenloos gehoorzaamde, dat ik mijn menselijke aard prijsgaf. Dat heb ik dankzij jou begrepen.'

Adhara greep zijn hand vast, bijna als om die absurde bekentenis te onderbreken. 'Wat gaat er met jou gebeuren?' vroeg ze opnieuw, radeloos.

'Niemand kan dat zwaard vasthouden of zelfs maar aanraken zonder dat het zijn energie opzuigt. Alleen een elf kan het ongestraft doen. Zo staat het geschreven. Zo hebben degenen besloten die deze heilige plek onzichtbaar hebben gemaakt.'

Adhara schudde haar hoofd. 'Ik wil het niet! Ik ben het zat om te leven ten koste van anderen!' schreeuwde ze.

'Alles zal goed komen', fluisterde hij, naar haar toebuigend. 'Voordat ik sterf.'

Maar Adhara voelde aan dat hij dat alleen maar zij om haar gerust te stellen. 'Onder deze voorwaarden weiger ik mee te doen.'

'Dan sterf je.'

'Dat is misschien beter. Misschien had ik nooit geboren moeten worden.'

Adrass raakte opeens treurig gestemd. 'Dat mag je niet zeggen. Jij bent het enige gezonde voortbrengsel van deze hele geschiedenis, Adhara. Jij bent aan het kwaad ontsproten, en jij bent het enige waar ik trots op ben. Je hebt je bloed gegeven om mij te redden. Jouw ziel is veel groter dan de mijne, en niet omdat je de Gewijde bent, maar omdat je het meisje bent dat je getoond hebt te zijn.'

Adhara wist niet wat ze moest zeggen. Hete tranen brandden op haar wangen en verdampten door de hitte van het vuur.

'Ik kan je niet aan je lot onttrekken. Ik kan mijn levenswerk niet verwoesten. Maar leef voort, Adhara. Wanneer dit alles afgelopen zal zijn, wanneer er weer vrede zal heersen in de Verrezen Wereld, leef voort, en wees vrij. Van mij, van Thenaar, van iedere drang. Wees vrij en gelukkig.'

Hij trok zijn hand los en stevende op het altaar af.

'Adrass!!!'

Adhara schoot achter hem aan in een poging hem te stoppen. Maar hij was niet te houden. Met zijn ene hand omklemde hij het zwaard al, en met de andere de reddende bloem.

Opschietende vlammen en bliksemschichten deden de tempelwanden beven. Adrass zette zich schrap, en slaagde er tenslotte in het zwaard los te rukken. Zijn gezicht was vertrokken in een masker van pijn. 'Kniel neer', bracht hij met moeite uit.

'Ik kan het niet … zo kan ik het niet …'

'Kniel neer of alles is voor niets geweest!' brulde hij, op zijn benen wankelend.

Adhara gehoorzaamde. Ze moest wel. Ze voelde hoe hij de kling op haar schouder legde. Het staal voelde fris aan, terwijl hij zijn handen er aan brandde.

'Door het staal van deze kling wijd ik je aan Shevraar.'

Hij liet het zwaard los. Adhara hoorde het tinkelend op de grond neerkomen. Daarna bracht hij moeizaam zijn andere hand boven haar hoofd en perste met zijn laatste krachten wat sap uit de bloem. Hij beet op zijn tanden.

Adhara voelde de druppels op haar hoofd vallen, langs haar gezicht glijden.

'Door het bloed van deze bloem wijd ik je aan Shevraar.'

Daarna gleed ook de bloem uit zijn trillende handen. Hij verhief ze naar de hemel.

'Herrijs in Shevraar, als metaal dat in het vuur tot nieuw leven wordt gesmeed', riep hij.

Adhara kreeg het gevoel dat er een vlam door haar heen trok, brandend en toch weldadig, die zich met zijn onstuitbare warmte door heel haar lichaam verspreidde. Ze voelde hoe de vlam haar ledematen nieuw leven inblies, hoe hij haar nieuwe vorm gaf, en haar een kracht gaf die ze nooit eerder ervaren had. Maar ondanks het intense gevoel van welzijn kon ze niet vergeten welke prijs ze voor haar leven betaalde. Ze wenste enkel nog dat het eindigde, dat Adrass ophield te lijden. Het maakte niet meer uit wat hij gedaan had, of wat er *eerst* tussen hen geweest was. Alleen het *nu* telde, wat ze ontdekt hadden, wat ze in enkele dagen opgebouwd hadden. Hij had haar het leven geschonken. Een onvolmaakt, onvolledig en pijnlijk leven, maar toch altijd leven. Zonder hem zou ze nooit bestaan hebben. Dat kon ze niet vergeten.

Het eindigde met een lichtflits, gevolgd door een doffe bons. Toen Adhara haar ogen opende, zag ze hem. Adrass lag bewusteloos op de grond.

27
DE KEUZE VAN ADHARA

'Adrass!'
Ze hurkte naast hem neer en draaide hem op zijn rug. Hij was lijkbleek en baadde in het zweet. Zijn handen waren volledig verwoest door het vuur. Maar hij ademde, zij het met moeite. Hij moest drinken. Adhara doorzocht haar bijna lege tas. Ze vond de waterfles, en leegde hem in zijn mond.

'Adrass, ik smeek je, ik kan niet zonder jou terug. Ik kan het niet ...'

Ze had hem nodig. Vooral nu ze hem echt had leren kennen. Ze hadden alleen zo ver kunnen komen omdat ze samen waren, omdat ze elkaar geholpen en gesteund hadden. Ze had in die paar weken meer van hem geleerd dan ooit van iemand anders. Adrass had haar niet alleen gecreëerd, maar ook geleidelijk gevormd als persoon. Hij had haar geholpen haar weg te vinden, soms door tegen haar en haar ideeën in te gaan, andere keren door haar zijn vertrouwen te schenken, en haar te erkennen als zijn dochter.

Toen hij langzaam zijn ogen opende, omhelsde Adhara hem alsof het de laatste keer was.

'Hoe voel je je?' vroeg hij hoestend.

'Geweldig, maar zeg jij liever hoe jij je voelt ...' antwoordde ze, hem loslatend.

Adrass glimlachte om haar gerust te stellen. 'Het is hier ontzettend heet.'

Adhara merkte er niets van. Dat was waarschijnlijk omdat ze Sheireen was. 'Laten we dan maar snel weggaan', zei ze, terwijl ze hem overeind trok. Het kostte haar moeite vanwege het stompje, maar verder voelde ze zich beter in vorm dan ze zich ooit gevoeld had. Eindelijk gehoorzaamde haar lichaam haar blindelings, eindelijk was het geen vreemd element meer waarmee ze nog vertrouwd moest raken. Het behoorde *haar* toe, helemaal. Het ritueel bij het altaar had echt een Gewijde van haar gemaakt.

Zwaar op haar leunend strompelde Adrass met haar mee in de richting van het portaal. 'Je lijkt anders ...' hijgde hij.

'Helemaal jouw verdienste', antwoordde Adhara. Ze voelde zich herboren. Maar wat had ze eraan als hij dood was? Ze waren bijna bij de poort aangekomen, toen Adrass opeens tegenstand bood.

'Laat me hier', fluisterde hij, nauwelijks hoorbaar.

'Ik laat mijn vrienden niet in de steek, laat staan mijn vijanden', antwoordde ze zonder te stoppen.

'Ik meen het serieus.' Hij zette koppig zijn voeten schrap. 'Dit is mijn ideale plek, de tempel waar ik eindelijk mijn god gevonden heb.'

'Juist daarom kun je nu niet opgeven', zei Adhara, terwijl ze een ruk aan zijn arm gaf.

Adrass schudde zijn hoofd. 'Het is terecht dat ik hier eindig, want het is onvergeeflijk wat ik heb gedaan.'

Ze stonden voor de poort van de tempel die in een magische dimensie zweefde. Het vlies was weer groen met wisselende kleurreflecties, net als toen ze binnengekomen waren. Adhara hielp hem voorzichtig in een zittende houding, waarna ze tegenover hem ging zitten en hem recht in de ogen keek.

'Ik heb je alles vergeven, alles. En als ík je vergeven heb, heeft Thenaar dat ook gedaan. Hou op met die onzin. We verlaten deze plek en brengen de remedie voor de ziekte naar de Verrezen Wereld.'

Ze dwong zichzelf om te glimlachen, ontblootte haar arm en trok haar dolk.

'Doe het niet', prevelde Adrass uitgeput.

Adhara slikte haar bittere tranen in. Resoluut sneed ze in haar arm, net zoals ze een paar dagen geleden had gedaan om het leven van haar vijand te redden. Het begin van de verandering, als je het goed bedacht. De druppels begonnen meteen langs haar arm te vloeien. Ze ving ze op in haar handpalm. Haar dolk stak ze weer in de schede. Toen ze naar haar idee genoeg bloed had verzameld, wierp ze het tegen het portaal. Zodra ze zag dat het vlies zijn geruststellende azuurblauwe kleur weer aannam, tilde ze Adrass op van de grond. Hij was lijkbleek en haalde steeds moeilijker adem.

Hij moet hier weg. Het komt door deze lucht, deze plek, herhaalde ze keer op keer in zichzelf. Ze moest geloven dat alles goed zou komen, als ze eenmaal weer buiten waren.

Ze wierpen zich tegen het portaal aan. Dit keer schreeuwde Adrass het uit. Adhara pakte hem steviger vast. Ze begreep het niet. Blijkbaar leed hij pijn, terwijl zij alleen maar een aangename sensatie op haar huid ervoer. Even later stonden ze weer in de zaal waaruit ze vertrokken waren.

Het is ons gelukt!

Maar haar uitbundigheid werd in de kiem gesmoord. Het eerste wat ze zag was een dreigend rood schijnsel. Het medaillon dat Amhal droeg was een van de levendigste herinneringen die ze had van hun laatste ontmoeting. Zodra ze het herkende, trok er een ijzige rilling over haar rug. In haar verbijstering was ze niet in staat om te reageren. Het enige wat ze duidelijk waarnam was zijn zwaard dat de lucht in ging.

Het geluid van Adrass' scheurende vlees galmde in haar oren. Meteen daarna rook ze de misselijkmakende geur van bloed.

Ze voelde hoe zijn lichaam zich onder haar greep samentrok. Ze voelde zijn adem in haar nek, een laatste gereutel waarin de dood al hoorbaar was.

Hij sloeg zijn ogen naar haar op, en glimlachte. Een vermoeide, verre, al verloren glimlach.

Langzaam maar onverbiddelijk gleed hij langs haar lichaam, uit haar omarming, op de grond. Op zijn rug was een enorme bloedvlek te zien. Amhals zwaard had hem van voor tot achter doorboord. Adrass had haar gered, en zij had niets in de gaten gehad. Alles was veel te snel gegaan. Het afschuwelijke tafereel desoriënteerde haar, maakte haar duizelig. Ze had een brandende pijn aan haar zij, maar dat maakte niet uit. Ze was zelfs niet in staat zich af te vragen wat de oorzaak was.

Haar woede overheerste ieder ander gevoel. Ze voelde blinde haat in zich opkomen, als een stroom hete lucht. Amhal schudde het bloed van zijn zwaard, het bloed van haar vader. Er tekende zich een spoor van minuscule rode pareltjes in de lucht af. Adhara begreep dat er niets meer over was van de jongen van wie ze gehouden had.

'Nu jij', zei hij op nonchalante toon. Hij keek naar haar als naar een hindernis op zijn weg, naar de roem die al lang uitgestippeld was. Ze was niets meer voor hem. Dat besef vervulde haar met verontwaardiging en wrok, die haar de kracht gaven om ieder medelijden uit haar hart te bannen. Er brak iets in haar. Uit de scherven verrees wat ze altijd voor anderen was geweest. Hoop. Een Sheireen. Van het ene moment op het andere werd haar duidelijk wat haar taak was. De man wiens lichaam, voor haar voeten, langzaam in de vergetelheid gleed zou niet voor niets zijn gestorven. Zij zou een zin geven aan dat laatste, ultieme offer.

Ze week opzij, raapte Adrass' zwaard op, schreeuwde, en sprong in de aanvalspositie. Het was een roestig, oud zwaard, maar dat was niet belangrijk. Haar razernij en haar vermogens zouden het de hardheid van getemperd staal geven.

Amhal stortte zich op haar, viel haar aan met een neerwaartse houw die afketste op de magische barrière die Adhara had opgeroepen. Ja, ze was veranderd. Adrass' ritueel had een nieuwe persoon van haar gemaakt. Ze was echt de Gewijde geworden.

Ze deed een snelle uitval, en ging haar vijand te lijf met alle kracht die ze in zich had. Ze spaarde zichzelf niet. Ze wilde hem doden. Hun klingen kruisten elkaar, en bij dat contact sidderde Adhara's lichaam van pijn. Amhal was een geduchte tegenstander. Ze sloot haar ogen en riep een spreuk op waarvan ze niet eens wist dat ze hem kende.

Haar wapen werd in zijn geheel door een gouden licht omhuld, waardoor het leek op te leven. Ze voelde het trillen, klaar om samen met haar uit de wraakbeker te drinken. Het was opeens hard en sterk. Haar slagen werden meteen trefzekerder. Amhal leek even terug te deinzen, maar kwam terug met een snelle beweging, waarbij hij het portaal schampte. Een hele brok zwart kristal stortte met donderend geweld op de grond. Adhara kon zijn slagzwaard nog net ontwijken door een koprol op de grond te maken. Ze stond meteen weer op om te ontsnappen aan een witte straal die pal naast haar een krater in de vloer sloeg. Ze verschool zich achter de restanten van het brok kristal en probeerde haar gejaagde ademhaling onder controle te krijgen. Ze mocht haar aandacht geen seconde laten verslappen als ze dit wilde winnen. Een felle pijnsteek aan haar zij bracht haar terug naar de werkelijkheid. Ze bekeek de snijwond vlak onder haar hesje. Amhals zwaard moest haar verwond hebben terwijl het Adrass' lichaam doorboord had. Het was geen diepe snee, maar vertraagde en bemoeilijkte iedere beweging. Daar zou ze zich later wel druk om maken, zei ze tegen zichzelf, terwijl ze om het hoekje keek om de situatie te controleren.

Amhal stond in het midden van de zaal na te hijgen. In zijn ene hand hield hij het slagzwaard en zijn andere hand hield hij naar boven gericht, klaar om de witte straal weer op te roepen. Zonder twee keer na te denken schoot Adhara naar voren, gebruikmakend van dat moment van zwakheid. Hij was niet snel genoeg, en haar zwaard trof doel. Een snerpende kreet vulde de grot, terwijl twee vingers door de lucht vlogen. Adhara had hem aan zijn linkerhand geraakt. Ze zag hoe hij met een van pijn vertrokken gezicht ineenkromp en zijn gewonde hand naar zijn borst bracht.

'Nu staan we bijna quitte!' gilde ze grijnzend.

Haar razernij was niet te houden. Zonder haar tegenstander een moment rust te gunnen, schampte ze keer op keer zijn armen en benen, net zo lang totdat hij met zijn rug tegen de muur stond. Ze hief haar zwaard op, klaar

293

voor de slotakte. Maar dit keer was hij het die zichzelf met een barrière beschermde. De kracht van haar slag kaatste pijnlijk terug, waardoor ze haar evenwicht verloor.

Amhal keek, buiten adem en met zijn rug nog steeds tegen de wand, hoe ze een paar stappen achteruit week. Zijn ogen waren totaal uitdrukkingsloos, waar Adhara hem bijna dankbaar voor was. Voor haar was hij alleen nog maar de moordenaar van Neor en van Adrass. Niets meer dan een vijand die gedood moest worden.

Voor Thenaar, ging het door haar heen.

Ze vuurde een versteningspreuk af. Amhal slaagde erin hem te ontwijken en antwoordde met een tweede witte flits, zwakker dan de eerste. Hij begon energie te verliezen, maar niet genoeg om te verhinderen dat het portaal in duizenden scherven ontplofte. Adhara kon zich nog net op tijd afschermen met een magische barrière. Het zware en dodelijke puin stortte met een oorverdovend kabaal op de grond. Daarna, enkel stilte.

Doodstil bleef ze onder het puin zitten om op adem te komen, beschermd door het schild dat ze had opgeroepen. Ze was doodmoe, maar haar woede was nog even fel als eerst. Ze was één brok vertwijfeling en strijdlust. Haar hart bonkte als een bezetene. De strijd die zich hier voltrok had iets geheimzinnigs. Ze voelde duidelijk aan dat hun bewegingen door het lot werden geleid, in een groot spel, veel groter dan zij, waar jaren, eeuwen, millennia aan gewijd waren.

Adrass' lichaam was door het puin bedolven, verloren voor altijd. Het gevoel van eenzaamheid en nederlaag brandde steeds harder.

Op haar hoede wachtte ze de volgende zet van haar tegenstander af. Ze omklemde haar zwaard terwijl ze haar laatste energiereserves uit haar lichaam voelde stromen.

Het schild werd steeds dunner. Op dat moment werd ze verrast door een metaalachtig geluid en naderende voetstappen.

Amhal kwam er aan. Zijn slagzwaard dat hij achter zich aansleepte kraste over het oneffen terrein. Adhara verzamelde haar krachten, sloot haar ogen en concentreerde zich. Marvash was dichtbij, heel dichtbij. Bijna pal boven haar.

Ze liet de barrière ontploffen, en kwam vanonder het puin tevoorschijn, haar zwaard naar boven gericht. Ze voelde hoe zijn zwaard het vlees onder haar linkerschouder scheurde, maar ook hoe haar eigen zwaard in zijn zij wegzonk. Ze duwde het diep in zijn vlees, met wreedheid. Ze tuimelden allebei op de grond, geradbraakt en verbijsterd. Dit laatste treffen had de een of andere mysterieuze reactie opgewekt. Ze bevonden zich plots niet meer in de tempelgrot, maar in een dicht bos onder het licht van een heldere sterrenhemel. Toch waren ze maar een paar passen van het totaal vernielde portaal verwijderd. Om hen heen, de onnatuurlijke kalmte van die open plek en een ijzige wind die hun bezwete gezichten geselde.

Zij stond als eerste op, steunend op haar zwaard. Alles aan haar lichaam deed pijn. Ze strompelde vooruit, zich nauwelijks bewust van wat ze aan het doen was. Amhal was nog net in staat om op zijn knieën te gaan zitten, met zijn hand krampachtig om de greep van zijn zwaard. Adhara rook zijn bloed, een geur die ze goed kende. En de herinneringen kwamen boven.

Zijn eenzame trainingen, de verwondingen die hij zich toebracht om de razernij af te straffen die sinds zijn vroegste jeugd aan zijn ziel vrat. Zijn eeuwige strijd om het goede in zichzelf levend te houden.

Een vreemd gevoel maakte zich van haar meester terwijl ze in dat onbewogen, hijgende individu de jongen herkende die ze tot voor kort gevolgd had. Haar haat vervloog, terwijl de woorden van Adrass in haar hoofd nagalmden.

Wees vrij. Van mij, van Thenaar, van iedere drang. Wees vrij en gelukkig.

Dat was de erfenis die Adrass haar had nagelaten, zijn laatste wens vóór het ultieme offer. Ze moest zichzelf niet verloochenen om andermans oorlog uit te vechten, niet buigen voor een lot waarvan hij wenste dat hij het haar nooit had opgelegd. Maar leven volgens haar eigen overtuigingen, en haar eigen gevoelens volgen. Dat is wat een levend wezen tot een persoon maakt.

Adhara liet haar zwaard uit haar vingers glijden, en toen Amhal een poging deed zijn zwaard op te heffen, blokkeerde ze dat door het met haar voet tegen de grond te drukken, net zolang totdat hij losliet.

Ze liet zich ook op haar knieën vallen, zonder haar blik los te laten van de ogen van die verloren man.

'Ik wil dit niet', zei ze zachtjes. 'Ik wil je niet haten.' Ze bracht haar gezicht dicht bij het zijne, streelde de perfecte lijnen van zijn emotieloze gezicht. 'Ik weet niet wat er gebeurd is met het deel van jou waarvan ik hield. Ik weet niet of ik het ooit terug zal vinden. Maar ik onderwerp me niet aan dit spel', fluisterde ze tussen haar tranen door.

'Ga weg!' antwoordde hij met onvaste stem.

'Ik ga niet doen wat de wereld en de goden van me willen. Ik ga mijn eigen weg volgen, de weg die mijn hart me wijst sinds het moment dat ik wakker werd op dat grasveld. Want alleen zo zal ik erachter komen wie ik *echt* ben.

'Ga weg!' schreeuwde hij, eindelijk met een stem vol pijn.

Adhara drukte haar lippen op die van Amhal, opende ze langzaam en kuste hem langdurig. Ze kuste de moordenaar, de vijand, het monster.

Daarna trok ze haar hoofd weg. Heel even zag ze de echte Amhal in zijn ogen terug, de jongen die weigerde aan zijn slechtste instincten toe te geven, hoeveel pijn en moeite hem dat ook kostte, de jongen die de dood zou hebben verkozen boven waar hij nu mee bezig was. De rode steen in zijn medaillon straalde nauwelijks meer.

'Ik zweer dat ik een manier zal vinden om dit alles te stoppen zonder je te vermoorden. Ik zal de geschiedenis van de Verrezen Wereld veranderen.'

Adhara draaide zich om, en begon langzaam in de richting van het bos te lopen, waardoor Amhal in de gelegenheid kwam haar in de rug te raken.

Overweldigd haalde hij zijn handen door zijn haar, drukte zijn vuisten tegen zijn slapen. De gevoelens, die vervloekte gevoelens, die hij had weten te verjagen, deden zijn hoofd weer barsten. En overal tussenin het beeld van haar, van Adhara, die hij niet kon haten, die hij niet kon vermoorden. Hij zag haar strompelend in het dichte bos verdwijnen.

En toen, eindelijk, kregen zijn verwondingen en de uitputting de overhand. Hij viel op de grond. Na een laatste blik op de kille en wrede sterrenhemel boven hem sloot hij zijn ogen. De bewusteloosheid onttrok hem aan de pijn van het heden. Heel geleidelijk begon het medaillon op zijn borst weer zwak en luguber te glanzen.

EPILOOG

Kryss stond voor de tafel, een uitgerolde kaart lag voor hem. Een triomf van rode vlaggetjes markeerde de omvang van zijn succes. Waterland was bijna helemaal in zijn bezit. Zijn opmars leek niet te stuiten.

Aan de andere kant van de tafel keek San hem voldaan aan, met in zijn hand de onafscheidelijke kelk honingwijn.

'Je zou niet zo veel moeten drinken', zei Kryss.

'Ik drink op je overwinning', glimlachte San. 'En dus op de mijne', voegde hij toe, een flinke slok nemend.

De koning gaf geen antwoord en hield zijn blik strak op de kaart gericht.

'Je herinnert je onze overeenkomst, toch hè?' Marvash vertrok opeens zijn gezicht. 'Waar is Amhal?'

De elf keek op. 'Ik heb hem op het spoor van Sheireen gezet, voordat ze een extra obstakel voor ons gaat vormen. Voorlopig is het een angstig meisje. Ik weet dat hij haar zonder al te veel problemen de baas kan. 'Verander niet van onderwerp', drong hij aan.

Kryss had het vanaf het begin geweten. San was hier niet voor hem en zou dat ook nooit zijn. Hoe hij ook zijn best had gedaan om hem bij zijn plan te betrekken, San zou hem alleen maar gehoorzamen om zijn eigen doel te bereiken. *Hij is en blijft een van hen,* dacht hij minachtend bij zichzelf. Maar om zijn doel te bereiken was hij ook bereid gebruik te maken van onbetrouwbare en slinkse wapens zoals San.

'Ja en of ik me onze overeenkomst herinner.'

'Ik heb jaren gewacht, en ik heb mezelf niet gespaard voor jou. Maar ik ben nooit de reden vergeten waarvoor ik dit alles doe.'

Kryss ging zitten en zuchtte. 'Ik weet dat je een huursoldaat bent. Dat maakte me in wezen niet uit. Je bent een wapen, en tot nu toe heb je je waarde bewezen.'

'Maar ik heb mijn beloning niet gezien.'

De uitdrukking op het gezicht van de koning werd ernstig. 'Zoals ik je al gezegd heb, ligt je beloning binnen het bereik van elfenmagie. Je zou eens moeten stoppen mijn woorden in twijfel te trekken.'

'Ik weet het', zei San, zijn blik ontwijkend. 'Ik weet het.'

Het was soms net een groot kind, dacht Kryss bij zichzelf. Toen ze elkaar voor het eerst hadden ontmoet, was San een compleet verloren wezen geweest. Hij had wie weet hoeveel jaren door het Onbekende Land gezworven, verscheurd door zijn eigen demonen, op zoek naar iets wat hij met zijn krachten niet kon verkrijgen. Hij had de halfelf een doel gegeven, hij had hem tot het onoverwinnelijke wapen gemaakt dat hij nu was, en hij had hem het onmogelijke beloofd. Daarom bleef San hem volgen, daarom had hij hem ook de andere Marvash gebracht: een kind zoals hij, gekweld door, in zijn ogen, dezelfde kinderachtige dilemma's.

'Aan het einde van dit alles zul je krijgen wat je wenst, in de nieuwe wereld die ik aan mijn volk zal schenken. Begrijp goed dat jij het enige niet-Elfse wezen zult zijn dat die wereld bewoont.' Er lag een subtiele maar onmiskenbare dreiging in zijn woorden besloten. 'Ik ben niet in overleven geïnteresseerd. Ik wil alleen dat je me geeft wat je me beloofd hebt. Daarna kan ik wat mij betreft ook sterven.'

De koning nam hem zwijgend op. 'Je zult het krijgen wanneer alles is afgelopen', besloot hij met vaste stem. San leek zich te ontspannen. 'Wat niet lang meer zal duren, aan al die vlaggetjes te zien.'

Kryss wierp een bezorgde blik op de kaart. San bespeurde zijn ontevredenheid. 'Wat is er? Alles gaat toch prima?'

De elf fronste zijn wenkbrauwen. 'Het leger van de indringers is zich aan het herorganiseren. Tot op een paar maanden terug was het een lichaam zonder hoofd. Je had prima werk geleverd door de koning en zijn zoon te vermoorden. Zij vormden de ziel van de tegenstand, en hielden het moreel van de troepen hoog.'

San voelde meteen aan waar hij heen wilde. 'Is het de koningin die je zorgen baart?'

Kryss knikte.

'Het is gewoon een oude vrouw', weerlegde hij snel op minachtende toon. Maar San wist diep in zijn hart dat Dubhe een niet te onderschatten hindernis vormde.

'Ze moet verpletterd worden', verklaarde de elfenkoning. 'Haar mensen hebben ons grote verliezen toegebracht. Zij is ons volgende doelwit', voegde hij kil toe.

San knikte nonchalant. 'We zullen haar eerder verslaan dan je denkt.'

Kryss sprong opeens op en sloeg met zijn vuist op de

tafel. 'Ik wil hen niet alleen verslaan en hun de Verrezen Wereld ontrukken. Ik wil hen uitroeien!' schreeuwde hij. 'Deze oorlog heeft niets gemeen met de oorlogen die jij in je leven hebt meegemaakt. Deze oorlog is niets vergeleken bij de strijd die ik in mijn vaderland heb moeten leveren om aan de macht te komen.'

Hij werd even in beslag genomen door zijn herinneringen. Soldaten die over de wegen van Orva, zijn geboortestad, trokken, de met bloed bevlekte muren. Elfen tegen elfen, en dan zijn vader. *Het was noodzakelijk. Het was de prijs die ik moest betalen om mijn volk aan de vernedering te onttrekken en het terug te brengen naar de plek waar het vandaan was gekomen.*

'Dit is een uitroeiing', siste hij tenslotte, ieder woord nadrukkelijk articulerend.

Er schoot een flits van angst door Sans ogen. En niet voor de eerste keer. Kryss wist dat hij schrikaanjagend kon zijn, en genoot van het gevoel van absolute macht dat hij over anderen had.

'Om een zo groots project ten einde te brengen, heb ik duizenden manschappen nodig, een allesoverheersende en grenzeloze kracht.'

'Die heb je', antwoordde San. 'De plaag.'

'De plaag is nog maar het begin', grijnsde Kryss. 'Geloof me. Het beste moet nog komen.'

301

PERSOΠAGES EΠ AΠDERE EĪGEΠΠAMEΠ

Adhara: meisje dat door de sekte van de Wakers met magie gecreëerd is, uit het lichaam van een overleden jonge vrouw. Haar naam heeft ze van Amhal gekregen.

Adrass: de Waker die Adhara gecreëerd heeft.

Amhal: leerling Drakenridder die al lange tijd een inwendige strijd voert met een duistere moordlust die hij in zichzelf bespeurt; met het vermoorden van Neor heeft hij zijn betere ik opgegeven om zich volledig aan het kwaad te wijden. Hij is een Marvash.

Amina: dochter van Fea en Neor, tweelingzus van Kalth.

Aster: halfelf die honderd jaar eerder geprobeerd had de hele Verrezen Wereld te veroveren. Hij was een van de Marvash.

Baol: oppasser van Dubhe aan het front.

Barmhartigen: personen die de plaag hebben overleefd en de zieken verplegen.

Bewakers van de Wijsheid: gewapende arm van de Raad der Wijzen.

Broeders van de Bliksemschicht: de priesters van de Thenaar-cultus.

Calipso: koningin van de nimfen.

Carin: verloofde van Elyna.

Chandra: zesde, in het Elfs

Dakara: oprichter van de Sekte van de Wakers.

Dalia: oppaster van Theana in de tempel.

De ziekte: dodelijke en besmettelijke ziekte die zich over de hele Verrezen Wereld heeft verspreid.

Dohor: vader van Learco; wrede koning van Zonland die geprobeerd heeft de hele Verrezen Wereld te veroveren.

Dowan: leider van het verzet in Makrat.

Dubhe: koningin van Zonland, ooit een bedreven dievegge.

Elfen: oude bewoners van de Verrezen Wereld. Toen de andere rassen deze begonnen te bevolken, hebben zij zich in het Onbekende Land teruggetrokken.

Elyna: naam van het meisje uit wiens dode lichaam Adhara gecreëerd is.

Erak Maar: Elfse naam voor de Verrezen Wereld.

Fea: weduwe van Neor, moeder van Amina en Kalth.

Gezonken Wereld: door vluchtelingen van de Verrezen Wereld gebouwde onderwaterwereld.

Ido: gnoom, Drakenridder, maakte een eind aan de veroveringsdroom van koning Dohor door hem te doden.

Jamila: Amhals draak.

Kalima: dorp in het zuiden van Waterland, waar zich een vluchtelingenkamp bevindt.

Kalth: zoon van Fea en Neor, tweelingbroer van Amina.

Kryss: koning van de elfen, leidt zijn volk naar de herovering van de Erak Maar, de Verrezen Wereld.

Laodamea: hoofdstad van Waterland.

Learco: koning van Zonland. Hij is de schepper van de vijftig jaar vrede die de Verrezen Wereld heeft gekend. Geveld door de ziekte, die San aan het hof heeft verspreid.

Lonerin: magiër, echtgenoot van Theana, jaren terug aan een ziekte gestorven.

Makrat: hoofdstad van Zonland.

Marvash: Vernietiger, in het Elfs.

Milo: broeder van de Bliksemschicht.

Mira: Drakenridder, Amhals leraar, vermoord door toedoen van San.

Moordenaarsgilde: geheime sekte die de verering van Thenaar had doen ontaarden.

Neor: enige zoon van Dubhe en Learco; hij is verlamd aan zijn benen. Door Amhal vermoord.

Nihal: halfelf, heldin die de Verrezen Wereld honderd jaar geleden van de Tiran bevrijdde.

Nimfen: wezens gemaakt van water die in Waterland leven. Zijn immuun voor de ziekte.

Nieuw Enawar: enige stad van het Grote Land, zetel van de Raad van de Verrezen Wereld en van het Eenheidsleger.

Nieuwe Stad: naam waartoe Makrat omgedoopt is.

Onbekende Land: het onbekende gebied aan de overkant van de Saar.

Raad der Wijzen: raad die zichzelf het bestuur over Makrat toegekend heeft.

Saar: grote rivier die de scheiding vormt tussen de Verrezen Wereld en het Onbekende Land.

Salazar: torenstad, hoofdstad van Windland

San: kleinzoon van Nihal en Sennar. Is na een lange afwezigheid naar de Verrezen Wereld teruggekeerd.

Sennar: machtige magiër, echtgenoot van Nihal.

Sheireen: Gewijde, in het Elfs.

Shevraar: Elfse naam voor Thenaar.

Theana: magiër en priesteres, Hoofdpriesteres van de Broeders van de Bliksemschicht.

Thenaar: God van de oorlog, de verwoesting en van de schepping.

Tiran: naam waaronder Aster bekend staat.

Uro: gnoom die ervan overtuigd is een kuur voor de ziekte te hebben gevonden.

Wakers: geheime, door de Broeders van de Bliksemschicht verbannen sekte.

Wyvern: een soort draak zonder voorpoten; favoriet vliegdier van de Elfse krijgers.

Andere titels van Licia Troisi

KRONIEKEN VAN DE VERREZEN WERELD

ISBN 978 90 7834 530 5

ISBN 978 90 7834 540 4

ISBN 978 90 7834 549 7

OORLOGEN VAN DE VERREZEN WERELD

ISBN 978 90 7834 514 5   ISBN 978 90 7834 521 3   ISBN 978 90 7834 541 1

LEGENDEN VAN DE VERREZEN WERELD

HET LOT VAN ADHARA

LICIA TROISI

ISBN 978 90 7834 560 2

LICIA TROISI

II - DOCHTER VAN HET BLOED

ISBN 978 90 7834 579 4

BEELDBOEK BIJ
KRONIEKEN VAN DE VERREZEN WERELD &
OORLOGEN VAN DE VERREZEN WERELD

ISBN 978 90 7834 549 7

ISBN 978 90 7834 603 6